Cuentos completos II

Sección: Literatura

Ignacio Aldecoa:
Cuentos completos II

Recopilación y notas de Alicia Bleiberg

El Libro de Bolsillo
Alianza Editorial
Madrid

Primera edición en "El Libro de Bolsillo": 1973
Sexta reimpresión en "El Libro de Bolsillo": 1987

Calle Milán, 38, 28043 Madrid; teléf. 200 00 45
ISBN: 84-206-1985-X (Obra Completa)
ISBN: 84-206-1437-8 (Tomo II)
Depósito legal: M. 15.470-1987
Papel fabricado por Sniace, S. A.
Impreso en Lavel. Los Llanos, nave 6. Humanes (Madrid)
Printed in Spain

Los oficios

Santa Olaja de acero

1

A través de los entornados ventanillos podía ver la claridad del amanecer; la claridad de humo blanco de locomotora del amanecer. No quería encender la luz eléctrica; temía despertarla. Volvió con suavidad uno de los ventanillos. La cara de ella quedaba en lo oscuro; podía ver el reflejo turbio de la amanecida en la tabla de los pies de la cama de matrimonio; la masa de la silla, a la derecha, con su camisa caqui colgada del respaldo, junto a la ventana; también la azul y rara profundidad de la luna del armario. Decidió ponerse los zapatos en el pasillo. Al salir de la habitación recogió la camisa, el jersey mahón y el chaquetón de cuero. Cerró la puerta con cuidado; su mujer dormía profundamente. Dormiría hasta que el sol hiciera su primera presencia en la ventana. Ella se despertaba con el sol, no con la claridad del amanecer. Ella quedaba atrás en su sueño y a él le parecía seguir dormido aun después de lavarse en la cocina, aun después de salir a la calle y contemplar el metálico reflejo del asfalto mojado, aun después de asentar el estómago con la copa de orujo y el té de los madrugadores, hasta que estaba en la máquina, junto a la boca de fuego, esperando que la caldera cogiese presión y el compañero fogonero principiase la primera conversación del trabajo.

Bajaba las escaleras colocándose el chaquetón, haciendo el nudo simple de la bufanda. El portal estaba todavía cerrado. Maldijo, como siempre, al intentar abrir la puerta. Cuando lo consiguió, el sereno estaba enfrente de él. Se saludaron como amigos. Comentaron el frío de la noche.

—Ya se va acercando el invierno —dijo el sereno.

—Ya se va acercando —respondió él.

—Al tajo, ¿eh? —dijo el sereno.

—Al tajo —contestó.

Siempre se decían lo mismo. Se despidieron.

El bar de los maquinistas abría a las siete menos cuarto de la mañana. El dueño del bar hablaba poco. Estaba habitualmente medio dormido. Cuando llegaba el mozo que le ayudaba, subía a su casa y se volvía a meter en la cama. A las once de la mañana bajaba de nuevo. Era otro hombre. Entonces hablaba, con los que entraban, de toda clase de asuntos. Pero con los maquinistas no decía más que las palabras precisas. «Tú, González, ¿café o té? Tú, ¿té como siempre? ¿Quién orujo? ¿Todos?» Los maquinistas tampoco hablaban mucho, tosían la bronca tos de la mañana, bebían y miraban casi obsesivamente a la cafetera exprés cuando abría el dueño la llave del vapor.

Entró en el bar y saludó y fue saludado.

—¡Qué mañanita! —dijo.

—Ahora me gusta la máquina —comentó alguno.

Bebió su té y una copa doble de orujo, pagó y se marchó. Entró en la estación por la puerta de hierro de las mercancías. Se paró en uno de los andenes pegado a los tinglados. Buscó con los ojos su máquina. Cruzó las vías. Veía a su compañero inclinado paleando carbón. La máquina tenía un jadeo corto de vapor. Luego se desperezará, pensó, cuando la presión suba y los émbolos... y eche el airón de la marcha y... Estaba ya junto a la máquina. Todos los días fijaba la mirada por un momento en el nombre de la locomotora de una placa atornillada al costado: *Santa Olaja-1*. Letras doradas sobre fondo rojo.

El fogonero estaba de espaldas, pero había sentido su presencia.

—Higinio —avisó—, la señora está desayunada; ya tiene fuerza.

—Muy bien. Mendaña. Dale dos cucharadas de jarabe y andando.

Subió a la máquina. Mendaña echa las dos paletadas de jarabe. Llamaban jarabe al polvo de carbón con agua. De la boca del fogón salió un chisporroteo.

—Está bien.

Higinio movió la manilla, miró al manómetro, volvió la cabeza y escupió. La máquina comenzó a moverse lentamente. Vía adelante un hombre les hacía señas con un palo en el que estaba recogida una franela verde. En la vía de la derecha, el gálibo, suspendido sobre un vagón solitario cargado de paja, tenía un ligero vaivén. A la izquierda estaban dos máquinas acopladas. Mendaña gritó algo a los fogoneros de las máquinas, algo que no le entendieron. Higinio sonreía. Mendaña siguió hablando a gritos mientras la máquina los apartaba y su resollar hacía que se borrasen las palabras.

—*Olaja* —dijo Higinio— tiene más pulmones que tú.

La máquina era para los dos, en la compañía del trabajo, *Olaja; Olaja* y nada más. A veces le llamaban la señora; pero lo decían irónicamente, porque ellos no eran señores y una compañera de trabajo tampoco podía ser señora.

A pocos metros estaba la fuente del agua con su cetrina trompa. La máquina fue parada justamente cuando el ténder quedaba debajo de ella. Mendaña descendió a dar el agua. Higinio contemplaba el chorro casi helado, de espaldas a la caldera de la máquina. Hizo un movimiento mecánico con la mano y tocó alguno de los mandos. *Olaja* dejó escapar un largo chorro de vapor, un como sostenido suspiro.

A ambos lados de la vía se extendían los campos negros y tensos. *Olaja,* arrastrando la composición de mercancías, dividía el silencio con su marcha de puño violento. De los cables del tendido eléctrico partían en vuelo, en masa guiñante, bandadas de pájaros. Algún animalillo en huida era señalado por Higinio.

—Ahí corre un buen almuerzo.

Mendaña se erguía y sonreía.

—Un día vamos a ir a comernos unos conejos a un sitio que yo he visto. Un sitio superior y económico.

«Superior» en el lenguaje de Higinio equivalía a decir «de una excelencia aislada» en la nómina de los restaurantes baratos, frecuentados para merendar con los amigos.

—Ponen los conejos cosa seria —hizo boca de trompeta.

Mendaña seguía sonriendo. Se pasó el dorso de la mano derecha por los labios mientras con la izquierda sostenía la pala y miró al campo.

—Me acuerdo —dijo— que una vez, aún no había entrado yo en quintas, allá por el año veintisiete...

La mano de Higinio se movió y *Olaja* silbó airadamente.

—... tenía yo unos amiguetes —continuó Mendaña— que les gustaba mucho la priva y solíamos irnos a un figón, que tú conocerás, que está por debajo del puente que antes llamaban de la Reina...

Olaja volvió a silbar. Higinio avisó:

—En cuanto pasemos el túnel ya verás cómo cambia el tiempo. Hará más frío.

—Poco más o menos.

Mendaña se inclinó sobre la boca del horno. Tenía los ojos brillantes y la frente sudada. Se secó con un pañuelo sucio. Quiso continuar la conversación:

—Ese figón era de un señorín asturiano que presumía de valiente. La mujer era una cocinera de aúpa. Además, qué clase de mujer...

Los ojos le brillaron aún más a Mendaña. El tren acababa de entrar en el túnel y las palabras se perdieron. Higinio le contemplaba cabeceando. Mendaña seguía hablando, moviendo los labios.

En Turgo daban café en la cantina. Uno de los vagones de la composición de *Olaja* quedaba allí. Mendaña e Higinio bajaron a tomar café con anís. La mujer de la cantina era viuda de un ferroviario y los conocía de antiguo. Mendaña tomó su café de prisa y se volvió a la máquina. Con un trapo sucio pretendió limpiar la suciedad de los mandos de la máquina. «Los metales con brillo han de estar brillantes lo mismo en una máquina que en un barco», solía decir. Higinio tomaba su café con calma. No subió a la máquina hasta que le avisó el jefe de estación que ya estaba desenganchado el vagón y que podía hacer la maniobra. *Olaja* sopló de nuevo.

Mendaña comentó:

—Vamos con la hora. La señora marcha bien a pesar de los años. ¡Qué material el de antes!

Turgo quedó atrás. Ahora subía la máquina a la altiplanicie. Lejanas se veían las montañas con su puerto amenazante. El sol arrancaba del lomo negro de *Olaja* un apagado reflejo azul. El sol blanquiazul de la mañana, entre brumas, apenas tenía fuerza para azulear el lomo de *Olaja*. Mendaña lo miraba a cada paletada.

—Todavía no ha dejado las sábanas —dijo.

—Se levanta pronto, pero no empieza a trabajar hasta las once, como un señorito de oficinas.

Mendaña celebraba las cosas que decía Higinio. Reconocía en él un talento superior al suyo. En la taberna solía confirmar las opiniones de Higinio: «Tiene mucha razón Higinio», y repetía: «Sí, señor; Higinio tiene mucha razón». En su casa, explicaba a su mujer los acontecimientos futuros por lo que había dicho Higinio: «No habrá guerra; todos tienen un canguelo torero. Ha dicho Higinio que Rusia habla de boquilla y que los yanquis son blancos, que tienen el calzón húmedo». «La vida no puede subir más. Higinio ha leído que la cotización ahora es de tres por una. Bueno, yo no entiendo; pero Higinio sabe de esas cosas. Lee mucho».

Mendaña dio media vuelta a la boina sobre la cabeza. Se le escapaban algunos cabellos cenicientos, que le caían sobre la frente. Luego se rascó las espaldas.

—Tengo una cosa aquí que me tiene doblado. A la mujer le hago todos los días que me amase el pellejo con alcohol de romero, pero que si quieres...

Olaja soplaba mucho. Estaba ascendiendo una cuesta. Marchaba muy lentamente. Mendaña paleó un poco más. Higinio, con el codo sobre el visor, miraba el paisaje distraídamente.

—¡Qué tierra! —dijo—. No hay más que piedras. Media España es piedra. Esto no da más que lagartos.

Mendaña encendía un cigarrillo hecho torpemente.

—¿Tú has comido lagarto, Higinio?

—Yo no.

—Pues yo sí. Te aseguro que te gustaría. Sabe como a merluza. Yo he comido de todo. Ya no le hago ascos a nada.

—¿Has comido gato?

—Gato —hizo un gesto de suficiencia—. Cientos he comido. Un día nos comimos entre media docena de amigos siete. Gato para comer, gato para cenar, y sobró. Están muy buenos guisados con patatas, mejores que conejo. Yo por comer he comido hasta picazas, claro que dejándolas un par de días en oreo. Y aun así, comí por decir que había comido, no por otra cosa.

Higinio le miraba con una tierna superioridad.

—Eres un bárbaro, Mendaña —comentó—. Yo no comería nada de eso aunque me lo sirvieran en bandeja de oro.

—Pues qué te crees tú, si el gato es un plato fino.

Olaja marchaba ya normalmente. Mendaña apagó el cigarrillo, se lo colocó en la oreja y paleó durante unos minutos.

—Una vez —dijo, haciendo un alto— entre mi mujer y yo...

Miró a Higinio, que estaba distraído con la cabeza asomada avizorando la vía. Mendaña volvió a palear carbón. Higinio le llamó:

—Fíjate, Mendaña, cómo están esas charcas de caza.

Mendaña dejó la pala y se asomó.

—¿Qué serán?

—Aves de paso. Van para el Sur —contestó Higinio—. Descansarán, y para el Sur buscando el buen tiempo.

Mendaña filosofó:

—Son más listas que los hombres. Hay que ver...

—En la primavera vuelven al Norte —explicó Higinio—. Suben hasta el Polo. Allí, como quien dice, veranean. La Naturaleza es muy sabia.

—Y tanto. Ya quisiéramos nosotros ser como la Naturaleza.

Olaja entraba en un puente. Debajo corría un río de agua turbia. El convoy hacía un ruido endemoniado al pasar por el entramado de hierro.

—Agua de montaña —dijo Mendaña—. Ha debido llover lo suyo por los altos. Agua sana que se lleva todo lo malo del río. ¡Ya se necesitaba...!

—Cuando paremos en La Penaza te voy a enseñar dónde hay una fuente que da un agua que lo cura todo. A ver si te pegas un buen trago y te quitas el dolor de las espaldas. Porque lo que tú tienes es como unos cristales que se forman dentro de los poros de la segunda piel y que se tienen que disolver. Te llevas una botella a tu casa y te bebes un buen vaso todas las mañanas al levantarte. Así un mes. Aquí hay una curandera que lo receta para todo.

—Buena tiene que ser cuando lo receta para todo.

Los terraplenes de la trinchera tenían un color triste de cielo invernal. *Olaja* silbó fuertemente. El silbido se alargó y redondeó en la extensión de la trinchera. Luego saltó a las desiertas lomas amarillas; anidó en la vaguada, por donde se deslizaba un surco de agua y se alzaban unos arbolillos; se perdió en el aire.

—La Penaza la tenemos a la salida de esta curva. Hazte con una botella en cuanto lleguemos. El jefe tendrá alguna vacía. Le gusta pimplar y siempre tiene vino en la oficina.

Al salir de la curva se les presentó la pequeña estación de La Penaza. Detrás de una loma estaba el pueblo.

—Esto sí que está bonito en primavera —dijo Higinio—. ¿Te acuerdas de este mayo pasado? Le entraban a uno ganas de revolcarse en el verde de jugoso que parecía.

—¡Que si me acuerdo!

Olaja se puso de nuevo en marcha. La botella con el agua casi milagrosa la había colocado Mendaña entre dos bloques de carbón.

—A ver, a ver...

Mendaña se hacía la ilusión de que había mejorado.

—Parece que me duele menos.

—Pero, hombre, el agua no te va a hacer efecto al instante como el elixir del padre Botija. Por lo menos la tienes que tomar durante un mes.

—No creas; ya se nota. Algo de mejoría se siente.

Olaja pedía más carbón. Mendaña paleó con mucha rapidez durante unos minutos. Luego, más lentamente.

—¡Qué oficio, Dios! —murmuró.

—Quéjate, quéjate, que tienes boca.

—No hay dinero para pagar esto, hombre.

—Tampoco lo hay para estar metido en una mina o al pie de un horno durante ocho horas, quemado por fuera y por dentro. Aquí, cuando quieres, puedes respirar y pegarte un trago en cada estación que paremos.

—Tienes razón, Higinio; peores los hay.

En las arrugas de la cara de Higinio la carbonilla ponía su tatuaje negro, construyéndole como una máscara de impasibilidad. Mendaña estaba absolutamente negro. Sus grandes manos parecían algo mecánico de la pertenencia motriz de *Olaja*.

—En la próxima hay que hacer maniobras. Hay que dejar las bateas de maquinaria y coger uno o dos vagones de cemento. Después no paramos hasta Fuensalida. El jefe de tren dirá.

Olaja fue perdiendo velocidad. Silbó aburridamente. Mendaña atizó sus entrañas con un hierro largo. Higinio frenó. Saltaron los dos al andén.

—A ver lo que dice éste.

Se acercaba el jefe de estación hacia ellos. El jefe de tren estaba al final del andén.

—¿Qué hay de nuevo? —saludó el jefe de estación.

—Poco, ¿y por aquí? —contestó Higinio.

—Lo de siempre.

—Vaya.

Las palabras previas tenían la misma monotonía en todas las estaciones. No decían nada y lo decían todo. Inmediatamente pasaron a hablar de la maniobra. El jefe de tren, que ya estaba con ellos, se echó la boina hacia atrás y puso los brazos en jarras.

—Hay que sacar del medio las bateas...

De un grifillo del costado de Olaja caía un chorro de agua sobre el borde del andén. Un perro se acercó a husmear y luego siguió al trotecito curioseando a todo lo largo del convoy.

2

Comenzaban los primeros túneles de la montaña. Cada uno tenía su nombre. Mendaña los iba nombrando a medida que iban entrando en ellos.

—El Barro... El del Lobo Viejo... El de la Moza...

Higinio estaba atento a la marcha de *Olaja.*

—Las traviesas están medio podridas. Un día nos vamos monte abajo con todo el percal.

El humo en los túneles los aislaba, los envolvía. Higinio distinguía la tos bronca, de perro atragantado, de su compañero.

—¡Uf! El caño de respirar se me va a caer al balastro —decía Mendaña, y escupía prolijamente, con los ojos cargados de lágrimas—. Estoy tan sucio por dentro como por fuera.

Al entrar en un túnel se sentía como si toda la masa del convoy se achicase, y, ya dentro de él, parecía como si a la primera sensación de compresión sucediese otra de extensión y el túnel fuera a romperse ante la fuerza expansiva del tren. El ruido, el humo, la oscuridad, motivaban el juego de las sensaciones. A la salida, *Olaja* corría libre y hasta más alegre. Entrar en un túnel era entrar en una tormenta, en un negro nubarrón cargado de ruidos meteóricos y sobresaltantes, que convertían el paso de unos minutos por él en algo inexplicablemente temible, hecho de tinieblas, de insólitas coloraciones amarillas y rojas en el humo apelotonado en el puente de la máquina, de furiosos sonidos de hierro y de vapor de fuga.

En los túneles largos habitaba la desazón. La desazón de los rostros fosilizados de todos los viajeros que habían querido distinguir sus paredes con los ojos desmesuradamente abiertos. La desazón de los viajeros ancianos, que imaginaban horribles catástrofes dentro de túneles interminables. Algo intestinal y ciego; tajado del paisaje; el temor repentino de que *Olaja,* hasta entonces obediente, podía dejar de serlo allí mismo.

Pero *Olaja* pasaba los túneles: El Barro, el de Lobo Viejo, el de la Moza, el Tunelillo, y transmitía a las manos de Higinio sobre las palancas la serenidad de su fuerza encarrilada.

Los valles estaban cubiertos de niebla. A medida que ascendían, al contemplar las cimas de las montañas, las nubes se les hacían más rápidas en su marcha. El cielo estaba claro, de un azul grisáceo, tenue y frío. Las nubes pasaban altas; en las crestas de los montes se deshacían a veces, alargándose en coletas. Las peñas, blancas al sol de verano, estaban como ensuciadas por la humedad. El verde, hasta la niebla de los valles, oscurecido.

—Va a nevar pronto —dijo Mendaña.

—¿Cómo lo sabes?

—El cielo está de cristal. Cuando se pone así, ya se sabe, nieve segura.

En uno de los túneles había obreros trabajando. Gritaban al paso de la máquina. Sostenían sus faroles a la altura de la cabeza. Mendaña les hacía gestos deshonestos y se reía a carcajadas.

Higinio disminuyó la velocidad de *Olaja.* Unos metros delante de la máquina, un hombre balanceaba un farol rojo. Higinio frenó.

—¿Qué pasa ahora? —preguntó Mendaña.

—La vía. La habrán levantado. ¡Quién sabe!

El hombre del farol rojo se acercó.

—Tenéis que volver atrás, hasta el apeadero. Estamos cambiando las traviesas. Cosa de una hora. La vía está levantada.

—Bueno. La organización es perfecta. En el apeadero nos dan la salida y ahora a volver atrás...

Higinio pulsó suavemente la palanca. A lo largo del convoy, como una sucesión de puntos sucesivos, los topes de los vagones se golpearon. El tren retrocedía.

—Bajar con tanto peso tirando de *Olaja* va a ser muy peligroso —dijo Mendaña—. A ver si nos arrastra la composición y...

—No lo pienses.

Los hombres de la vía gritaban; pero Mendaña no se reía a carcajadas ni les hacía gestos deshonestos. Estaba pendiente de la marcha de *Olaja*. El túnel se les hizo muy largo.

—No faltaba más que esos becerros hubieran dado la salida en La Penaza al mixto...

Higinio silbaba preocupado. Se pasaba la lengua por los labios, que el calor de *Olaja* resecaba. Acabó el túnel, y los dos respiraron profundamente. De *Olaja* escapó un largo chorro de vapor.

Ninguno de los dos miraba a los valles.

—En cuanto pasemos el próximo tenemos el apeadero. Habrá que ver si nos podemos quedar allí o si tenemos que bajar todavía más...

En el horno, el carbón recién echado daba una llama azulada. Mendaña metió el hierro y hurgó prolijamente. Las llamas surgieron rojas.

—¿Tiene mucha presión?

La mano de Higinio se movió. *Olaja* volvió a dejar escapar vapor.

Al entrar en marcha atrás en el túnel notaron el calor húmedo de cueva o de invernadero. Las paredes chorreaban agua, y un musguillo verde se extendía por las zonas donde el chorreo del agua era menos intenso.

Olaja patinaba, apenas capaz de sostener el tirón de la composición. El rostro de Higinio se ensombreció.

—Esto va mal, Mendaña. Haz señas, si puedes, de que echen los frenos de los vagones.

—Los están echando para acortar velocidad, pero el convoy se vence. Fuerza un poco a *Olaja* a ver si resiste la tironada.

—Los que no van a resistir son los enganches.

Higinio movió la cabeza, preocupado.

—Estamos aumentando la velocidad. Si se nos desboca se hará ingobernable. Y seguramente no tenemos espacio para pararla en el llano, porque detrás viene el mixto.

Por encima del ténder asomó la cabeza Mendaña.

—Nos hacen señas desde la primera garita. Se han dado cuenta de que esto marcha mal.

Higinio tenía las manos crispadas sobre las palancas.

—No me atrevo. Si los enganches se rompen...

—Lo tienes que hacer, Higinio...

La cara de Mendaña, al abrir el horno llameante, tenía una dureza de imagen.

—Este túnel no se acaba nunca —dijo Higinio.

En la voz notaba Mendaña la dificultad del momento. Sabía que Higinio no se preocupaba vanamente. Le miró con fijeza. La mano de Higinio movió la palanca. Fue como una descarga de fuerza. *Olaja* patinó resoplando, crujiendo.

—Los enganches resisten por ahora.

—Apenas he frenado —dijo Higinio— y ya has visto: se llevan a *Olaja*. Si freno fuerte, y tendré que hacerlo, a la salida del túnel, partimos el tren. Los vagones, embalados, llegarán hasta La Peñaza.

Mendaña pensaba que *Olaja* tenía que resistir todo el tren, que *Olaja* tenía fuerza para detener el desboque de los vagones. Un desboque terrible de seres sin cabeza, porque aquel tren que se les presentaba como humanizado tenía su cabeza, su inteligencia, su fuerza recta en *Olaja*. Iba a ser acaso como lo que ocurre con las formas más primitivas de la animalidad, que, aun mutilado el ser, cada parte tiene una vida propia y se agita y se mueve hasta que sobreviene la muerte. Mendaña tenía fe. Higinio escuchaba los ruidos del lanzamiento del tren. Los dos pensaban en *Olaja*, en que *Olaja* sería capaz de frenar el espanto.

Higinio movió de nuevo la palanca. *Olaja* resollaba profunda, animalmente. Estaban a punto de salir del túnel. Mendaña lo percibía en el aire, frío y duro, que penetraba silbando por los dos lados del tren.

—En cuanto estemos a la luz, Higinio, inténtalo.

Mendaña percibía el chirrido constante de los vagones, que iban frenando.

—No deben frenar de esa forma; van a arder los ejes.

Mendaña se asomó sobre el ténder y movió la lámpara a sus dos lados.

—Ya me han visto —gritó.

De pronto, la claridad. Una llovizna fina, densa, envolvía el paisaje. Pero los hombres del tren no tenían tiempo de fijarse en el paisaje.

—Mendaña, pasa a los vagones y diles que aflojen un poco los frenos, que voy a hacer la prueba de parar el tren. Diles que cuando tú hagas una seña con la mano frenen los vagones de más peso.

Mendaña saltó sobre las pilas de carbón. Algunos de los bloques se derrumbaron hasta los pies de Higinio, que estaba asomado con el cuerpo casi totalmente fuera mirando hacia las ruedas de los primeros vagones.

Mendaña estaba de regreso.

—Cuando tú digas, Higinio.

El tren llevaba ya una gran velocidad.

—Voy a aprovechar esta curva; alguno se saldrá del carril, pero acaso frenemos.

Puso las manos sobre las palancas y pitó largamente. Gritó:

—Si alguno salta...

Olaja fue frenando paulatinamente. Todo el tren retemblaba, se agitaba, parecía que iba a salirse de las vías. Los cubos de los ejes, recalentados, quemaban el aceite. En medio de la composición pareció que un vagón se encabritaba. Luego *Olaja* se hizo definitivamente con el resto del tren. Frenó totalmente, con seguridad; resbaló un poco sobre los rieles y el tren quedó parado. Los hombres saltaron a los bordes de la vía. El jefe de tren corría hacia la máquina. Higinio se pasaba la mano por la frente. El fogonero se apoyaba en *Olaja.*

—De buena nos hemos librado —dijo el jefe de tren.

Al borde de la vía estaban reunidos seis hombres. Hablaron durante unos instantes. Luego subieron al tren.

El apeadero estaba escasamente a unos doscientos metros. Cuidadosamente, *Olaja* empujó los vagones hasta que la composición quedó frente al andén. El jefe del apeadero se acercó a hablar con los de la máquina.

—Lo habéis conseguido por puro milagro. Os vi salir del túnel lanzados.

Higinio y Mendaña miraron a *Olaja.*

—Sí; ha sido como un milagro —dijo el fogonero.

Higinio saltó al puente de la máquina. *Olaja* expelió un largo chorro de vapor. El jefe del apeadero contaba a Mendaña:

—En La Penaza no habrán dado la salida al mixto; si se la hubieran dado, lo tendríamos entrando...

El sostenido pitido de la máquina del mixto acercándose cortó sus palabras.

3

Ya era de noche. La estación nucleaba una gran masa oscura de indecisos reflejos en las cristaleras. Llovía tenue y persistentemente. Los andenes, mojados por la lluvia, eran doblemente negros, de un negro profundo, sereno, ocular, donde los faroles hacían un reguero anaranjado de luz triste. El quiosco de la Prensa tenía los cierres echados. En la sala, donde estaban las ventanillas de las taquillas, habían apagado todas las lámparas, excepto una, que quedaba muy alta y expandía tan poca luz, que los rincones permanecían en penumbra.

En los andenes, una mujer barría junto a los bancos de madera. Tenía una respiración casi suspirante. Levantaba la cabeza a veces con inquietud. Por entre las vías centrales, vacías, caminaba un empleado abrigado por un zamarrón, llevando en la mano un farol de señales. Saltaba de traviesa a traviesa. Entre las traviesas se formaban charcos de agua negra con grasa sobrenadando que a la luz se irisaba.

Olaja había quedado en vía muerta, con los fuegos casi apagados. Tras de una pequeña locomotora de maniobras se destaba su estructura de viejo modelo de «material de antes». Higinio y Mendaña la acababan de dejar.

Ni Higinio ni Mendaña caminaron hacia los andenes de viajeros para salir por la puerta de lujo de la estación. Ellos se fueron donde los tinglados de las mercancías, buscando la verja de hierro, por la que saldrían a la calle oscura, a la calle que llamaban en la ciudad del Ferrocarril. Notaban al caminar los distintos hedores de los tinglados: el violento fosfórico olor de pescado, la suavidad vegetal de la paja, el olor rotundo de los bocoyes de vino...

Junto a la verja de la estación, la caseta de arbitrios. Mendaña se acercó a golpear con los nudillos sobre el cristal de la ventanilla. El empleado estaba adormilado junto al brasero. Se despertó de repente. Mendaña le gritó:

—¡Que pasamos un vagón de mercancías y no te enteras!

El empleado hizo un vago gesto de disculpa y asentimiento.

—Que no tienes remedio. Menos beber, muchacho, y menos brasero.

Higinio y Mendaña siguieron adelante. Comentaban:

—También éste tiene buen oficio ahora que empieza el invierno. No da ni golpe, pero estarse ahí todo el día o toda la noche es criminal.

—Este, como se echa entre pecho y espalda un litro antes de venir al servicio, ni se entera. Lo mismo le da que nieve que salga el sol a medianoche. Menudo pájaro, y además con dinerete. En el tiempo del estraperlo hizo perras el muy cuco.

—Vaya con el Andrés, con la cara de sopazas que tiene. No estaba yo enterado.

Caminaron hasta la taberna de los maquinistas.

—¿Vamos a tomar un blanquillo?

—Vamos.

En la taberna se encontraron con muchos compañeros. El dueño conversaba amablemente con los clientes. Saludó al entrar:

—¿Qué va a ser, Higinio?

—Pon dos blancos.

—¿Qué os ha pasado hoy? Dicen que habéis estado a punto de hincar el pico.

—Por tablas. Yo creí que hoy teníamos lío.

—Lo ha contado —dijo el dueño— Francisco, el ruta de León.

—Menos mal que la máquina ha respondido y hemos echado el freno a tiempo.

—¡Vaya, hombre! Mejor es así.

Uno de la reunión hizo la broma macabra:

—Que de poco dejas viuda a la Charo, ¿no?

—Pues casi.

—La hubieran compensado de tal forma como para comprarse un chalet en los andenes.

—Sí; esa es la ventaja que tenemos, ¿no te parece?, que la viudedad es muy buena y la mujer de uno se puede comprar no un chalet, sino un tren para andar ella solita por la estación.

Mendaña se echó a reír. Luego explicó:

—Es que por los túneles de la sierra la vía está de risa. Nos quisimos echar para el apeadero de La Moza y de poco nos venimos hasta aquí.

El tema se agotó en seguida. No eran los compañeros gentes para extenderse en comentarios sobre los peligros pasados. El dueño insistió en hablar del ferrocarril. Conocía todos los sucesos de la estación. El era el que daba el parte diario a los ferroviarios que entraban en la taberna:

—A la *Albacete 119* se le partió ayer un eje del ténder y estuvieron en la vía siete horas con un frío de ole intentando...

Higinio y Mendaña conversaban con los compañeros:

—Pon una ronda —dijo Higinio, y luego continuó—. Un día de éstos hay que organizar una merienda para que Mendaña nos demuestre lo que es capaz de comerse.

—Yo no presumo de cantidad —protestó Mendaña—. Yo lo que digo es que como de todo —enfurruñó el gesto—. Es que le decía esta mañana a Higinio que yo he comido lagarto y se extrañaba.

Intervino alguien.

—¡Anda! ¿De eso se extraña éste? Pues en Extremadura, estando de plantilla yo en Badajoz, buenos gazpachos nos hemos comido con unas tajaditas de lagarto.

—Pues eso le decía a Higinio... Lo que pasa es que éste —dijo señalando a su maquinista— es un tío finolín. Si en la guerra le hubiera tocado de este lado ya hubiera visto cosa buena. Lo que pasa...

Higinio aclaró:

—Me hubiera tocado donde me hubiera tocado, no como yo lagarto ni para los restos. Tú, que tienes un estómago como la caldera de *Olaja,* podrás con todo; pero yo sigo pensando que éstas no son más que porquerías y que donde esté un buen filete de carne, carne, ya podéis dejaros.

—¡Hombre, qué cosas! A eso también me apunto yo.

Uno de los hombres hizo un gesto con la mano al dueño de la taberna y éste volvió a llenar los vasos.

—¿Qué hora es ya? —preguntó Higinio.

—Las once menos cuarto —le respondieron—. Pronto todavía.

—Para mí tarde. Mañana tengo servicio también. Hasta el jueves no descanso —protestó—. Yo no sé como está organizado ahora el servicio, pero lo estamos pagando bien unos cuantos. Me voy a acercar un día a la oficina para que me lo expliquen, porque con clavar un papel en la entrada y decir que hay que hacer o hay que dejar de hacer tal y tal cosa creen que está arreglado.

Añadió:

—¿Qué se debe?

Puso unas pesetas sobre el mostrador.

—¿Te vienes, Mendaña?

Mendaña bebió de un trago su vaso y se pasó el dorso de la mano por los labios.

—Sí, que hay que descansar —dijo.

—Es que yo echo una hora en llegarme hasta casa. La parienta ya estará en la cama. Hoy es uno de esos días que apetece acostarse temprano. Con el frío y la llovizna donde mejor se está es en el catre.

A la puerta de la taberna se despidieron Mendaña e Higinio. Llevaban rumbos diferentes.

Higinio caminaba con las manos metidas en su chaquetón de cuero. Mendaña pensaba que antes de llegar a su casa tenía que entrar en dos o tres tabernas a charlar un poco y a beber algunos vasos más.

Higinio abrió la puerta del portal de su casa y subió las escaleras. La casa estaba en silencio. Entró en la cocina. Como pensaba, su mujer le había dejado la cena en el rescoldo de la hornilla. Se lavó en el fregadero, se descalzó y comenzó a cenar.

En la habitación estaba oscuro. Higinio no quiso encender la luz por no despertar a su mujer. Se sentó en la cama. Había colocado rutinariamente su camisa sobre la silla, los pantalones a los pies de la cama, el jersey mahón encima, el chaquetón de cuero colgado de la percha. Veía entrar un rayo de luz del cercano farol por entre los ventanillos entornados. Suspiró. Se tendió en la cama. Estaba caliente, agradable. Volvió la espalda a su mujer. El movimiento la arrancó del sueño.

—¡Hola, Higinio! —dijo con ronca voz de sueño—. ¿Qué tal hoy?

Higinio contestó:

—Bien. Como siempre.

Luego cerró los ojos.

Young Sánchez

A Manuel Alcántara

> Del este al oeste, por toda la ciudad se oye un solo grito: el puente de Londres se ha caído y...
> John L. Sullivan ha puesto k. o. a Jake Kilrain.
>
> Vachel Lindsay

1

Dejó el trozo de peine en uno de los ángulos del pequeño lavabo metálico con vaso en forma de cacerola. Con las palmas de las manos se planchó el pelo hacia la nuca. Silbaba. No se molestó en limpiar el peine; lo dejó donde lo había encontrado, junto al grifo, que daba un hilo de agua y no se podía cerrar. Orinó en el sumidero de la ducha. Recogió su reloj de pulsera de las cabillas del grifo, que tenía cortada la tubería de conducción. Distraído tocó ligeramente la lengua de jabón, áspero y azul, que resbaló, y unos instantes estuvo barqueando por el fondo del lavabo. Con el pañuelo se secó la melenilla. Se ahuecó en torno del cogote el cuello de la camisa, húmedo, gastado, seboso.

El cuarto olía a cañería de desagüe.

Desazogado estaba el espejo. Se le difuminaba el rostro en la neblina del cristal. Buscando dónde mirarse se alzó de puntillas. Movió la cabeza con repente de escalofrío para desorganizar de un modo natural el cuidadoso peinado. Un mechón se le desprendió. Tenía la camisa abierta, y hundiendo la barbilla en el pecho, conteniendo la respiración, miró. Y remiró entre cejas para ver el efecto en el espejo.

El cuarto olía a pared mohosa y a toalla siempre empapada y sucia.

Le gustaba llevar el cuello de la camisa sin doblar. Le gustaba tener el pelo largo. Le gustaba mostrar el tórax por la camisa, abierta hasta el peto del mono. Le gustaba que un mechón le velase parte de la frente. Detalles de personalidad, pensó. Y se sintió seguro.

Un momento se fijó en el párpado que le cubría blando, fresco y brillante como la clara de un huevo, el ojo derecho. Se recogió las mangas de la camisa muy altas, por encima de los bíceps. Una izquierda de camelo, pensó, una entrada de suerte. Se dio saliva en la ceja del ojo lastimado, peinándola, y salió.

El cuarto era como una axila del sótano y sabía salado, agrio y dulzarrón.

Silbaba. Hacían salón dos ligeros. Penduleaba tan levemente el abandonado saco que sólo en su sombra se percibía. El puching era como un avispero, lo había pensado muchas veces. La mesa de masaje tenía la huella de un cuerpo, hecha con muchos cuerpos. Sobre el ring colgaba una bombilla de pocas bujías. El suelo era de tarima; debía de haber ratas de seis onzas bajo las tablas. Encajó el puño derecho en el cuenco de la mano izquierda y se fue acercando al ring.

Una lona en el suelo y cuatro postes sosteniendo doce sogas forradas. Oía el chasquido de los guantes golpeando. Los guantes viejos suenan más que los nuevos. Los guantes viejos a veces cortan como navajas de afeitar, a veces levantan la piel como navajas desafiladas. Los guantes viejos infectan los cortes o hacen que en los rasponazos de la piel surjan puntitos de pus.

Ya no silbaba. Los dos ligeros se rajaban una y otra vez. Oía las advertencias acostumbradas: «Esa derecha, esa derecha... Sal de cuerdas... Esa guardia, levántala... Sal de cuerdas... Boxea.» El maestro se aburría. Se aburrían todos los que contemplaban el asalto. Sin embargo, en el ring uno tenía miedo. Uno tenía ganas de dejarlo y esperaba que la voz, sin cambiar el tono, diese por finalizada la pelea. «Cúbrete»,dijo el maestro. Pero la palabra no llegó a ninguno de los dos contendientes, que jadeaban entrelazados, empujándose. «Cúbrete al salir», dijo el maestro. Pero cuando salieron, los dos se separaron sin tocarse. Entonces el maestro dijo: «Basta». Y a los dos se les cayeron las manos pesadamente a lo largo del cuerpo.

Se lo sabía bien. Ahora diría alguien: «¿Hacemos un asalto nosotros? ¿Quiénes? Nosotros; Juan y yo, o el Conca y yo». Otra callejera con miedo. Otra payasada. Uno que estaba apoyado en la pared contemplando despreciativamente la pelea fue hacia el saco. Pensó que aquel sí podría ser boxeador; los demás no. A los demás los conocía bien. Cinco meses de gimnasio bastaban para cada uno. Sabía cómo presumían en las tabernas del barrio, en los talleres, en los bailes de domingo. Se los imaginaba amagando un golpe a un compañero: «Te doy así...»

El maestro se acercó cansadamente.

—Estás flojo de piernas.

—Ya.

—No te descuides.

—Ya.

—Te veo sin muchas ganas.

—No, tengo ganas. Es el turno de noche. Cuando acabe volveré a estar bien.

—Bueno.

El maestro andaba algo encorvado. Si subiera las manos cubriéndose podía parecer que estaba en el ring. Había sido un buen boxeador. Nada demasiado importante, pero había peleado en París, en Londres... Fue a la Argentina... Había sido figura. Se defendía dando clase de gimnasia en dos colegios de frailes y con el gimnasio. Era un buen hombre, un poco amargado porque la gente de su gimnasio no tenía suerte. Les robaban las peleas... No, no las robaban... En el gimnasio apenas había gente que valiera la pena.

Oyó su nombre.

—Paco, ponle chicha a ese ojo.

Risas de compromiso. Contestó con una brutalidad.

Se volvió de espaldas. Se acercó al que estaba golpeando el saco.

—¿Sales el domingo?

Esperó la respuesta. El que golpeaba el saco respiraba sonoramente cada vez que pegaba.

—¿Con quién te toca, Ruiz?

Ruiz hacía profundas aspiraciones y luego iba expulsando el aire como si se sonase. Dio cinco golpes con el puño izquierdo.

—Si es el de la Ferro, tienes que tener cuidado con su izquierda. Da duro.

Uno, dos. Ruiz se apartó y alzó los brazos respirando hondo y dejando escapar el aire por la boca. Tenía la camiseta sucia; llevaba un pantalón de fútbol; calzaba alpargatas y calcetines con grises soletas.

—Si sales puedo dejarte la bata...

Ruiz hizo un signo afirmativo. Paco guardó silencio. Pensó en aquel muchacho que salía al *ring* con todo prestado: las zapatillas, los calzones y la camiseta; con una toalla amarilla, que era lo único suyo, por los hombros. Pensó que en el gimnasio había más de uno que tenía dos pares de zapatillas, unas de entrenamiento y otras para cuando alguna vez se decidiera a salir en una matinal del Price. Los de dos pares de zapatillas era difícil, muy difícil, que se decidieran a enfrentarse con un muchacho al que no conocían, durante diez minutos. Los de dos pares de zapatillas, dos calzones y camisetas con los colores del gimnasio era improbable que tuvieran verdadera afición al boxeo. Eran boxeadores para las novias y los tontos del barrio. Le dejaría la bata —un trofeo ganado en cinco combates— a Ruiz, que era un muchacho que se lo merecía.

—La cuidaré —dijo Ruiz.

—Si quieres salgo de segundo.

—Me lo ha pedido uno de esos —aclaró Ruiz señalando a los que charlaban junto al ring.

—Esos están para dar la botella.

Paco sonrió. Ni para dar la botella, pensó; se ponen nerviosos cuando la gente les mira o les gasta una broma. Pero les gusta estar cerca de la sangre. Después de los combates aconsejan al derrotado o celebran un gancho gesticulando.

—El domingo puedo ganar. Ya le he visto al de la Ferro. No tiene piernas —dijo Ruiz.

A Paco le pesaba el párpado y se lo tocó suavemente con la punta de los dedos.

—¿Duele? —preguntó Ruiz.

—No.

—No es de golpe.

—No. El dedo. Ese boxea todavía con las manos abiertas.

Ruiz volvió a golpear el saco. Paco se despidió y caminó hacia la puerta. Al pasar al lado de los colgadores cogió su chaqueta y se la puso sobre los hombros. Salió. Uno de los chicos del gimnasio salió con él. Comenzó a hablarle mientras subían las escaleras del sótano. Le hablaba con una confianza respetuosa. Paco silbaba.

—¿Tú crees que me sacarán alguna vez? —preguntó el muchacho.

—Claro, hombre.

—¿Tú crees que estoy preparado?

—Necesitas más tiempo. El año que viene, seguro... No tengas prisa.

Continuó silbando en bajo. El muchacho comenzó a hablarle de sus esperanzas.

—Si tuviera suerte de aficionado, puede que me pudiera hacer profesional.

—¿Dónde trabajas? —dijo de pronto Paco.

Notó que el muchacho se azoraba.

—En un comerio —respondió el muchacho.

—¿En un comercio? —se extrañó Paco—. Entonces... Paco pensaba que trabajando en un comercio no se podía ser boxeador.

—Pero voy a dejarlo...

Paco sonrió pensando que aquel muchacho bailaría muy bien, que aquel muchacho debía haber tenido ya unas cuantas novias con las que seguramente había paseado buscando los oscuros de las calles cuando las acompañaba a sus casas; que había paseado con ellas muy apoyado, a pasitos cortos y chulones, diciéndoles cosas que las hacían respirar entrecortadamente.

Llegaron a la boca del Metro. El muchacho se adelantó a sacar los billetes. Paco le dejó hacer. Después se separaron; iban en direcciones opuestas.

El andén estaba solitario.

En un comercio, pensó Paco, los días de invierno se debe estar muy caliente y en los de verano muy fresco.

Estaba en el extremo derecho del andén. El ruido del tren crecía. Paco no se retiró cuando llegó, y aguantó al borde mientras le poseía una sensación de atropello.

2

De todas maneras tenía que engrasarla antes de que apareciera el jefe de taller. El jefe de taller llevaba chaqueta y pantalones azules. Y corbata negra. Asomaban por el bolsillo superior de su chaqueta el capuchón de una estilográfica, la contera de un lápiz, el alambre espiral de un bloc pequeño. Lo primero que se veía del jefe de taller cuando se estaba engrasando la máquina eran sus zapatos de color. Cuando se veían los zapatos se oía su voz, porque el jefe de taller no hablaba hasta que el obrero volvía la cabeza para ver sus zapatos. Su voz caía sobre los hombros del obrero, y pesaba.

Paco se arrodilló en el portland. Le entró frío. Un frío que le ascendió hasta el estómago vacío. Hacía cuatro horas que había cenado. Tenía un bocadillo en el bolsillo de la chaqueta, que pensaba comer cuando acabara de engrasar la máquina. En el turno de noche, no sabía por qué, siempre pasaba hambre. Comería el bocadillo y, al amanecer, ya cercano el relevo, sentiría náuseas. Náuseas que desaparecerían con sólo comer. «La noche da hambre», pensó Paco, y se puso al trabajo. Cuando vio los zapatos del jefe de taller estaba terminando. Alzó los ojos y recorrió todo su cuerpo hasta la barbilla prominente. Al jefe de taller le caían las gafas sobre la punta de la nariz.

—Esto ya está —dijo Paco.

No obtuvo respuesta.

—Si usted quiere —dijo Paco—, paso a echarles una mano a los del grupo.

El jefe de taller preguntó:

—¿Ese ojo?

—Entrenándome.

—¿Cuándo boxeas otra vez?

—Dentro de dos semanas.

—¿Cuándo empiezas a ganar dinero?

—Dentro de dos semanas. Es mi primero como profesional.

—Bueno, hombre.

—No es en Madrid; si no le daría de las entradas que nos suelen dar a los boxeadores.

—Bueno, hombre. Muchas gracias. ¿Dónde boxeas?

—En Valencia.

—Pues que tengas suerte.

El jefe de taller hizo una pausa, luego dijo:

—Vete a echarles una mano a los del grupo.

—Sí, señor.

En el grupo viejo trabajaban dos obreros. Paco estuvo viéndoles trabajar en tanto se comía el bocadillo. Uno de los obreros era alto, delgado y amarillo. Moqueaba continuamente y se pasaba el dorso de la mano izquierda, libre de herramienta, por la nariz. El otro era de mediana estatura, con un pelo rizoso y empastado. Llevaba patillas en punta. Discutía con su compañero, daba órdenes, cantaba. Paco terminó el bocadillo y cogió el botijo de color muerto, con la huella de grasa de una mano grande en su panza, y bebió. El estómago acusó el trago con borborigmos. Se dio unas palmadas en el vientre que sonaron como golpes en un tambor con el parche roto.

—¿Cómo va eso? —preguntó Paco.

El obrero alto, delgado y amarillo no llegó a tiempo de explicar cómo iba el trabajo, porque era tartamudo y su compañero se le adelantó. Se limitó a pasarse la mano por la nariz.

—Hay que echar un año, figura, para arreglar esto. Pero tú ves...

Paco se acuclilló junto al grupo. El obrero que le había llamado figura tenía un color de vino clarete en la cara.

—Nos hemos metido en un tango que verás.

Paco meditaba produciendo trinos de después de comer con la lengua y los dientes. Torcía la boca. Dijo:

—Se acaba hoy, Tanis. Está listo para el turno.

Tanis se incorporó.

—Vamos a verlo, figura.

De pronto se asombró espectacularmente.

—¿Quién te ha puesto persiana en ese tragaluz, chacho? ¿Estabas dormido? No nos desacredites. Al que te ha dado hay que ponerlo en la Prensa.

Paco sonrió.

—Dime quién ha sido, que ficho por él —dijo Tanis—, y Pedrito también, ¿verdad?

—Sí —silbó Pedrito el tartamudo e hizo ruidos con la nariz.

—Poca cosa —dijo Paco—, ni sostiene los guantes. Los que pasan miedo y no saben boxear, de vez en cuando, volviendo la cabeza, meten las manos y te dan; es un chaval que está empezando.

Paco pidió una llave inglesa a Pedrito. Tanis fumaba un cigarrillo *Peninsular.* Guardaba dos *Bisontes* para la salida. Uno para él, otro para el jefe del taller, al que se lo daría al pasar si no estaba fumando y estaba en la puerta del pabellón: «Señor Luis, ¿un pito?» A los jefes hay que darles su faena, decía siempre Tanis. Lo decía tan convencido que a Paco ni siquiera le indignaba y a los de la cuadrilla del turno les traía sin cuidado. No se lo reprochaban.

—En el primer combate —dijo Tanis— tienes que ganar por k. o.: un primer combate de profesional no vale a los puntos.

Tanis estaba apoyado en la ventana: su silueta se recortaba negra en el amanecer.

—¿Sabes cómo se llama el punto? —preguntó.

—Bustamante —respondió Paco.

Tanis alzó las cejas, echó el humo, estuvo unos instantes reflexionando.

—Lo he oído —dijo.

—Tiene siete combates de profesional —dijo Paco—. Cinco victorias, uno nulo y una derrota. El último le dieron. Querrá sacarse el clavo.

Tanis expelió el humo por la nariz y por la boca, se rascó un costado.

—No son muchos.

—Pero ¿qué habéis hecho aquí? —preguntó Paco.

—No son muchos —insistió Tanis—. Puedes estar tranquilo, con los que tú llevas se puede salir. Hablo sólo de salir, no cuento lo que tú eres.

—Es...tá mal en...ca...ja...do... —dijo repitiendo sílabas Pedrito.

—Hay que desmontarlo todo —afirmó Paco.

—¿Cuántos asaltos? Eso lo debes cuidar. Para un primer combate tienes suficiente con ocho. No te dejes engañar. Siete combates dan fuelle. ¿Sabes algo de él?

—Es zurdo —dijo Paco.

—Es-tá for-za-do enormemente —habló Pedrito.

Paco y Pedrito comenzaron a desmontar el grupo. Tanis iba acabando su cigarrillo.

—Un buen resultado te dobla el precio en el combate siguiente. ¿Cuánto le sacas a éste?

—Mil —hizo un esfuerzo Paco que abrió un silencio—. Mil y los viajes en segunda y un hotel de segunda.

—Vaya. ¿Quién va contigo?

—Voy solo.

—Mal. Eso no lo debes hacer. Que te acompañe tu maestro.

—No puede.

—Un segundo de allá no te conviene.

—Da igual.

—Ya-es-tá —dijo Pedrito.

Tanis pisó la colilla y se acercó al grupo. En la ventana se iba reposando la turbiedad del amanecer, se iba aclarando el día. Pedrito se irguió y señaló el grupo a Tanis.

—Tú.

Luego sacó de su bolsillo un tubo metálico y lo destapó. Se echó una palmadilla de bicarbonato y se lo llevó de golpe a la boca. Bebió del botijo.

Tanis comenzó a cantar. Pedrito eructaba discretamente junto a la ventana. El jefe de taller estaba parado junto a un soldador. El resplandor de la llama del soplete azuleaba su figura. El rumor del trabajo crecía o decrecía según los turnos de las máquinas, unas libres y otras ocupadas. Para Paco se perdió la canción de Tanis cuando, en un momento, el rumor fue creciendo, rompió su tono y se desbordó de golpe en un ruido ensordecedor. Mil personas gritando cuando uno es golpeado en la cabeza y ya no puede controlar con el oído la fuerza de un golpe, el jadeo del contrario, la propia respiración. Pedrito se desgañitaba intentando decirles que se acercaba el jefe del taller. Acabó señalándoselo con la mano cuando estaba junto a ellos.

El jefe de taller contempló el trabajo desde su altura, luego dobló la cintura y, apoyando las palmas de las manos en los muslos, comenzó a hablarle a Tanis.

Paco estiró el rostro y se tocó el párpado hinchado con la muñeca. El párpado le escocía. De vez en vez se le escapaba una lágrima que enjugaba violentamente en el hombro. Pensó que cuando tuviera que hacer un asalto con el muchacho que le había lastimado iba a darle un par de buenos golpes de los que hacen daño, de los que se sienten durante una semana al hacer un esfuerzo, de los que despiertan y desvelan al iniciar un movimiento en el lecho. Los que no saben, en los gimnasios siempre son de temer. De ellos son los rodillazos, los golpes con la cabeza o con los antebrazos, los marcajes bajos.

Sonó sordamente la sirena. Segundos después el ruido del taller fue decreciendo, hasta que se pararon casi todas las máquinas. Paco terminó de poner apresuradamente una tuerca. Tanis ya caminaba emparejado con el jefe de taller hacia la puerta de salida. Entraban los primeros obreros del turno de la mañana. Paco vio al jefe de taller parándose a encender un cigarrillo: el cigarrillo de Tanis.

El aire de la mañana de primavera no tenía aroma. Era todavía muy temprano. Cansaba el respirar como cansa beber un vaso de agua demasiado fría que no mitiga la sed. Un aire sin aroma como un vaso de agua muy fría son elementos demasiado puros. Paco se subió el cuello de la chaqueta, y, al lado de Tanis, Pedrito y tres compañeros más, echó a andar hacia la parada del tranvía. El sol comenzaba a dorar el vaho de Madrid cercano; el aire principiaba a tener sabor. Las palabras vencían el rumor del taller, del que se iban alejando paso a paso.

3

—Ya voy —dijo Paco.

El jergón chicharreó. De la calle llegaba el alborozo del mediodía primaveral. Los filetes luminosos que recortaban las contraventanas cerradas tenían el carnoso amarillo rojizo de los quesos de bola. Solamente había dormido seis horas, pero se encontraba descansado. Estiró las piernas y puso los músculos en tensión.

Oyó el ruido de los grifos en la cocina. Luego la cisterna del retrete vaciándose. Un murmullo familiar de trajín doméstico. Escuchó a su madre riñendo al gato, humanizando al gato. Golpearon en su puerta y acompañaron los débiles golpes de palabras suaves, que invitaban a continuar en la cama.

—Son las doce y media, Paco...

—Ya voy.

Paco pensó que su hermana era una chica con mala suerte. Lo único bonito que tenía era la voz. A veces le daba como pena mirarla. Una chica fea, acaso muy fea de rostro, con un cuerpo basto, donde el vientre se hinchaba y las caderas se ensanchaban casi cuadradas... Una chica fea, con conciencia de que era fea. Humillada por su fealdad. Acabada por su fealdad. Pensó lo importante que era para una muchacha pobre ser guapa. En la belleza estribaban todas las posibilidades de mejorar de vida. Buenos empleos y hasta un buen matrimonio. Una chica pobre, fea, equivalía a un muchacho pobre, débil. Paco se palpó los músculos de los antebrazos. A cada movimiento que hacía para calzarse, el jergón crujía. Abrió la puerta cuando tuvo puesto el pantalón, y le llegó el olor de la comida. Habló a gritos:

—Mercedes.

—Ya voy, Paco.

La docilidad de la hermana, la atenta y servicial disposición que tenía para él, llegaban a irritarle.

—Búscame una camisa que esté bien.

—¿Quieres que te planche la blanca?

—No, tengo prisa. ¿Está la comida?

—Sí. Te plancho la blanca en un momento.

—No. Búscame una camisa que no esté muy vieja.

—No me cuesta nada planchártela.

—No.

La muchacha acababa desilusionada.

—Como tú quieras.

Paco se lavó en la pila de la cocina. Se puso la camisa y se sentó a comer. La madre le contemplaba mientras hacía leves gestos negativos con la cabeza.

—¿Qué te pasa? —dijo Paco.

—Ya lo sabes, Paco.

Paco se tocó el párpado hinchado, que tenía un color violeta oscuro.

—¿Es esto?... ¡Bah!... Nada.

La madre continuaba moviendo la cabeza negativamente.

—Trabajando —dijo Paco con la boca llena— te puede ocurrir esto o algo peor.

La madre tenía demasiado cansancio en la mirada para que fuese dulce. Era una mirada vidriosa, vaga, vuelta ya de la desesperación o de la rabia o del deseo de conseguir algo. La madre tenía las crenchas de un rubio sucio como del color del papel de estraza. La madre tenía la roña metida en los poros de la piel de las manos de tal manera, que aunque se lavase no se le iría. Era la porquería de la mujer que hace coladas para cuatro personas, que lava los suelos, que guisa, sube el carbón y trabaja, si le queda tiempo, de asistenta en una casa conocida. La porquería en los nudillos, en las yemas de los dedos, en las palmas de las manos, en las muñecas. La porquería como un tatuaje.

—¿A qué hora quieres la cena? —preguntó la hermana, que se había sentado a su lado a verle comer.

—Como siempre.

—La madre tomó asiento en una banqueta, recogiéndose el delantal sobre el vestido negro cosido y roto, recosido y roto, y roto. La madre se sentó como si estuviera de visita, en el mismo borde de la banqueta.

—Tu padre ha dicho —dijo la madre— que vayas a la bodega de Modesto, que te espera allí a las ocho y media.

—Bien.

La madre se levantó para atender lo que estaba puesto en el fogón. Primero comía Paco y después las dos mujeres, con lentitud, dialogando pausadamente. Paco terminó.

—Me voy —anunció.

—A las ocho y media te espera tu padre —repitió la madre.

—Iré.

La hermana acompañó a Paco hasta la puerta.

—Adiós, Paco —dijo.

—Hasta la noche —se despidió Paco.

La hermana tuvo un rato la puerta abierta hasta que ya no oyó los pasos de Paco en la escalera. La madre seguía en el fogón.

Del portal a la calle, un paso. El paso que va desde la sordidez a la alegría.

—¡Hola! Paco, ¿cuándo te pegas? —le dijo la muchacha de la frutería.

—Dentro de quince días —ensayó un piropo—. Cada día que pasa te pones... Vamos, tú me entiendes...

La muchacha sacó cadera.

—¿Aquí? —preguntó.

—No... Un día te voy a llevar a bailar.

—¿Dónde peleas?

—En Valencia... Y después de bailar te llevo a un cine de la Gran Vía, o antes, como tú digas.

—Las ganas que yo tengo de ir a Valencia, majo.

—Dentro de quince días, ya sabes, si tú quieres...

—Vamos, Paco...

—En serio.

—Bueno..., pero éste... Pero ¡qué cosas tienes!

Paco se rió.

—Te llevo.

La muchacha fingió enfadarse. Compuso una mueca de altivez, de intocable, de ofendida en su honestidad.

—¿Hablas en serio, Paco? ¿Con quién es?

—¿Qué más da?... Te llevo.

—Ya está bien, Paco... —hizo una pausa—. A ver si ganas y llegas a campeón.

Dentro de la frutería sonó una voz ronca.

—Juana, menos palique y más estar en lo que estamos.

—¿Te gustaría?... —preguntó Paco.

—Juana, gansa.

—Me llaman —dijo la muchacha.

—Espérate.

—No, que está hoy... —ladeó graciosamente la cabeza y miró al cielo.

—¡Juana!

La muchacha giró el cuerpo y encogió los hombros.

—No te digo...

La vio desaparecer en el fondo de la frutería, atravesando entre los frescos colores de las hortalizas y las frutas. Antes de desaparecer dio un tropezoncillo adrede y volvió la cabeza, haciendo un gesto de despedida. Paco echó a andar silbando.

Apretaba el calor. El asfalto despedía como un aliento caliente que sofocaba. Paco se quitó la chaqueta que llevaba por los hombros y la recogió al brazo.

—Adiós, Paquito.

Sonrió a la vieja que vendía chucherías, golosinas y cigarrillos en su puestecito del esquinazo de la manzana. Dos niños suspendieron sus juegos con chapas de botellas de refresco y cuchichearon entre ellos. El vendedor de periódicos alzó la mano en un saludo.

En torno de un ciclista que descansaba sin bajarse de la bicicleta, con un pie apoyado en el suelo y el muslo de la pierna contraria en la barra del cuadro, como se suelen sentar en los bares los habituales chuletones, hacía corro la afición de la calle: el pescadero, hijo, la chaquetilla blanca remangada, delantal verde con rayas negras, madroños de madera y cuero, que se guiaba por el periódico *Marca* y tenía una fe ciega, heredada, en la Prensa; el cobrador del tranvía, que se soltaba la chaquetilla del uniforme, y con la camisa sin cuello y la cabeza sin gorra parecía que iba a ser fusilado en el solar cercano como un militar de cuartelada decimonónica; el cobrador que no creía en la Prensa; el vago con buenos recuerdos de un equipo de primera regional, que había empezado con muchachos que eran figuras y que si no hubiese sido por una lesión...; el electricista, de zapatillas de ciclista, admirador profundo de Julián Berrendero, de los dos Regueiro, de Juanito Martín, de Angelillo, que se sentía antes que nada madrileño y solamente creía en los valores del tiempo pasado.

Paco llegó al grupo... El ciclista se despidió y, alzándose sobre los pedales, fue cogiendo velocidad con gran estilo.

—¿Qué hay Paco, qué te cuentas? —le palmeó las espaldas fuertemente el tranviario.

A Paco le turbaban las muestras de afecto espectaculares.

—¿Te entrenas mucho? —preguntó el electricista.

—¡Hombre!... —dijo Paco.

—Ese Bustamante —afirmó el pescadero hijo— tiene una zurda, ¡uf!, como un exprés.

—Si estás bien entrenado seguro que le tienes en el bote —afirmó el electricista—. Porque el boxeo, desde luego, exige mucho entrenamiento. De aquí ha salido la flor y nata de los boxeadores.

—¿Y los vascos, qué? —preguntó el vago.

—Y los vascos —dijo el electricista.

—Y los catalanes, ¿no son nada? —preguntó el tranviario.

—Te diré.

—Bueno, me vas a contar ahora que no son nada.

—Muy técnicos, pero con la clase de los de aquí, no. ¿Verdad, Paco?

—Cataluña da muy buenos boxeadores —dijo Paco—. Acuérdate de Romero, por ejemplo.

—¿Y vas a comparar a Romero con todo su campeonato y todo lo que quieras, con Luis? —preguntó el electricista—. Vamos, Paco... ¡Romero!... Corazón, eso sí.

—Los campeonatos no se logran solamente con corazón —dijo el pescadero hijo—, hay que saber... ¿Es verdad o no es verdad, Paco?

Paco hizo un vago gesto afirmativo. El electricista interrumpió la conversación, invitando.

—Pago unos vasos.

Aceptaron. Entraron en un bar cercano.

—Cuatro blancos —dijo el electricista—, porque tú no beberás, ¿eh, Paco?

—Yo también bebo —dijo Paco.

4

El padre pagó dos rondas de vino. Los amigos le despidieron en la puerta.

—¡Qué haya suerte!

—¡Animo que tú llegarás!

El padre caminaba por la calle muy orgulloso, junto al hijo.

—¿Cuánto cuesta una radio a plazos? —preguntó Paco.

—No sé —dijo el padre—, pero ya me enteraré.

El padre saludó a dos hombres que charlaban en medio de la calle.

—¿Dónde vas? —le dijeron.

—Aquí, con éste.

Se iba alejando, pero continuaba la conversación.

—¿Cuándo pelea?

—Dentro de quince días en Valencia.

Paco agachó la cabeza. El padre caminaba por la calle muy ufano.

—Que gane.

—Gracias, Paulino.

—Que traiga muchas pesetas.

—Es lo que hace falta, Andrés.

Paco se avergonzaba cuando iba con su padre, porque se sentía exhibido.

—¿Has comprado *Marca* para ver si habla de ti? —preguntó el padre.

—No, ¿por qué iba a hablar de mí?

—Porque vas a pelear... ¡por qué!

—Todavía es demasiado pronto. Eso lo darán un par de días antes.

—Lo mismo lo pueden dar hoy.

En el quiosco de periódicos el padre compró el diario deportivo y se paró a hojearlo bajo la luz de un farol. No hablaba de Paco, pero el padre no se defraudó.

—Lo miraré con más calma en casa —dijo.

—Yo te voy a dejar —anunció Paco.

—Bueno, como tú quieras.

—Dile a mamá que dentro de media hora estoy en casa.

—¿Dónde vas?

—Subo hasta la plaza.

Estaban parados. El padre sonrió picarescamente.

—Cuidado, ¿eh Paco? Mucho cuidado.

Sintió que no podía dominar el rubor. La despedida fue apresurada.

—Hasta luego.

Dio unos pasos y se volvió para ver a su padre. Andaba con inseguridad. Le había herido un trozo de metralla en la cadera durante la guerra, en las trincheras de la Ciudad Universitaria. Era tan bajo como él. Seguramente daría el peso de los plumas. No, pensó, tal vez dé un peso más alto, porque los viejos pesan más. Paco subió hacia la plaza.

Prefería que no fuera a los combates, pero iba. Se sentaba en la segunda fila de *ring* o en la primera. Comenzaba por decirle al vecino de asiento que el combate bueno era el tercero. Si el vecino era propicio a la conversación, le comunicaba que el que iba a ganar el tercer combate era su hijo, *Young* Sánchez.

Gritaba durante el combate. Alguna vez se acercó a la escuadra para darle un consejo, y el segundo le tuvo que decir violentamente que se marchara. Cuando peleó en el campo del Gas, tuvo un lío con un guardia de la Policía Armada, y gritó que el que estaba boxeando era su hijo. Hubo choteo del público. Al final de las peleas lo sacaba abrazado por entre la gente que ocupaba el pasillo, acompañándolo a los vestuarios. Asistía a la ducha hablando del combate. Si se hubiese dejado le hubiera enjabonado, porque el padre sentía aquel cuerpo completamente suyo. En el barrio era peor: era el elogio hasta el cansancio, hasta la antipatía, hasta la fuga.

Se sentía liberado y también un poco apenado por haber dejado a su padre. Se sabía una esperanza y un asidero de algo inconcreto que siempre había rondado el corazón del padre; un deseo de estima, un anhelo de fama, una gana de que se le tuviera en cuenta. Le había oído muchas veces contar cosas de la guerra, vulgares, quitándoles importancia de una manera que parecían tenerla; y se percataba perfectamente de que en el padre había latente una congoja, nacida de la indiferencia de los compañeros, de los amigos, de los vecinos. Ahora el padre se tomaba la revancha.

Llegó a la plaza. En el café, las luces de los tubos fluorescentes empalidecían los rostros de la clientela, que charlaba, que jugaba al dominó, daba la matraca con los viejos discos de la gramola: a peseta la voz de Antonio Molina, a peseta Lola, a peseta la *Perrita Pequinesa.* El muchacho del mostrador se movía tanto y tanto hablaba para la nada, que apenas había una cuadrilla al chato; un señor leyendo un periódico y bebiendo un vermut a salto de noticia, como un pajarito; una vieja que se refrescaba con una gaseosa, acompañada de un niño entretenido en recoger chapas de botellines por las suciedades del suelo.

—La gaseosa ¿no tiene tapa? —preguntó la vieja.

El señor que leía el periódico la miró estupefacto.

—No, señora. Las tapas con gaseosa hacen daño... —dijo el que atendía el mostrador.

Paco entró hasta el fondo del café, hasta la gramola y la puerta de paso a los servicios. Volvió.

—¿Cerveza, Paco?

—Un corto... ¿No han venido ésos?

—Aquí no ha venido nadie. Andarán por *El Chapas* o por *La Venencia.*

Paco silbaba y se paseaba delante del mostrador, casi luciéndose, casi vigilando la plaza, como preocupado o distraído.

—¿Has vista al pluma que salió el domingo?

Paco se acercó a tomarse el vaso de cerveza. Su respuesta fue un vago comentario.

—Pega, ¿eh?

Paco miraba a la calle de espaldas al mostrador.

—Ese chaval sabe.

Paco se volvió, apoyó los brazos en la barra y agachó la cabeza. Se distrajo salivando.

—Con la derecha y con la izquierda.

Paco miraba el vaso mediado. Bebió el resto de la cerveza y pidió más.

—Si le cuidan, ahí hay campeón, ¿no te parece?

Paco se encogió de hombros. Sonaron una moneda en el mármol del mostrador.

—¡Va!...

Y antes de atender al reclamo aseguró:

—Ese chaval es boxeador y va a dar muchos disgustos, pero muchos disgustos en su peso...

Pertenecía a la fauna de los que sienten placer desasosegando, amenazando. Pertenecía a la fauna de los retorcidos que elogian para despertar el recelo, para punzar el amor propio, para tantear irritante en la inseguridad y en el desánimo.

Echó la cabeza hacia atrás y el mechón le desbordó la frente. Pensó en el pluma de que hablaba el muchacho del mostrador. Un buen comienzo, dos combates limpiamente ganados; pero, ¿podría aguantar con los viejos, con los que no salían nunca de aficionados y se sabían las marrullerías de los profesionales? Recordaba su primer combate con un boxeador viejo, la impasibilidad de su rostro cuando le golpeaba y su intranquilidad en la escuadra. Los boxeadores viejos enseñan a costa de sufrir la dureza de sus golpes. Cuando acabó el combate le dolían los antebrazos. Cuando llegó a casa le dolía el cuello y la cabeza. Había ganado, pero no supo hasta el último momento si iba a ganar o a perder, porque los boxeadores viejos se derrumban de pronto, pero no dan ni un síntoma de flaqueza, de agotamiento; un indicio que puede animar al contrincante durante el combate.

—¿No has ido al gimnasio? —preguntó el mozo de mostrador.

—No.

—¿Te encuentras en forma?

—¡Vaya!

—El de Valencia tiene un buen *palmarés.*

—Sí.

Los boxeadores valencianos saben, saben y aguantan. Un fajador como tú...

—Oye —dijo Paco—, si vienen por aquí los amigos les dices que me he ido a casa, que después de cenar saldré.

—¿Aquí?

—Sí, aquí. Sobre las nueve y cuarto.

—¿Hoy no *currelas*?

—No.

—Ya se puede...

El muchacho del mostrador frunció los labios; un fruncimiento de envidia.

En la plaza estuvo unos instantes dudando. Era todavía pronto para ir a cenar; era ya un poco tarde para subir hasta Atocha. La plaza estaba repartida entre la oscuridad del descampado y la luz de la vecindad. Junto a las casas paraban los autobuses. La luna iba baja; una luna como la plaza, con un semicírculo de luz y otro de sombra, pero una luna con su contorno precisado en una circunferencia, que se le antojó azul. Una luna ascendiendo por el cielo del descampado que no limitaba la plaza, que la ampliaba al mundo.

Se encontró bajando lentamente hacia su casa. Iba pensando en el muchacho del mostrador. «Hoy has estado bien... ¿Por qué no sacaste la izquierda cuando lo tenías a placer?... Lo podías haber tumbado en el segundo asalto. ¿Qué te pasó?... Se te notaba falto de fuelle. Se vio que te había hecho daño; yo creí que ibas a abandonar...».

El muchacho del mostrador acabaría teniendo una taberna donde presumiría de haber conocido a un campeón: «¿*Young* Sánchez? Fuimos muy amigos. Ese es bueno de verdad... Ese es...». Entonces estaría muy lejos del muchacho del mostrador, de su taberna, de la calle, a la que volvería de visita alguna vez. Entonces...

—¡Adiós, Paco! —le dijeron.

5

—¡Adiós, Paco! —le dijeron.

Caminaba de prisa. Saludó con la mano. Titilaban las acacias a la luz del sol. El descampado de la plaza estaba como recién barrido por la mañana, limitada su extensión por las fachadas posteriores de una calle nueva. Esperó la llegada del autobús, y cuando llegó tuvo una sensación de partida para un viaje alegre, de excursión de día festivo. El autobús dio la vuelta a la plaza y se adelantó por una calle hacia la ciudad. Un vientecillo fresco entraba por las ventanas revolviéndole el mechón, que sentía como una carrera de insecto por la frente, acariciándole los párpados entornados y el rostro recién afeitado, la piel escocida por una hoja muy usada.

Tuvo que esperar en la salita de las oficinas. La salita estaba en penumbra, con las cortinas del gran ventanal corridas. Recoleta, desvinculada de la calle, hostil, con la frialdad de una habitación de espera, le inquietaba. Era una espera miedosa. Había llegado alegre y estaba triste. Se fijó en un grabado que representaba una escena mitológica... Dos sillones y un sofá de cuero moreno. Dos sillones y un sofá, no sabía por qué enemigos. Y una mesa baja sin revistas. La alfombra, gruesa. Una lámpara como una amenaza colgando del techo. La salita era como una isla, donde se acababa la seguridad. Estaba deseando marcharse.

Se abrió la puerta.

—Venga —le dijeron.

Salió y caminó por un pasillo hasta una habitación.

—¡Pase! —le dijeron.

Pasó sin decisión. Oyó una voz suave que le invitaba desde el fondo:

—¡Pase usted, pase!

Anduvo hasta una gran mesa. Se paró. La voz suave le conminaba, insistente:

—¡Pase usted, pase!

En un sillón cercano a la ventana fumaba un hombre joven. Olió su perfume. Una mezcla de tabaco rubio, de agua de colonia, de manos lavadas con un buen jabón, de traje nuevo, de camisa limpia... Husmeó sorprendido como un animalillo. La voz le agarrotaba los músculos. Se sintió torpe.

—¡Siéntese, joven, siéntese!

Se sentó en un sillón que cedía a su peso. Cuando la voz preguntó, le fue dificultoso responder e inició un movimiento para incorporarse.

—¿Cuántos combates, cuántos?

Titubeó antes de responder, como si no recordase. Dijo el número de combates. El hombre comenzó a explicar, sin atenderle demasiado, como si hablase para sí:

—No sé si usted lo sabe, pero conviene que lo sepa. Es una dedicación que no me reporta más que gastos. Me divierte ayudar a los que pueden ser algo. No sé si usted me entiende. Realmente...

No entendía por qué el maestro le había indicado que fuera a ver a aquel hombre. Aquel hombre que hablaba y fumaba delante de él nada tenía que ver con el boxeo. «Ayuda», le había dicho el maestro. Y él había ido a que le ayudasen. El hombre seguía hablando:

—... cuando usted regrese de Valencia venga a verme, joven...

Se encontró repentinamente de pie, estrechando una mano, que se le tendía lánguida desde la butaca. Caminó rápidamente hacia la puerta. La puerta era de madera, de una madera con vetas estrechas... Estaban en el pasillo.

Se sintió liberado en la calle. Liberado y confuso, el tipo era raro. La ocurrencia del maestro era, también, rara. ¿Ayudaba? Pero ¿por qué ayudaba? No le interesaba el boxeo, no sacaba ningún beneficio de los boxeadores. Ayudaba porque le divertía ayudar. «Tiene mucho dinero —le había dicho el maestro— y se lo gasta. Le gustan las cosas donde hay sangre. Gallos, boxeo, ¡qué sé yo! El caso es que ayuda».

La entrevista le había amargado.

El sol del mediodía agriaba el color del descampado de la plaza. El sol del mediodía pesaba en las copas de las acacias. La calle hacia su casa era un túnel de luz cegadora.

—¿Vas para casa? —le preguntó alguien que le echó un brazo a los hombros.

—¡Hola, Luis!

Hizo un movimiento para sacudirse el brazo que le daba calor. Llevaba el traje nuevo y se había puesto corbata para la entrevista. No se decidía a quitarse la chaqueta.

—Te vas pronto, ¿no?

—Sí.

—Tienes que ganar. Después del combate pon un telegrama si todo ha ido bien. Ponlo a *La Venencia,* Paco.

—¡Bueno, hombre!

—Tú ya sabes que aquí, en el barrio, se te da ganador por todos.

—El otro también pega, no vayas a creer que sale sólo a recibir.

—Tú le das. Si fuese por k. o. mejor. Figúrate el primero de profesional y tumbándolo. Si peleas como tu sabes, seguro que...

—El otro también pega.

Se separaron al llegar a la altura de la casa donde vivía el admirador.

—Ya sabes que se confía, Paco, y que se te admira.

Le agradaba que le admirasen y le molestaba que le creasen obligaciones. Saldría a pelear, pero el otro no se iba a dejar pegar. El otro tenía más experiencia y era un buen boxeador.

Subió las escaleras de la casa lentamente.

—No te he oído llegar, Paco —dijo la hermana cuando salió a abrir.

Paco se quitó la chaqueta y se desanudó la corbata.

—Como siempre subes corriendo y cantando es fácil saber que eres tú, pero hoy...

—Estoy cansado —dijo Paco.

—Padre se ha marchado y madre está echada, porque le duelen las espaldas —anunció la hermana—. Padre ha dicho que no te vayas hasta que vuelva él del trabajo.

—Bueno.

—¿Te pongo la comida?

—Bueno.

—¿Te pasa algo, Paco?

—No, nada.

—Algo te pasa, Paco. Dímelo.

—¡Qué me va a pasar! —dijo desabridamente.

La hermana se dedicó a prepararle la mesa. Paco respiró hondo el olor de su casa. Un olor en el que se distinguían las cosas que lo producían. El olor de la comida, el del carbón, el de la mesa fregada con lejía, el de los trapos húmedos... En la salita donde le habían hecho esperar solamente olía a nuevo. El olor de nuevo y de caro era hostil. Cuando pensaba en la visita de la mañana se sentía de pronto sucio, sucio de las cosas limpias, nuevas y caras.

—Pasa a ver a mamá —indicó la hermana.

Paco se levantó y salió al pasillo. Abrió la puerta de la habitación de los padres.

—¡Madre! —dijo.

—¿Qué, hijo?

En la penumbra no se percibía el rostro de la madre.

—Me ha dicho Mercedes que te sientes mal.

—No es nada. Cansancio.

—¿Quieres que avisemos a un médico?

—No. Se pasará. Es que me he cansado más de la cuenta.

—Deberíamos avisar a un médico para que te mirase.

—No, hijo.

La madre y el hijo guardaron silencio. En la cama de matrimonio la madre estaba como desmayada. La almohada, blanca, y el rostro, de un blanco grisáceo. El pelo como un manojo de esparto.

—Vete a comer.

—Luego vengo a estar contigo.

—Bueno. No os preocupéis, que no es nada.

—¿Has comido?

—No.

—¿No quieres nada?

—No. No te preocupes. Anda, vete.

Paco cerró suavemente la puerta. Cuando llegó a la cocina preguntó a la hermana:

—¿Ha cogido algún frío?

—Esta mañana ha estado lavando.

—Habrá que avisar a un médico. Padre, ¿qué ha dicho?

—¡Como ella dice que no se avise...!

—¡No quiere, siempre igual! —dijo Paco, y se indignó—. Pues aunque no quiera.

La hermana colocó la cazuela encima de la mesa, sobre una rejilla.

—¡Anda, come! —dijo.

Paco dejó que le sirviera. Metió la cuchara en el plato y comenzó a comer en silencio.

—¿En qué estás pensando? —preguntó la hermana.

Paco no respondió.

6

La tarde estaba pesada y tormentosa. Llegaban del campo aromas cereales. Olían las cloacas. Olía a humos de locomotoras. La gente que callejeaba olía un poco a sudor, un poco a ropas que han tomado el soso olor de la cal en armarios enjalbegados y sombríos como depensas; olía a campesino puesto de domingo en la ciudad.

Cada paso era un descubrimiento. Olía a hospital. No olía a hospital, pero Paco tenía la sensación de que caminaba por un pasillo de hospital, mezclados el olor de botica y el de ser humano, acompañado de un murmullo. De un zumbido de quejas sobre enfermedades propias y enfermedades de los parientes o de los amigos a los que se va a visitar. En los retazos de conversaciones que llegaban a sus oídos creía sorprender la quejumbre, la salmodiosa habla de los enfermos y de los visitadores.

Apuntaban las cuatro y media e iba por la calle de Atocha.

Sobre el chirrido de un tranvía rompió la tronada. Sobre el polvillo, tenue como una purpurina de alas de mariposas nocturnas, que cubre las calles antes de las tormentas, cayeron las primeras gotas. Paco andaba de prisa hacia Antón Martín. Alzó los ojos al cielo negro-violeta como un gran hematoma. Las primeras gotas cayeron adormecidas. Después tabletearon delicadamente en el asfalto, en los tejados, en las claraboyas de las casas viejas.

No llovió más. Las nubes estaban fijas sobre la ciudad y la enclaustraron, la recogieron de su dispersión, la limitaron en un regazo denso, carnoso y morado. Cansaba caminar, pesaban las manos en los bolsillos, dolía la chaqueta en las axilas. Un olor de humedad ganó la calle. Una sensación de sudor sucio le desazonaba.

Paco pensó en las chinches de una pensión del Sur, en una población en la que había boxeado. Una noche con bochorno de tormenta. Una noche en que los nervios punteaban la piel. Pensó que lo peor que le podía ocurrir en el mundo era ponerse enfermo en una pensión del Sur, desmantelada, cargada de soledad. Prefería el hospital con toda su tristeza, con el cobijo de los demás, aunque temiera la cercanía de la muerte.

Entró en el bar. Pasó delante del mostrador y se fue al fondo. El muchacho del mostrador le saludó:

—Hola, *Young*.

En los vasares del mostrador se rizaban las fotografías de los boxeadores junto a las de las supervedetes y las de los caricatos célebres. Los boxeadores saludando; los boxeadores en guardia, con guantes, sin guantes, en vendas. Dedicatorias: «A mi particular amigo Mariano Martínez», y la firma garrapateada. «A Mariano, gran aficionado al boxeo, su amigo», y la firma torpe. «A Mariano después del combate más duro de mi vida», y la firma clara. «A mi admirador Mariano Martínez el día que gané el Campeonato de Castilla del peso pluma por *k. o.*», y la firma muy grande. Las fotografías de algunos de los campeones de España de los diferentes pesos solamente tenían las firmas.

Jugaban al mus.

—Hola, *Young*.

Los boxeadores jugaban al mus, rodeados de unos vagos, admiradores profesionales.

—Hola, chaval —dijo el ex campeón.

Los vagos le hicieron un sitio al boxeador *Young* Sánchez.

—Hay que comer patatas —dijo el ex campeón.

Los vagos se rieron.

—¿Eh, chaval? —preguntó el ex campeón.

—Si tú lo dices... —respondió *Young* Sánchez.

—Hay que comer patatas —dijo el ex campeón—, porque si no el estómago no aguanta... —y barbarizó.

Uno de los vagos palmeó las espaldas del ex campeón, que volvió la cabeza airado.

—¡Eh, tú, que no soy una tía!

—¿Atiendes o no atiendes? —preguntó uno de los de la partida.

—Calma —dijo el ex campeón—, tengo unos pares de muerte, con los que te voy a matar.

—Muy bien.

—Pues me paso hasta mi compañero, que os va a arrear de muerte.

Young Sánchez miraba la cara del ex campeón. Una cara con «mucha leña encima». Bajo las cejas, peladas de cicatrices, le brillaban hundidos los ojos. Las comisuras de los labios se le alargaban en dos rayas blanquecinas, que destacaban en el moreno de la piel y de la barba.

—Mátalos con un órdago.

Leña en los pómulos, leña en la nariz, leña en las orejas. Aceptaron el órdago y ganaron el ex campeón y su compañero. El ex campeón dijo satisfecho.

—Hay que comer patatas. Dos tiñosas y dos ases. Ves, chaval, como hay que comer patatas. Y les das. Les das de derecha y luego de izquierda. Los dejas para sebo.

Uno de los vagos preguntó a *Young* Sánchez:

—¿Debutas por fin?

—No se habla —gritó el ex campeón—. No se habla, porque me distraigo. A hablar se va uno al mostrador.

Dieron cartas.

El compañero del ex campeón miró a *Young* Sánchez y sonrió:

—¿Son buenas las condiciones? —preguntó.

Young Sánchez le hizo un vago gesto de insatisfacción que formaba parte del juego cuando se hablaba de contratos. Un boxeador de alguna importancia nunca podía demostrar entusiasmo por el dinero de los contratos, siempre tenía que dar la impresión de que era algo muy por debajo de sus merecimientos. Al llegar a campeón, el juego variaba y había que dar la impresión contraria, la de que los contratos eran muy ventajosos.

El compañero del ex campeón era un buen peso ligero que se disponía a irse a América. Se llamaba Raimundo Moreno.

—No se habla, *Ray* —dijo el ex campeón—. Hay que estar en el combate.

—Bien, *Marquitos* —respondió Ray Moreno.

—Hay que dar de nuevo —dijo el ex campeón—, porque tengo cinco cartas. Todo por hablar. Jugando no se habla.

—¿Dónde están las cinco cartas? —preguntó, mirándole, uno de la pareja contraria.

El ex campeón contó las cartas y sonrió con una amplia sonrisa de máscara.

—Nada de marrullerías —dijo el que había preguntado por las cartas—. Nada de suciedades.

El ex campeón, alborozado, golpeó con las palmas de las manos en la mesa.

—Con estas cuatro se acaba la partida. Ordago a todo. Y quiero una copa de coñac. Tú —señaló a uno de los vagos—, tráeme una copa de coñac.

El vago obedeció y se encaminó al mostrador.

—Ordago a todo —gritó el ex campeón—. Así se juega, *Ray.* Fíjate qué asalto. Qué pelea estoy haciendo, porque tú no me ayudas ni esto.

Hizo un ruido con el índice y el pulgar derechos.

—Bien, *Marquitos;* pero lleva cuidado —dijo *Ray.*

Siguieron la partida hablando únicamente las jugadas. El vago llegó con la copa de coñac.

—Gracias, segundo —dijo el ex campeón—. Te puedes tomar un chato a mi cuenta.

—Gracias, *Marquitos;* luego.

—Luego, no. Ahora, que es cuando te he invitado.

—Bueno; lo tomaré ahora.

—Atiende, *Marquitos* —dijo *Ray.*

—Estoy, estoy...

—Esta es la última. Ellos están a falta de cinco y nosotros de dos —declaró *Ray.*

—Pues órdago, no quiero perder a los puntos —dijo el ex campeón.

—¡Quiero! —contestó uno de los contrarios.

El ex campeón perdió.

—Ves... —le reprochó *Ray.*

—A los puntos hubiera sido peor.

—Hubiéramos ganado si te pasas a todo.

—No, hubiéramos perdido.

Ray Moreno le hizo una suma del tanteo.

—¿Ves...?

—¿Quién me da un cigarro? —preguntó el ex campeón.

Uno de los vagos le ofreció una cajetilla de *Bisonte*. El ex campeón encendió un cigarrillo y principió a fumarlo como un fumador novato, casi soplando el humo.

—Esta partida estaba visto que la teníamos perdida desde el principio, totalmente perdida.

—¿Por qué? —preguntó *Ray*.

—Porque se veía. Yo lo he visto desde el primer momento, desde la campana.

Young Sánchez hablaba con *Chele* y Adrián Ortega, que eran la pareja de ganadores.

—Yo voy a Zaragoza el sábado —dijo *Chele*.

—Dentro de dos semanas tengo combate en Barcelona —dijo Adrián Ortega.

Los vagos atendían al ex campeón. Este dijo de pronto:

—Me marcho, porque me esperan, y mañana no vengo.

—Bueno, *Marquitos* —dijo *Chele*—, si mañana no hay partida, ya no la hay hasta que venga yo de Zaragoza.

—¿Tú también te vas? —preguntó el ex campeón.

—También me voy.

El ex campeón se quedó un momento pensando.

—Suerte, *Chele;* suerte, *Young*. Ya nos veremos. A comer patatas.

El ex campeón parecía bailar al caminar. Se paró un momento en el mostrador y pagó. Al andar se llevaba la mano derecha a la cabeza. Se dirigió a la puerta. Arreciaba la lluvia. *Young* Sánchez, *Chele,* Adrián Ortega y *Ray Moreno* le siguieron con los ojos. El ex campeón, al llegar a la puerta, no dudó y salió a la calle. La calle estaba solitaria.

7

Paco estaba sentado en la mesa de masajes de la cabina de boxeadores. Unos metros a sus espaldas, Bustamante se dejaba vendar las manos.

—Estira un poco la cara.

Paco obedeció a su segundo, que comenzó a embadurnarle el rostro de glicerina. Luego le dio uno toalla para que se enjuagase.

—Ya estás listo.

Paco cerró el puño derecho y lo golpeó contra la palma de su mano izquierda, probando el vendaje. Luego, con el puño de la mano izquierda, golpeó en la palma de la mano derecha.

—¿Está bien? —preguntó el segundo.

—Bien.

—Voy a asomarme a ver cómo va el combate.

Era el último de aficionados. En cuanto acabara, les tocaba a ellos. De ellos, era el primero de profesionales de la velada mixta. Paco miró a Bustamante. Se lo habían presentado por la mañana en el pesaje oficial. Le había dicho «mucho gusto», y no le había oído nada más. Bustamante le llevaba apenas unos gramos, pero tenía más envergadura que él.

Entró el segundo.

—Les quedan dos *rounds;* ninguno de los dos pega —dijo—. Échate y te doy un poco de masaje.

—No es necesario.

—Como tú quieras, *Young.* ¿Estás tranquilo?

—Sí.

«Más envergadura que yo», pensó. Y de repente sintió que el miedo le trepaba por las piernas, debilitándoselas, le ascendía por el vientre y se le asentaba en el estómago. Una bola en el estómago. Una bola, eso era el miedo que obligaba a respirar fuerte, «porque ahogaba —pensó—, hacía daño y fijaba en ella toda la atención de uno». Se llegaba a sentir las dimensiones de la bola y su peso. Su miedo pesaba exactamente un kilo y no era mayor de tamaño que la pesa de un kilo de ultramarinos.

—Cálmate —dijo el segundo.

Paco sonrió inseguro.

—Cálmate —repitió el segundo—, eso acaba en seguida. Piensa en otra cosa.

Continuó sonriendo.

—El público estará de tu parte.

A medida que el segundo le hablaba, Paco iba recuperando seguridad. Prestaba atención a su segundo, eso era todo.

—Si te conservas fresco los cuatro primeros asaltos, el combate es tuyo, y si lo desbordas en el primero, también. Yo lo conozco bastante, ¿sabes? No le sigas su ritmo, porque ahí no tienes nada que hacer. O desbordarlo o esperar.

Paco no se fiaba. El segundo parecía adivinarle el pensamiento.

—Fíjate en lo que te digo. Yo no te engaño.

El segundo hablaba en un tono muy bajo, muy suavemente.

—La ceja izquierda la tiene muy resentida; ahí debes dirigirte en los golpes a la cabeza. Y fájate los cuatro primeros, o si te atreves...; bueno..., no, es mejor que esperes.

Los del combate de fondo no se preparaban en la cabina común. Los del combate de semifondo acababan de entrar. Uno de ellos silbaba mientras se iba desnudando. Ninguno de los dos había saludado. Paco lo esperaba. Cada uno estaba pensando en el combate; cada uno sentía cómo el miedo le ascendía por las piernas, por el vientre, hasta el estómago.

—Ya han acabado —dijo el segundo.

—¿Vamos? —preguntó Paco.

—Deja que entren.

Bustamante miraba hacia la puerta. Se oían los aplausos y silbidos del público. Paco estaba de pie con la bata puesta. Su segundo le alargó una toalla, que se puso en torno al cuello. Se abrió la puerta y entró un muchacho sostenido por su segundo, que hizo una seña, significando la derrota. El muchacho apenas podía tenerse en pie y le ayudaron a echarse sobre la mesa de masaje. En seguida entró el ganador.

—Vamos —dijo el segundo.

Paco le siguió mansamente.

—Calma —dijo el segundo.

Ya caminaban por el pasillo entre la gente. Paco se estiró. Le llegaban los aplausos, como una calentura, hasta las sienes, que le palpitaban fuertemente. Ya sentía a sus partidarios. A sus primeros partidarios, que se habían pronunciado a su favor. Los sentía en los aplausos y en las palabras de aliento y en su deseo de violencia.

Saltó al *ring* y saludó con la mano derecha en alto.

Se fue a la escuadra. Vio a Bustamante saltar al *ring* y saludar. Calibró los aplausos.

—Las manos.

Casi se sorprendió ante la exigencia del árbitro. Extendió sus manos y el árbitro cumplió el trámite.

—Lo que te he dicho, no lo olvides —dijo el segundo.

—Bien.

Paco se quitó la bata y se la puso por los hombros. Después se calzó los guantes. Volvió a saludar con el puño enguantado cuando el *speaker* dio su nombre y su peso.

No tenía miedo. No sentía el cuerpo. Estaba más ligero que nunca. Los aplausos le levantaban. Los llamó el árbitro al centro del *ring*. Les hizo las recomendaciones de costumbre y encareció la combatividad: eran profesionales. Volvió cada uno a su rincón.

«Tengo que ganar», pensó. Abrió la boca y el segundo le colocó el protector. «Tengo que ganar —pensó— para ellos. Tengo que ganar este combate para mi padre y su orgullo, para mi hermana y su esperanza, para mi madre y su tranquilidad. Tengo que ganar.»

—Haz lo que te he dicho —dijo el segundo.

Entonces sonó la campana y se volvió. Estaban esperándole.

Otoño

Al asomar la cabeza quedó deslumbrado. Miró hacia abajo, hacia la penumbra de donde él surgía. Entre sus botas de goma, negras, brillantes, vio el rostro de su compañero mal afeitado, prematuramente viejo. Cerró los ojos un instante. Respiró. Todavía el olor pegajoso, dulzón, nauseabundo, aunque ya menos fuerte. Luego recorrió con la mirada su propio cuerpo: el pantalón de pana amarilla con las botas hasta media pierna; la bragueta casi sin botones con el cinturón bajo el ombligo; la camisa caqui haciendo una arruga, una bolsa, por cima del cinturón; el jersey azul corto, demasiado corto y fino de tanto lavado; el chaquetón abierto, grande, caído, como las alas de un pájaro muerto...

Alzó la cabeza. El asfalto mojado reflejaba la luz de un sol de mediodía enfundado entre nubes. Sintió en la nuca unas punzadas al ruido de las llantas de un carro que pasaba tras de él. El final de la calle se difuminaba en un halo de niebla clara. Respiró con libertad, profundamente, hasta sentir dolor dentro de la nariz, en la cabeza, como cuando se lavaba y el agua le penetraba por las fosas nasales. Luego estornudó. Desde la acera un chiquillo le miraba curioso y espantado a un mismo tiempo. La voz del compañero de abajo le ascendió sorda, apremiante:

—Sal ya.

Automáticamente obedeció. Se plantó en la acera. El chiquillo se apartó un poco de él. El compañero, al asomarse, cubrió los ojos con un brazo y resopló. Después salió, apoyó las manos en la cintura y se estiró. Los dos estaban un poco balanceantes en el bordillo de la acera, quizá un poco mareados del aire fresco. El chiquillo les observaba cautamente con una imaginación de que aquellos hombres debían ser misteriosos ladrones, monstruosos criminales, seres de un mundo extraño y horrendo.

Los dos poceros se consultaron de gesto. El primero que había salido dijo:

—Oiga, César, ¿corremos la tapa?

—Sí; vámonos, que para hoy ya está bien.

Ayudándose de una pequeña palanca corrieron la tapa de la cloaca. Luego, andando torpe, patonamente, se alejaron. El chiquillo los seguía admirado, esperando que sucediera algo realmente grave. Una taberna les dio el alto. Entraron. La puerta se cerró tras ellos; sombras en la nebulosa de los cristales esmerilados. El chiquillo giró la cabeza: en la acera de enfrente un guardia discutía con un ciclista. Fue a ver lo que pasaba. El tabernero saludó a los poceros.

—¿Qué hay de bueno por los subterráneos?

—Nada. Ya puede circular la m... libremente. Hoy hemos acabado de descegar el último trozo de una de las cloacas del mercado.

El tabernero insistía curioso.

—Me han dicho que el otro día, bajo un derrumbe, encontraron el cadáver de un soldado...

Los dos poceros fueron a salir de la taberna. Al abrir la puerta se tropezaron con una muchacha de unos veinte años que llevaba un garrafón en una mano y en la otra, apretándolos, exprimiéndolos, unos billetes arrugados que se le escapaban por entre los dedos. Los poceros le hicieron paso. César preguntó a su compañero:

—Tú, ¿hacia dónde vas?

—Yo hacia el centro.

—Yo voy para casa. Tengo al chico pequeño otra vez enfermo y quiero ver qué tal marchan las cosas. A las dos y media te espero frente al mercado; hay que dejar eso listo antes de mañana.

—Hasta luego, entonces.

—Hasta luego, Municio.

Los poceros se separaron. César caminaba pensando en su hijo enfermo del pecho. Municio pensaba en la muchacha que había entrado en la taberna. En la taberna, la muchacha se descaraba con el tabernero.

—Eche usted del barato y no se haga el listo, tío camándula.

Cuando Rafael Salvador llegó a su casa después de haber salido de la Facultad eran ya las tres y media de la tarde. El padre de Rafael hacía la digestión tumbado en un sillón, fumándose un cigarrillo mentolado y oyendo la radio; el padre de Rafael, don Orlando Salvador de las Mazas, ex militar, ex cautivo y comerciante al por mayor en vinos y derivados, según su magnífica, suntuosa, historiada tarjeta con un escudo en relieve en los medios.

Don Orlando y sus tres hijos vivían muy bien. La mujer de don Orlando murió antes de la guerra. De ella tuvo dos hijos: Rafael y Mercedes. Luego se casó Mercedes con un abogado, y ahora don Orlando tenía tres hijos, uno político, y un nietecito.

El nietecito no podía vivir bien pese a todos los esfuerzos de don Orlando y de la ciencia, porque siempre estaba enfermo. Esto inquietaba bastante al abuelo, pero no lo suficiente para que no se permitiera estar alegre, feliz y orgulloso de sí mismo, gozando de la vida.

Cuando Rafael Salvador llegó a su casa entró directamente en el comedor. El mantel sobre la gran mesa de estilo vagamente español, tenía cercos morados de las copas de vino, algo así como báquicas tonsuras. En el sitio donde acostumbraba a comer don Orlando había además una perdigonada de migas de pan, producto de un entretenimiento inconsciente entre plato y plato. En el lugar de Mercedes, la servilleta doblada como un ala de paloma mostrabra la huella de sus labios en color «Primavera» de la casa Pond's. Al final de la mesa, frente a las migas de pan, había una mancha de agua bajo el doblez del mantel, producto de los nervios del abogado, en la profesión Crisanto Hernández, don Crisanto para los clientes, el señor Hernández para los ujieres del juzgado, Cris para su señora y *Rabanada* para los íntimos.

Rafael saludó a su padre y se dispuso a tomar una sopa de fideos, pura pasta de engrudo ya. Rafael se quejó. Don Orlando le atajó:

—A comer se viene a su hora, caballerete, y si no se aguanta uno con lo que le den.

Rafael se enfureció un poco y explicó tartajeante:

—Es... que..., pa...pá, esto... está... in...co...mi...ble.

Don Orlando recordó su buena época en el cuartel:

—¡Qué puñetas dices!

Rafael prefirió callarse. Tomó dos cucharadas y apartó el plato. Don Orlando se caló las gafas y se dedicó a mirarle por encima de ellas.

—Los días que bebas, Rafael, lo mejor que puedes hacer es comer fuera de casa. ¿Me has entendido?

Muy dignamente, don Orlando cerró la radio, guardó sus gafas, aplastó el cigarrillo mentolado en el cenicero, recuerdo de Santander, y con paso mesurado salió del comedor. Los pasos mesurados le llevaron a don Orlando hasta la habitación de su nieto. En la habitación, junto a la cama, estaba sentada Mercedes observando el sueño pesado y febril de su hijo. Don Orlando susurró:

—¿Qué tal?

Mercedes volvió la cabeza.

—No parece que le hayan hecho efecto las inyecciones.

La cabeza de don Orlando se movió de un lado a otro.

—Mal asunto. ¿A qué hora ha dicho el doctor que vendría?

—Después de las siete. El no puede, pero vendrá su primer ayudante.

Se asomó don Orlando por cima de los hombros de su hija.

—No respira bien.

El sueño del niño era pesado y, sin embargo, se sentían en su cuerpo como unos coletazos que le hacían emerger a veces, abrir un momento los ojos y hundirse después atraído por la fiebre a las profundidades, donde las pesadillas son como peces abisales.

La cara de Mercedes estaba hecha de temor y angustia. Crisanto había salido. Primero iría al café, luego al despacho. En la tertulia se quejaría a los amigos del estado de su hijo. Los amigos, sinceramente, le compadecerían; hoy no habría bromas.

Tarde de fiebre, lenta, pesada; lentitud, pesadez de caminante sobre la arena.

La calentura madura en colores: amarillo, naranja, rusiente, blanco. Los ojos se hunden en brillos: estelares, fosfóricos, acuosos... Las manos muestran cansancios como aves en largo vuelo, como plantas de un balcón de otoño. La voz... La voz en el enfermo es un profundo manantial de sombras. El médico siente entre sus dedos el pulso débil del niño. Le han dicho que esta noche pasada deliró, que repentinamente se encontró bien y quiso vestirse para ir a buscar un objeto al despacho de su padre; que luego tuvo el reloj de la mesilla entre sus manos y dijo cosas extrañas. El médico asiente con la cabeza cuando la madre explica que no hubo retraso en las medicaciones. No; no hubo retraso; ya lo suponía. De todas formas tampoco hubiera importado mucho.

Ausculta, agrava el gesto, se registra en los bolsillos. Los padres le contemplan desde los pies de la cama esperando sus palabras. El médico observa la frente del niño; la piel transparenta nódulos rojos; la piel es suave, sutil como la de una larva. Vuelve la cabeza hacia los padres mientras piensa profesionalmente: esto se acaba. La madre se ha escapado de la habitación.

—Adiós, don Crisanto.

—Adiós, doctor.

—Volveré dentro de hora y media. En cuanto llegue el practicante que le ponga lo dicho.

La despedida en la puerta se alarga en una explicación. El médico baja ya las escaleras.

La luz del infierno es la que se ve por el agujero de la chapa de la cocina, reflejándose sobre la negrura del recién echado carbón.

El niño estuvo a punto de quemarse la cara por intentar ver más de cerca la atrayente, alimonada, luz del infierno. Levantó el rostro lloroso, con grandes rosetones de sofoco, a la llamada de la madre.

—¿Qué miras ahí, hijo, no ves que te puedes quemar?

El niño no se atrevió a responder que estaba mirando la luz del infierno profundo, en el centro de la tierra. Se fue paso a paso hasta la ventana. En la ventana había tiestos y entre éstos se divisaba abajo, en el canalón, junto a una pinza de tender la ropa, una pelota de lana casi podrida.

La pelota cayó un día de primavera dando botes por las tejas, blandos, amortiguados, gatunos. Pareció por un momento que su carrerilla tenía algo de gimnástica con final de hermoso salto a la calle. No fue así. Quedó en el canalón. Anidó cerca del desagüe. El niño la vio descender conteniendo un grito. Se volvió a su madre que estaba planchando unos cómicos calzoncillos y sonrió a su pesar. Pasó una alborozada bandada de pájaros. La madre colocó la plancha sobre un papel asurado. Metió las manos en el gran bolsillo del delantal. El niño sintió en su pecho como un chisporroteo y tosió. Tosió larga, valerosamente. Por el tejado caminaba de puntillas el duende triste de la otoñada.

En el canalón, junto a una ennegrecida pinza de tender la ropa, que había dejado huella de herrumbre en el estaño, se pudría la pelota de lana. Entre teja y teja asomaban las yerbas con que se purgan los gatos, con las que se afina el trino de los jilgueros enjaulados; yerbas que nacen de un modo espontáneo e inexplicable en las macetas bien cuidadas de los balcones de los pisos bajos. El niño contemplaba desde la ventana cerrada la informe pelota de lana. Sucia burbuja, permanente burbuja le parecía la pelota cuando corría veloz el agua por el canalón y él la observaba moviendo la cabeza a un lado y a otro, para conservar su visión entre las gotas de lluvia que se deslizaban con tiemblo de cohetes por los cristales. La pelota de lana, que en tiempo seco, como una carroña de gorrión, se oscurecía y se aplastaba.

Pasaba el niño un dedo por los cristales produciendo un piar continuo. La madre recosía calcetines de pardas soletas, sentada en una silla baja de ancho asiento. El niño se volvió de espaldas a la ventana y fue a besarla. La madre le acarició.

—¿Te sientes mal, Paquito?

—No, mamá. Igual.

—Bueno, hombre. Ahora vendrán tu padre y tus hermanos y te podrás entretener. Te aburres, ¿verdad? Claro que te aburres.

—No, mamá. No me aburro.

—¿Estás triste?

—No.

—¿Te duele el pecho?

—No; nunca me duele.

Estaba atardeciendo. Desde la ventana se veía el crepúsculo. En los alcores lejanos los escasos árboles se ennegrecían. El crepúsculo era gris verde, sólo un reflejo naranja en una nube aislada en el cielo azul, cristalino del otoño.

El niño miraba el crepúsculo, la nube color naranja. Dijo a su madre:

—Parece una mandarina.

—¿Qué, hijo?

—La nube.

La habitación tenía en un rincón la cocina; en medio, una mesa de comedor con hule azul y blanco; un jergón pegado a la pared. Sillas, todas distintas: de paja, de madera barnizada y asiento de cartón imitando cuero repujado, de tijera, de culoinquieto.

A la habitación daban dos puertas: la del dormitorio de los padres y la del de los dos hijos mayores, empleados el uno de manguero del Ayuntamiento, el otro en un taller de mecánica. En el jergón de la cocina-comedor dormía Paquito, el niño enfermo.

Llamaron a la puerta con los nudillos y sonó fuerte la voz de un hombre:

—Abre, Pilar. Soy yo, César.

Fue el niño a abrir la puerta. Le costó correr el cerrojo con que estaba cerrada. Apareció César Yustas, el pocero.

—Pero, hombre, si me ha abierto el pequeñajo —dijo.

César cogió a su hijo en brazos y lo estuvo contemplando largo rato.

—¿Qué tal va eso, Paquito?

—Bien, papá.

—¿A que no sabes lo que te traigo?

—Un chiste.

—No. A ver si lo aciertas. ¡Lo que me pediste este mediodía, hombre!

—Los lápices de colores.

César dejó a su hijo en el suelo y se echó mano al bolsillo. Fingió que los había perdido mientras seguía con los ojos la ansiedad en el rostro de su hijo.

—Sí; los lápices. Aquí están, para que pintes.

Todavía no había cerrado la puerta. La cerró de golpe y cambió el tono.

—¿Han aparecido esos gandules?

—¡Quiá! Esos hasta la hora de cenar no se dejan ver el pelo —respondió Pilar.

César, sentado en una de las sillas pequeñas, procedió a quitarse los zapatos. Su mujer le preguntó:

—¿Qué tal el trabajo?

—Como siempre. ¿O es que crees que va a variar? Ratas, lodo, porquería y oscuridad. ¿Quieres más?

—¿Dónde has dejado las botas?

—En el armón.

César se quitó la gorra. Tenía el pelo cano, ralo. Fue a lavarse a la fregadera. Su ancha espalda no permitió a su hijo ver cómo hacía las abluciones. Luego se secó con una toalla amarilla, colgada de un clavo. Se dirigó a su mujer:

—Pilar, ¿no te parece que el mozo está mejor?

El mozo era Paquito. La madre dejó de coser, observó a su hijo.

—No sé...

César reaccionó:

—¡Cómo que no sé! A mí me parece que está mejor.

—De que a ti te parezca a que esté hay un abismo, César.

El hombre refunfuñó y cambió de tono, no sin antes decir:

—Llévatelo a que lo vea el médico otra vez...

—Para lo que sirve...

—Bueno, bueno, para algo le servirá. ¿Qué hay de cena?

—¿No vas a esperar a los chicos?

—No.

Paquito ensayaba los lapiceros en las márgenes de una hoja de periódico. Tras de la ventana el cielo era azul negro; la nube antes anaranjada ahora es profundamente oscura. César se frotó las manos y se quedó mirando sus uñas, grandes, duras, de córneo color amarillo.

Si Crisanto Hernández hubiera atendido las sensatas indicaciones de su mujer abandonando su desmedida y cazurra afición a pintar paisajes urbanos, la estética de la casa de don Orlando Salvador de las Mazas no se hubiese resentido. Si Crisanto Hernández hubiera defenestrado valerosamente lo que él llamaba su vocación verdadera, no sería culpable de los horrores que, entre cuadros importantes, había colgados por la casa, pábulo para los acres comentarios de las empingorotadas íntimas de su señora. Pero Crisanto Hernández, que como abogado era discreto; como persona, excelente, y como pintor aficionado, sencillamente abominable, tenía por norma no tomar en cuenta las opiniones del sexo femenino en materias artísticas. Norma que hacía extensiva a la política, las letras y las finanzas.

Estaba Crisanto colocando un hermoso lienzo blanco en el caballete cercano a la puerta del balcón, con ánimo de plasmar la calle y su tráfago, cuando le llamó Mercedes, su mujer. De mala gana abandonó la tarea y con la mano izquierda ocupada en sostener una humeante pipa y la derecha introducida en el bolsillo del pantalón de pana que se ponía para pintar, acudió a la llamada lentamente, arrastrando los pies, calzados de pantuflas, por el encerado piso de la casa. Mercedes, sentada en una silla junto a la cama de su niño, entretenía el ocio haciendo una dificultosa labor de aguja. El niño, incorporado, con las espaldas apoyadas en una montaña de almohadas, destrozaba concienzudamente una diminuta locomotora eléctrica. Mercedes despegó la vista de su labor al sentir acercarse a su marido. Sus ojos vieron un primer plano de pies nonagenarios llevándose la cera de la tarima. Alzó la vista y recorrió por entero el cuerpo de Crisanto. Pantalones de pana negra arrugados, jersey deportivo, camisa blanca, abierta. En el rostro, un gesto interrogante.

—Cris, te he llamado porque el niño preguntaba por ti.

Crisanto se puso en cuclillas a la altura de la cama.

—¿Y para qué me llamaba el chiquitín?

La cabeza del niño era voluminosa, algo amelonada. El rostro del niño era correcto, bello. En sus ojos la mirada era débil, imprecisa, convaleciente. Crisanto preguntó a Mercedes por su padre. Fue informado:

—Hoy no ha salido. Dice que tiene un amago de gripe. Está en su despacho leyendo.

—A la hora de comer parecía enfadado.

—Sí; por cupa de Rafael. Otra vez le han pasado la facturita del niño... ¿qué te parece?

—¿A mí? ¡Qué me va a parecer ese perdido! Como siga así, la carrera no la acaba ni de abuelo. Ayer vino también borracho.

—No sé, no sé... Papá está preocupado y con razón. Menudo disgusto le ha dado hoy.

El niño interrumpió la conversación:

—Arregla el tren, papá.

Mercedes se sumergió en la labor. Crisanto, sentado en la gruesa alfombrilla paralela a la cama, intentó comenzar el arreglo de la máquina eléctrica. El niño lo miraba ensimismado.

Don Orlando, en su despacho, con un libro abierto y dado la vuelta, jineteándole una pierna, repasaba los asuntos, que se aglomeraban en su torno: su hijo Rafael, los negocios, su nieto.

Primero y principal, buscar una solución perentoria a las calaveradas de Rafael. En una familia honesta las calaveradas están limitadas por los presupuestos y los ahorros mensuales, por el prestigio, que no admite escándalos continuamente, y el buen nombre, con el que no se puede, no se debe jugar. Las cosas se hacen con discreción, como las hace todo el mundo, como las he hecho yo en mis tiempos, se decía don Orlando. Volvió a pensar en su hijo. La mejor y más rápida solución: mandarle a la finca. Dos meses de campo lo asentarían.

Con el nieto nada de preocupaciones. Las medicinas, que su buen dinero han costado, y los médicos, a trillonada la consulta, han hecho el milagro, cuando parecía imposible que se pudiera albergar esperanza alguna. Don Orlando reflexionaba que si él no hubiera tenido el dinero que tenía, su nieto, pobre angelito, hubiera volado al cielo. Pasó de inmediato a cavilar en sus negocios.

Los negocios, pocos y buenos. ¡Para qué enloquecerse con muchos pequeños! ¡Tonterías! ¿Que en tres o cuatro o cinco meses no hay nada a la vista? Pues a aguardar. Ya saldrán. Salen cuando menos se esperan.

No había anochecido completamente a la llegada de Rafael. Venía el muchacho sereno y se desconcertó ante las miradas inquisitivas de su hermana y cuñado, que investigaban la posible borrachera.

—¿Qué miráis? —preguntó.

—Nada, hombre. Se nos hacía extraño verte tan temprano en casa —respondió Mercedes.

—¿Es que uno no puede venir cuando le da la gana?

—Sí, chico; supongo que puedes..., por lo menos entras y sales cuando quieres.

Rafael preguntó dónde estaba su padre. Deseaba hablar con él. No dijo más, y se retiró.

Daba vueltas, inquieto, por su habitación meditando el modo de exponer el proyecto. De vez en vez se paraba a contemplar el retrato de Teresa, su novia; cogía fuerzas y salía del bache moral en el que había caído unos momentos antes y en el que caería unos momentos después. Decidido, abandonó la habitación y se fue al despacho de don Orlando.

—Buenas tardes, papá. Tengo que hablarte —dijo al entrar, en un tono casi brusco.

—El que tiene que hablar, mucho que hablar, soy yo. Siéntate —le respondió el padre.

Rafael se sentó automáticamente.

—Papá, vengo a decirte que me quiero casar.

—¿Que te quieres casar? —se extrañó—. ¡Qué nueva estupidez es esa!

—¡Estupidez! ¿Por qué va a ser estupidez? Estoy en edad de casarme. Tú tienes que comprender que un hombre necesita una mujer, que a mi edad...

—A tu edad —interrumpió don Orlando— hay que pensar en terminar la carrera y hacerse un hombre de provecho. A tu edad hay que ponerse de codos sobre la mesa y estudiar hasta no poder más. A tu edad no hay que hacer el mula como tú lo haces.

Don Orlando hizo una pausa, indignado.

—Mira, quítate de mi vista cuanto antes. Vete haciendo la maleta, porque mañana sales para la finca.

—Pero, papá...

—¡Qué papá ni qué niño muerto! Vete. Estoy harto de tus borracheras, de tus deudas, de ti en total y...

Rafael se levantó. Ya en la puerta desafió a su padre:

—Ya que no se puede hablar contigo de hombre a hombre, resolveré el asunto por mi cuenta...

—Por mí puedes resolver lo que quieras, pero piensa que con mi dinero no vas a contar. Mañana a la finca y si no a la calle. ¿Me has entendido?

Las últimas palabras de don Orlando fueron ahogadas por un portazo. Rafael cogió el abrigo al pasar frente al perchero y se echó a la calle. Don Orlando, nervioso, de un manotazo tiró unos cuantos papeles al suelo. En seguida se agachó a recogerlos y comprobó que la cintura se le estaba endureciendo por días. Llamaron a la puerta.

—Pase.

—Soy yo, papá —entró Mercedes—. ¿Te has disgustado con Rafael? Le he visto salir hecho una furia.

—El muy imbécil, que me viene contando que se quiere casar. Voy a telefonear al padre de Teresa para que esté alerta, porque esos dos locos son capaces de cualquier barbaridad.

—Déjale; no te preocupes. Son cosas de la edad.

—Son cosas del tiempo que nos toca vivir, hija. Ya no hay respeto a los padres ni nada. Ese chico me va a quitar la vida. Si yo a tu abuelo le contesto como él me ha contestado me rompe un hueso.

—¿Y por qué no se lo rompes a Rafael?

—Es demasiado tarde, tendría que haberlo metido en cintura desde niño; pero aquí, desde que falta tu madre, todo el mundo ha hecho lo que le ha dado la gana.

—Bueno, hombre, no la vayas a pagar ahora conmigo.

Don Orlando se fue al Círculo.

Distraidamente, con un periódico entre las manos, don Orlando pensaba en Rafael. Ni gracia, ni salero. Como toda la generación actual, se dijo. El que no es tonto de esta especie se traga los santos y a la postre es peor. Ya se le pasará con unos cuantos años más, se consoló.

Rafael y su novia, Teresa, andaban por la calle cogidos del brazo, muy juntos, sin percatarse de las miradas de odio que algunas señoras les lanzaban.

—Tere, ¿nos tomamos unos vermús?

—Pero uno solo, Rafael. Bebes demasiado.

—¡Qué voy a beber! Si me hubieras conocido el año pasado.

—Prefiero no haberte conocido.

—Cuando nos casemos tendremos en el mueble bar toda clase de bebidas.

—Desde luego, y daremos fiestas a las amistades. Oye, ¿le has dicho a tu padre lo de casarnos?

—Naturalmente. ¿Es que te crees que iba a tener miedo?

—¿Y qué te ha contestado?

—Le ha parecido muy bien. ¿Tú lo hablaste con tus padres?

—No; no me atreví.

—Pues lo tienes que decir.

Don Orlando, a las nueve y media de la noche, recibió un recado telefónico urgente de su casa. Precipitadamente salió del Círculo. Por el camino se iba torturando pensando en lo que podía ser. La doncella al abrirle la puerta le anunció que dos señores, jóvenes de aspecto, le esperaban hacía media hora en la salita. Don Orlando se quitó el abrigo y, estirándose la chaqueta para componer la figura, entró en la sala. Los dos señores, jóvenes de aspecto, se levantaron al unísono. Uno de ellos habló después de los saludos:

—Don Orlando Salvador de las Mazas, ¿verdad?

—Sí, señores. Siéntense. ¿Qué se les ofrece?

—Somos del Departamento de Investigación...

—¡Ah!, sí.

—Venimos para que nos informe de un antiguo socio suyo: Francisco Arias Molinuevo.

Don Orlando aclaró:

—No fue socio mío. Quiso que hiciéramos algunos negocios juntos, pero no fue mi socio.

El policía que había hablado primero, sonriente, le aclaró:

—No se preocupe. Es puro trámite. Usted ahora nos dice lo que sepa de él. El jueves próximo, en el Departamento, le citarán, y allí lo contará ante el Comisario.

—Pero, ¿qué lío es éste?

—Nada —le precisaron— con usted. Simplemente esto: que nos cuente lo que sepa de Arias Molinuevo.

Don Orlando contó todo lo que sabía de su antiguo socio. Dio multitud de pequeños detalles; repitió muchas veces que nunca habían estado asociados, que algún pequeño negocio juntos sí que lo habían hecho, pero en total poca cosa. Luego —precisó— desapareció sin dejar rastro. Yo lo hacía —dijo— por América, porque algo de eso le oí una vez. Los policías se despidieron de don Orlando. Este pasó a su despacho. La cabeza le daba vueltas. Destapó la máquina de escribir y redactó una carta que no firmó. La metió en un sobre y salió a la calle. Antes de partir advirtió a la doncella que no le esperasen sus hijos a cenar. Don Orlando caminaba rápidamente por la calle. No le preocupaban ni su hijo Rafael ni su nieto Alfonso. Meditaba mientras apresuraba cada vez más el paso, en que la vida le había llevado a él, hombre de honradez acrisolada, a un desbarajuste moral. El tiempo viejo, el tiempo de guarnición en provincias, de tranquilidad absoluta, lo tenía escondido en el rincón más apartado del archivo de su memoria. Ahora salía a la luz, melancólico y dulce. Don Orlando echó la culpa a los años para acallar su temor, y su recién despellejada e hipersensible conciencia. Los años, que hacen de un hombre honrado un hombre al borde mismo del desastre y hasta de la cárcel.

Bajó los ojos. Se inclinó hacia adelante.

Don Orlando sintió un doloroso peso en la cintura.

Invierno

Por la tarde, César se reintegró a su trabajo. Su compañero Municio le acompañó hasta el portal de su casa.

—Resignación. Es preferible que haya acabado de una vez a que se hubiera pasado la vida enfermo.

Contó Municio una larga historia de un niñito enfermo que fue creciendo, se hizo un hombre, y obligaba, por no poder trabajar, a un sacrificio continuo a su familia. Terminó diciendo:

—Los hijos de nosotros los pobres, si no van a valer para trabajar, es preferible que...

Hizo un ademán con la mano, chasqueó los dedos.

César subió sin prisa las escaleras. No tenía ningún deseo de llegar. Se sentía pesado. Nada más entrar se sentó.

—¿Han venido los otros? —dijo.

—Todavía es pronto —le respondió su mujer.

César se descalzaba.

—Pilar, dame unos calcetines. Vengo calado. Ha subido mucho el nivel en los subterráneos. En algunos sitios es peligroso.

César apoyó la cabeza en las manos.

—Estaba de Dios —dijo con rabia.

—Estaba de Dios —replicó dulcemente Pilar—. Hubiese podido llegar a ser algo importante. Con la inteligencia que tenía.

—No le des más vueltas —cortó César—. Lo peor será que la desgracia no venga sola. Pensar que cogido antes, con las medicinas que hay...

—Pero se necesitaba dinero y nunca lo hemos tenido.

—¿Dinero? ¡Quién sabe! Puede que hubiera sido lo mismo.

César y su mujer hablaban poco. César estaba inquieto. Repetía constantemente:

—Ya deberían estar aquí esos dos.

Mariano Yustas cruzó la calle para encontrarse con sus compañeros. En una taberna tenían el club. El tabernero había mandado pintar en el cristal de la puerta de entrada un banderín de colores. Mariano jugaba al fútbol. Tenía muchos admiradores en el barrio. Los domingos por la tarde adquiría categoría de héroe. Ufanado, escuchaba a los que comentaban retrospectivamente sus jugadas en un léxico salpicado de palabras gruesas, menciones obscenas y onomatopeyas. Se empleaban también términos entresacados de las crónicas periodísticas.

—Chico, qué temple. Una pelota... fuff... como un rayo.

El último domingo, Mariano había jugado con su equipo en el campo del San Antonio, orillas del Manzanares. Triste campo enclavado entre la tapia de la Casa de Campo y unas casas en ruinas consecuencia de la guerra. Las ruinas, todavía habitadas.

Los jugadores de fútbol se lavaban en una fuente pública frente a un bar. Se vestían y desvestían en un corro formado por los partidarios de su equipo. El juego era bronco, lleno de malicias, de brusquedades. Había equipos en los que jugaban viejos jugadores, gentes de antes de la guerra, mezclados con muchachos casi adolescentes. A los viejos les sostenía ya solamente la afición y el prestigio de la barriada. A los jóvenes, el deseo de llegar algún día a figuras, ganar dinero y ser populares, con la efigie recortada de cualquier periódico, pegada en las paredes de los bares deportivos de España.

Mariano Yustas entró en la taberna. El primero que le vio fue un directivo de su club, hombre gordezuelo, de voz atiplada, que subvenía casi todas las necesidades del equipo. Le palmeó las espaldas.

—Marianín, te estábamos esperando. El próximo partido sales de interior. Nos hemos hecho con un medio de olé. Supongo que no te importará.

Mariano se enfadó; se creyó menospreciado, pero no dijo nada. Le ofrecieron vino de una botella con caña. No quiso beber. Un amigo insistía:

—Pero, ¿qué te pasa, hombre? Te has enfadado por el cambio.

Remoloneó para contestar.

—Marianín —dijo el directivo de voz atiplanada—, si tú quieres saltas al terreno como otras veces, por mí... Yo ya lo he dicho, que tú de medio rindes más que nadie.

—Es que estar de comodín —explicó Mariano— es estropearse. Lo mismo se le podía a usted ocurrir ponerme en la meta.

—¡Pero si yo no...!

Víctor Yustas, al salir del taller, se fue con otro aprendiz a hombrear por las calles. Cuando pasaba una muchachita se empujaban el uno al otro.

—Cuidado —decían muy silabeado.

La muchacha se quedaba protestando e insultándoles y ellos apresuraban el paso mientras se decían por lo bajo:

—¿Viste el viaje que le tiré?

—¿Y yo?

Se frotaban las manos entusiasmados. En una de sus maniobras tropezaron a una señora; un hombre zarandeó violentamente a Víctor. Este logró desasirse, y se plantó:

—Sin tocar, ¿eh? Sin tocar.

La señora intervenía:

—Sinvergüenzas, más que sinvergüenzas.

El compañero de Víctor se las entendía con la señora:

—Mida usted sus palabras, señora, o me voy a tener que cagar en algo.

Al ver acercarse a un guardia, salieron corriendo. El hombre le había dado una bofetada a Víctor, que llevaba la oreja colorada.

—¿Te pegó?

—Sí; pero le tiré un taire que si le pesca le deja seco.

Un poco mohinos volvieron al barrio.

—¿Tú dónde vas?

—Yo a buscar a mi hermano, que está en el club —respondió Víctor.

Mariano, delante de los amigos y compañeros, trataba a Víctor con una amabilidad desacostumbrada en su casa. Una amabilidad de hermano con mucha experiencia y con mucha edad.

—Víctor, no bebas. Víctor, por hoy ya está bien. Víctor, a casa, dile a madre que ahora subo.

Mariano y Víctor subieron a la buhardilla haciendo comentarios futbolísticos.

Por la mañana se levantó César muy temprano. Salió en seguida. Llovía con fuerza. Se encogió y levanto el cuello del zamarrón. Se encontraba cansado. No había logrado pegar un ojo durante toda la noche. Al llegar cerca de la entrada de las cloacas vio los carros basureros avanzar p la calle. El burro del primer carro caminaba cansino, chorreando a pesar del trozo de lienzo encerado que le habían colocado en los lomos. El basurero caminaba delante envuelto en un viejo impermeable del Ejército. Subida en el carro iba una mujer. César esperó la llegada de Municio contemplando la calle desde una taberna cercana. Se tomó tres o cuatro copas de aguardiente creyendo que le iban a levantar el ánimo. Nada. Sentía un remusgo en el estómago que le quitaba fuerzas y ganas de trabajar. Pensó que mejor hubiera hecho quedándose en casa. Entrevió a su compañero y fue a encontrarse con él.

—¿Qué tal César?

—Vaya.

—¿Dormiste bien?

—No.

—¿Te parece que bajemos ya?

—Vamos.

La alcantarilla era estrecha. En las paredes la humedad había criado un moho de color negro viscoso y repugnante. César se detuvo.

—No sé qué tengo que no me encuentro bien.

—¿Quieres salir?

—No. ¿Para qué? Tenemos que revisar otra vez el tercer desagüe del mercado.

Los dos se perdieron en la cilíndrica oscuridad. El reflejo de la lámpara se perdió en una revuelta.

Pilar antes de partir sus hijos les recomendó:

—Hoy venid pronto. Vuestro padre no se encuentra bien.

—Bueno, madre.

Los dos bajaron juntos las escaleras. Caminaron por las calles hasta la Plaza Mayor.

Regar bajo la lluvia se le antojaba a Mariano absurdo, pero tenía que cumplir las órdenes. Estaban las calles sucias de un barrillo pegajoso. Se le helaban los dedos sobre la manguera. Tenía los sabañones rojos e hinchados. Mientras regaba y obligaba al agua a hacer esguinces, imaginaba pases perfectos de jugador de gran club.

Pilar estuvo la mayor parte de la mañana sin pensar en su hijo muerto, haciendo las labores de la casa. Cuando llamaron a la puerta no pudo sospechar que le traían a su marido. Llegaba éste acompañado y sostenido por dos hombres. Uno, Municio, el compañero; otro, un desconocido. César estaba medio desmayado, muy pálido y tenía el traje sucio de barro negro. Municio habló:

—Un accidente; no creo que sea nada. Se mareó y se cayó. Menos mal que no fue en el colector. Lo hubiera arrastrado el agua.

Pilar indicó a los hombres que lo colocasen sobre el jergón. César balbuceó:

—No es nada... Me destemplé esta mañana.

Tiritaba. Entre los tres lo desvistieron. Lo introdujeron en el lecho.

Al atardecer arreció la lluvia. Mariano bajaba hacia su casa pensando en su padre y en su hermano muerto. Se había acostumbrado a Paquito enfermo, a Paquito de salidas desconcertantes, a Paquito casi una sombra echado en la cama y sonriente a su llegada. La muerte del hermano no le había conmovido mucho. Sin embargo, ahora estaba impresionado. Sabía que al llegar a casa notaría su falta. Le dolían las manos. Una la introdujo en el chaquetón y la puso debajo de la axila. Las sentía como despegadas del cuerpo, como si fueran de madera, como si las tuviera de madera recién descortezada, viva, brillante de savia.

El pensamiento se le fue por caminos siniestros. ¿Y si su padre muriera? No podía ser, era un hombre fuerte. Sin embargo, si muriera, solamente quedarían los tres. Su entusiasmo por ganar dinero con el fútbol estaba apagado. Lo seguro es el trabajo de cada uno. Lo seguro es el jornal. Víctor había escogido mejor, había tenido más suerte. Un mecánico se defiende siempre.

Al pasar cerca de la taberna del club alguien le llamó:

—Mariano, ¿no vienes?

—Hoy no puedo, tengo al bato enfermo.

—Entonces, hasta mañana.

En el portal le preguntó por su padre una vecina:

—¿Qué tal se encuentra?

—No lo sé; vengo de trabajar.

—Tened cuidado de él —le recomendó—; una cosa así si no se atiende...

Mariano subía las escaleras. Cada escalón un propósito. A ver si salía adelante. A ver si no perdía más tiempo. A ver si dejaba al fútbol y otras tonterías. Llamó a la puerta. Le abrió su madre.

—¿Qué tal padre? —preguntó apresuradamente.

César, incorporado en la cama, charlaba con Municio. Le respondió:

—Bien, hijo; esto ya se ha pasado.

A Mariano se le formó un nudo en el pecho. Le entraron ganas de llorar. Se resistió todo lo que pudo. Una lágrima le afloró en un ojo y él disimuló con la mano. Le picó en en los sabañones. Pudo decir medio suspirando:

—Bueno...

No dijo nada más. Su padre y Municio hablaban de cosas intrascendentes. Llamaron a la puerta y abrió Mariano. En voz baja dijo:

—Ya podías haber venido antes, Víctor.

—Pero si acabo de salir.

—Que acabas de salir. ¿A que te has estado por ahí?

—Te juro que no.

Víctor entró y saludó:

—¿Qué tal, padre?

—Bien, muchacho; qué pronto has aparecido hoy.

Miró Víctor a su hermano. Este no se percató. Estaba sentado en una silla baja contemplando el suelo. Pilar ofreció la cena a Municio:

—¿Quiere usted cenar con nosotros?

—Cenar, no; pero un vaso de vino sí que me beberé.

La conversación giró sobre Mariano.

—Me han dicho que eres un fenómeno —dijo Municio—, que podrías jugar en un club de categoría.

Mariano se encogió de hombros.

—Diga usted que sí —afirmó Víctor.

Pilar desde la cocina sonreía. César le animó.

—A ver si ganas más billetes que pesas.

Mariano puso las manos sobre la mesa para partir el pan. En algunos sitios se le había despegado la piel. Le brillaban los dedos como si los tuviera untados de glicerina. Mariano se llevó un pedazo de pan a la boca y lo tragó sin masticarlo apenas. César estaba fumando.

El sol enviaba un rayo, suavizado por el visillo de la ventana, sobre el periódico que leía Crisanto. Mercedes le interrumpía la lectura con preguntas:

—¿Te ha dicho algo el marido de Magdalena? ¿Piensan ir a la fiesta?

—No me han dicho nada. Supongo que irán.

—Chico, ¡qué hosco estás!

Crisanto cerró el periódico.

—¡Que estoy hosco!

—Sí. Oye. ¿Tú crees que nos divertiremos como el año pasado?

—¡Qué voy a saber si nos divertiremos o no nos divertiremos! Si vamos al baile de Año Viejo, supongo que será para divertirnos. Ahora, ¿qué sé yo?

—No comprendo por qué estás de tan mal humor.

Apareció Fonchi con una escopeta de corcho entre las manos.

—Papá, que eras un jabalí.

—Anda, déjame, niño.

—Papá, he escrito el borrador de la carta a los Reyes; ¿quieres verlo?

—Luego, después de comer.

—No; ahora.

El niño desapareció corriendo por el pasillo. En seguida estuvo de vuelta.

—Mira lo que les pido.

Crisanto leyó a duras penas las letras en garabatos de su hijo.

—Los Reyes no te van a traer tantas cosas. Tienen que repartirlas entre todos los niños. Si te dejan a ti lo que les has pedido se les vaciarán los sacos.

—Y si a Melchor no le pido nada?

—Será mejor.

Fonchi se fue a corregir la carta a su habitación. Mordía el palillero de la pluma para pensar. Sacaba la lengua para escribir.

—Este niño —comentó Crisanto— se va a educar muy mal. Le damos todos los caprichos, y claro...

—Todavía está convaleciente. Hay que mimarle...

A las dos y media entró don Orlando en la casa. Se acercó al matrimonio. Traía descompuesto el rostro.

—Nuevo disgusto —tronó—: el imbécil de Rafael se ha escapado con la idiota de su novia. Me lo ha dicho el padre de ella.

—¡Que se ha escapado! —dijo Crisanto—. ¿Cómo que se ha escapado?

—Sí, no te extrañes tanto. Para qué le mandaría venir de la finca. En cuanto me lo eche a la cara lo deslomo. El padre...

Don Orlando se ahogaba. Se soltó el chaleco.

—El padre de la niña me ha comunicado que ha recibido una carta hace cosa de dos horas, por un botones, en la que Rafael le dice que ha raptado a su hija y que se piensan casar mañana.

Teresa y Rafael daban vueltas en un taxi por Madrid. No sabían dónde ir y no se sentían seguros en ninguna parte. Rafael había imaginado lo del taxi, porque, según él, creía era la forma de despistar a la Policía, que seguramente ya los estaría buscando. Rafael protegía a su novia y se administraba fuerzas con sus palabras.

—Tere, en el primer tren nos vamos a Andalucía.

—No; será mejor que nos quedemos en Madrid hasta ver qué pasa.

—Nos cogerían.

—Tú ¿tienes dinero?

—Le he cogido a mi padre mil pesetas y treinta duros que tenía yo. Y tú ¿tienes algo?

—Veintitrés pesetas. Pero me he traído mis joyas.

Dijo Teresa lo de las joyas como si se tratase de un tesoro. En total eran dos sortijas y un relojito de oro.

—Las empeñaremos si llega el caso —afirmó muy serio Rafael.

El taxista miraba constantemente por el espejo retrovisor a la pareja. Llegaron a Atocha.

—¿Y ahora dónde? —preguntó el taxista con sorna.

—Ahora a Chamartín —contestó Rafael.

—Pues no les puedo llevar. Tengo que irme a comer.

—¡Cómo que no nos puede llevar! Yo pago y usted nos lleva.

—No, señor. Estoy dando vueltas toda la mañana con ustedes y no los quiero llevar más que por dentro de la ciudad. Si quieren les dejo en la Plaza de España. Yo voy a Moncloa, pero a Chamartín, no. Tengo que comer.

Rafael estaba dispuesto a armar una bronca, pero por miedo a que se mezclara en ella un guardia no lo hizo.

—¿Cuánto le debo?

—Ochenta y tres veinte.

Pagó. Teresa en la acera temblaba mirando a todos lados. Rafael le dijo al taxista en un tono de amenaza:

—Ya nos veremos otro día.

—Muy bien, como usted quiera.

Arrancó el taxi. Su conductor se iba sonriendo. La sonrisa le sentó a Rafael como un puñetazo en pleno rostro. Lleno de rabia cogió a Teresa por el brazo.

—Si no estuviéramos en la situación que estamos ese tío me las pagaba.

Teresa sentía hambre y se lo indicó a Rafael. Entraron en un bar. Decidieron meterse luego en un cine de sesión continua para hacer tiempo hasta que saliera el primer tren hacia el Sur.

Don Orlando después de comer se puso en comunicación con el padre de Teresa. Fue breve la conversación. La Policía todavía no había logrado localizarlos. Don Orlando se marchó de su casa, dejando ordenado que le telefonearan al Círculo en cuanto se supiera alguna noticia.

Teresa y Rafael salieron del cine a las siete y media. Teresa se encontraba cansada. La tensión de nervios a que se obligaba le había hecho bajar el ánimo. Rafael, por su parte, perdía entusiasmo a medida que pasaba el tiempo.

En casa de don Orlando charlaban Mercedes y Crisanto. Jugaba el niño. Todo parecía normal.

—Por fin he decidido ponerme el traje negro.

—Pero, mujer, no podemos irnos de fiesta mientras no aparezca Rafael.

—Si crees que a mí me va a estropear el plan mi hermanito, estás confundido. Iremos al baile. Además, ya verás como vuelve el niño. Primero, que no tendrá dinero, y segundo, que no se atreverá a última hora. Estoy segura que está en Madrid.

—Pudiera ser.

—Papá se ha llevado un gran disgusto, pero no tanto como dice. Si no se hubiera quedado en casa en vez de irse al Círculo.

La lámpara temblaba con las carreras que Fonchi daba desde la habitación al pasillo. Mercedes le advirtió:

—Anda, hijo, deja un poco de jugar, ¿no ves que estamos preocupados? Le levantas dolor de cabeza a cualquiera con tu ir y venir.

Don Orlando se humedeció los labios antes de hablar. Se llevó una mano a la cintura, y dijo:

—Samuel, mañana te visito. Quiero que me des hora de consulta. Cada vez me encuentro peor de estos dolores. Tú me dirás lo que tengo que hacer.

—Reposo por lo pronto, amigo Orlando. Te encuentro muy nervioso esta última temporada. Tienes que desechar toda clase de preocupaciones. ¿Por qué no vas a tu finca a descansar? Cuando vuelvas te vienes un día por casa y te hago un reconocimiento a fondo.

Rafael y Teresa preguntaron a un maletero cuándo salía el primer tren para Andalucía. «Ya ha salido» fue la respuesta. Les advirtieron que el próximo era a las diez. Les quedaba hora y media hasta la salida. Cogidos del brazo bajaron hacia Delicias. En algunas tabernas ya había gente celebrando el Año Viejo.

—¿No te da pena dejar Madrid una noche como hoy? —aventuró Teresa.

—Sí. Pero hay que hacerlo.

—¿Y si nos quedásemos y mañana por la mañana...?

—Ni hablar. Sería peligroso.

—Pues yo creo que nos debíamos quedar.

—No.

—Iríamos a un baile. Lo celebraríamos.

—¿Y después qué?

Teresa no supo qué contestar. Se avergonzó. La pausa fue muy larga. Teresa dijo por fin con mucho trabajo:

—¿Y si no me raptaras?

—¡Pero si ya lo he hecho!

—Todavía estamos a tiempo de volver a casa.

—Volver a casa, ¿es que tienes miedo?

—Sí; tengo miedo.

—De modo que ahora te rajas...

—Es qué...

—Entonces es que no me quieres.

—Sí te quiero, Rafael; pero esto es una locura.

Rafael adoptó una postura conmiserativa hacia Teresa. Tampoco él tenía ya muchas ganas de irse a Andalucía, pero necesitaba mostrar su hombría sosteniendo lo contrario.

—Yo no te voy a forzar, Teresa; pero si tú quieres...

Se hicieron inmediatamente consideraciones acerca del asunto. Por fin determinaron avisar a sus respectivos padres para que no se angustiaran más. En un teléfono público, Teresa comunicó a su padre que se encontraba en Madrid todavía y que llegaría tarde a casa. Rafael le preguntó:

—¿Qué te ha dicho?

—Que no me mueva de donde estoy que viene inmediatamente a buscarme.

—¿Y yo qué hago?

—No sé.

—Buen lío. Ves, por tu falta de decisión. Contigo no se puede ir a ninguna parte.

Teresa se echó a llorar. La gente que pasaba ante ellos hacía comentarios extraños para Rafael:

—Dos novios que riñen... Nada... Mire esos jovencitos... Qué la habrá hecho él.

No pasó mucho tiempo. El padre de Teresa se presentó en un taxi. Bajó.

—Sube, Teresa.

Rafael vacilaba.

—Y tú también.

Dio la dirección de la casa de don Orlando. No se cruzó una palabra en todo el camino. A Teresa le pareció una eternidad la carrera. A Rafael, por el contrario, muy corta.

Don Orlando nada más verlos se puso a vociferar:

—Mal hijo... ladrón... ¿qué has hecho? Te voy a partir el alma.

El padre de Teresa le recomendó calma. Mandaron salir a la chica. Y se quedaron solos los tres hombres. El padre de Teresa dijo:

—Esto es duro de decir. En fin, don Orlando, no queda más remedio que preguntarlo.

Rafael estaba azorado. El padre de Teresa continuó:

—Vamos a hablar contigo...

Don Orlando interrumpió:

—Rafael, ¿ha ocurrido algo malo? ¿Habéis hecho algo recusable?

—No, papá; lo juro. Hemos...

Rafael contó la historia de su fuga. Llamaron a Teresa y comenzaron a hacerles reflexiones morales y geográficas.

—¿Y dónde pensábais ir, pobres locos? Toda la Policía estaba avisada. ¿Y no sabíais el disgusto tan terrible que nos ocasionabáis? Tú, Teresa, tan buena antes, has de saber que has hecho enfermar a tu madre.

Teresa volvió a llorar y a pedir repetidamente perdón. Don Orlando se enfureció:

—¿Y el dinero que me has quitado?

—Aquí está, papá. Integro. No lo he tocado.

Estuvieron casi media hora hablando. Después se marcharon Teresa y su padre. Don Orlando se quedó encerrado en la habitación con su hijo. Al salir Mercedes y Crisanto se tropezaron con Rafael. Tenía éste una mejilla como la grana.

—Ya estás de vuelta, don Juan. Si supieras lo que nos has hecho pasar.

A Rafael le quedaban todavía fuerzas para responder:

—Pues no se conoce, porque vosotros con esos trajes tenéis pinta de...

Crisanto no le dejó acabar la frase:

—Vámonos, Mercedes; no le hagas caso a este majadero.

El majadero, en su habitación, se dedicó a mirar durante un rato la fotografía de Teresa. Después le dio la vuelta. Ya había terminado todo. Eligió un libro de su parca biblioteca y principió a leer, ya metido en la cama. La novela tenía un título sugestivo: *El tesoro de las islas Galápagos.*

Crisanto y Mercedes se esforzaban por divertirse. Hacía mucho calor en el salón. Crisanto tomaba champán constantemente y acabó por decir insensateces a grandes voces. Mercedes, percatándose de su estado, punto menos que lamentable, procuró sugerirle la conveniencia de regresar al hogar. Crisanto se dejó conducir. Por casualidad encontraron un taxi. Al entrar vio Mercedes luz en el despacho de su padre. Acompañó a su marido a la habitación y regresó. Llamó suavemente con los nudillos. Don Orlando, en pijama, envuelto en su bata, trabajaba sobre unos papeles.

—Papá, ¿cómo estás despierto a estas horas?

Don Orlando se quitó las gafas.

—Siéntate, hija. ¿Os habéis divertido?

—No mucho.

—Nunca se divierte uno en esas fiestas de fin de año. Todo el mundo se cree en la obligación de divertirse y como no lo logran se emborrachan. Luego alborotan un poco y a casa a dormir. ¿Cómo se encuentra Crisanto?

—Lo que acabas de decir es aplicable a él.

—Me lo figuraba. Lo he oído arrastrar los pies al entrar. Me lo imaginaba.

Don Orlando guardó silencio.

—He decidido irme a la finca con Rafael mañana mismo. Estoy ordenando unas ventas que tengo que hacer. Esto va a ser casi mi despedida para unos meses. Me encuentro enfermo, cansado y viejo.

—¡Qué cosas dices, papá!

—Lo que oyes, hija.

El reloj de la pared dio las dos y media. Las campanadas se extendieron por la casa amablemente, guardando el sueño de los dormidos.

—Voy a ver un momento a Fonchi.

Se despidieron padre e hija. Don Orlando se colocó las gafas y siguió revisando y anotando papeles. Se entretuvo con uno. Estaba firmado. Leyó: «Francisco Arias». Pensó en Francisco Arias Molinuevo, antiguo socio, actualmente en la cárcel, procesado por estafa. De buena se había librado, calculó. Parecía mentira: un hombre como aquél, tan listo, tan despejado para los negocios, en la cárcel. Su mujer, sus dos hijos sin un céntimo. Don Orlando se enterneció, se creyó en el deber de socorrer a aquella familia. Recapacitó unos momentos después: ¿y si a él le hubiera ocurrido lo mismo? Menos mal que él no era Francisco Arias Molinuevo. El era una persona honrada. Pasó la hoja.

Don Orlando se acercó a la ventana. Debajo se oían voces roncas discutiendo con el sereno. Contempló el cielo estrellado y duro de la noche de invierno. Necesitaba descansar; descansar en la finca, dos, tres meses. Lo de Rafael se había resuelto del mejor modo posible. El chico es un vaina —se dijo—, pero no es malo. Tiene la imaginación alborotada. No sirve para estudiar. Tampoco yo servía para estudiar. En la Academia saqué mal número en la promoción. Sin embargo, de Rafael se podía sacar un buen granjero. Por lo menos habría que intentarlo.

Don Orlando en su habitación se desnudaba con lentitud. Le dolía la cintura como nunca. Se metió entre las sábanas y rezó. Rezó por costumbre a falta de devoción, como lo hacía desde niño. A los pocos minutos roncaba. Mercedes no podía dormirse. Le parecía que la habitación olía mal, que olía a transpiración de borracho. Calculó que si su padre se marchaba tendría que dejarle una buena asignación mensual para gastos de la casa. Crisanto era muy bueno, muy trabajador, pero incapaz de ganar el suficiente dinero para mantener la marcha de una casa como la suya. Dieron las tres. Las campanadas la reconfortaban. Se sentía feliz en el lecho. Todavía seguiría la fiesta. Borrachos, más borrachos. Alguna amiga un poquito bebida. Nada. Lo comentarían:

—¿Verdad que nos divertimos mucho el último año viejo?

—Mucho, mucho.

—¿Verdad que la fiesta estuvo concurridísima y que todo fue muy simpático?

—Sí.

—¿Verdad que...?

Mercedes bostezó largamente.

César Yustas estaba siempre malhumorado. A las preguntas de Pilar no respondía o contestaba con monosílabos:

—¿Quieres cenar ya?

—Sí.

—¿Quieres cambiarte de calcetines?

—No.

Pilar no sostenía con los miembros de su familia ninguna conversación. César se evadía en cuanto podía. Mariano y Víctor hablaban a gritos de fútbol o en voz muy baja de chicas. Pilar le había dicho a Víctor en un tono amenazante:

—Tú eres un chiquillo para andar metido en líos de mujeres. Como me entere de algo se lo digo a tu padre y que él se las entienda contigo.

—Pero, madre, si todo se nos va en hablar. Si yo no...

—Ya estás advertido.

Había habido algunos cambios notables en la buhardilla tras de la muerte del pequeño Paquito. El jergón que estaba en la cocina-comedor lo habían trasladado a la habitación del ventanuco en el techo. Las macetas de la ventana estaban alineadas bajo ésta, en el suelo, para que no se helaran, sobre platos desportillados o rotos. También habían apartado dos sillas para llenar el lienzo de pared vacío donde antes estaba el jergón.

César Yustas se notaba cansado. Unas veces lo achacaba al reumatismo, que le engordaba las articulaciones y le ponía la piel brillante y tersa. Otras eran las bronquios, que le obligaban a toser continuamente. Se lo dijo a Municio:

—Un par de años y estoy para el arrastre.

—¡Qué cosas tienes!

—Sí; los subterráneos ya no los puedo aguantar. Si encontrara alguna cosa cómoda como una portería o algo así dejaba esto. Te digo que no lo dudaba ni un instante.

—Anda, anímate. Tú, más que enfermedad, lo que tienes es algo por dentro, algo que le debes decir a tu mujer. A mí me ha pasado algunas veces.

—Si los dos gandules de mis hijos fueran como es debido. No entregan nunca el jornal íntegro.

—Eso no tiene ninguna importancia. Tú a esa edad hacías lo mismo.

Mariano había estado en su último partido de fútbol muy bien. Le dijeron los amigos que un señor había hablado de él con el delegado del club. El señor, les parecía a los amigos, era uno de los llamados patrones de pesca.

—Chico —le dijo uno—, a ver si cuaja y te vemos de figura. Tú tienes clase ahora para un segunda división.

Mariano se inflaba de contento y suficiencia. Se veía saltando al campo entre una salva de aplausos, vistiendo la camiseta de un club importante. Se imaginaba los comentarios de las mujeres:

—Aquel guapillo es Marianín, la nueva adquisición.

Una tarde le anunciaron en el club que un señor quería hablarle. El señor estaba pegado al mostrador tomándose un vermut y devorando una ración de bambas a la plancha. Mariano se acercó un poco tímidamente. No había llegado todavía el delegado, que hubiera allanado las cosas, y se sentía cohibido.

—¿Quería usted hablarme?

—Buenas tardes.

—Buenas tardes.

—¿Tú eres Mariano?

—Sí, señor.

El señor le tendió la mano, medio sucia de grasa, apenas enjugada con una servilleta de papel.

—¿Qué quieres tomar?

—Un medio vermut para hacer aprecio.

—Quería hablarte de tu porvenir. ¿Tienes alguna lesión?

—No, señor. Hasta ahora —Mariano sacó el lenguaje de las crónicas de los diarios —me han respetado las lesiones.

—Eso está bien. ¿Tú tienes algún proyecto o has tenido ofrecimientos de clubs?

—Si..., bueno, no. El año pasado me quisieron probar para el infantil de...

—Bien, bien.

—Es que tuve mala suerte y caí enfermo.

—Y a ti te gustaría jugar fuera de Madrid. ¿Tu familia se opondría?

—A mí me gustaría mucho jugar fuera de Madrid y no creo que mi familia dijera nada.

—¿Tú puedes venir el jueves al café Riesgo? Yo paro en el Riesgo.

—Sí, señor. ¿A qué hora?

—Un suponer... —el señor dudó un minuto— a las cuatro y media, a la hora del café.

—Sí señor. Tendré que dejar el trabajo, pero iré.

—Pues muy bien. De todo esto chitón.

El señor le extendió la mano.

—Hasta la vista entonces. He tenido mucho gusto en saludarte.

—El gusto ha sido mío.

El señor pagó la consumición y se fue. En cuanto desapareció por la puerta, los amigos de Mariano le rodearon.

—¿Qué te ha dicho?... Ya te decía yo que era un patrón de pesca... Ese era el que estaba el domingo en el campo.

Alguno que también jugaba al fútbol le decía más envidioso que curioso:

—Vaya suerte, chico. A ver si cuando estés colocado te acuerdas de los amigos.

La reacción de Mariano hizo pensar mucho a los del club. Se desprendió de todos y se marchó camino de su casa. Aquella noche los amigos de Mariano hablaron mal de él.

—Se le habrá subido al tío orgulloso la cosa a la cabeza.

—Clarito. En cuanto a uno le hacen figura, imagínate.

—Pues ni que fuera a jugar en el Madrid, qué se habrá creído.

Cuando Víctor entró buscando a su hermano, la pagaron con él. El sentimiento de envidia era acumulativo. Uno decía una frase y otro se crecía sobre ella.

—Vienes a buscar al internacional. Ya no quiere nada con nosotros.

—Que le den morcilla al niño, no te fastidia. Se ha creído un...

Le aplicaban los distintos nombres de los grandes dioses de la mitología futbolística. Víctor salió abochornado de la taberna, mas en la calle se sintió alegre. Algo bueno, pensó, le ha debido ocurrir a mi hermano cuando éstos se ponen así.

Cruzó la calle velozmente y subió las escaleras de dos en dos y a la carrera. Cuando le abrieron la puerta estaba sudoroso y jadeante. Pilar le dijo:

—Anda pasa y no te vayas a enfriar.

Víctor se abalanzó sobre su hermano, que hablaba con el padre:

—Cuéntame, Mariano.

Mariano le miró fría y autoritariamente.

—Le estoy contando a padre. Siéntate si quieres enterarte.

Cambió la cara de Víctor, pero a poco estaba radiante oyendo los planes conjuntos de César y Mariano.

Mariano estaba tan nervioso el jueves a la hora de comer, que no probó bocado. Había pasado aviso por la mañana de que se encontraba ligeramente indispuesto y no podía ir a trabajar. La mañana se le hizo larga, demasiado larga aunque se levantó tarde, una hora escasa después de lo acostumbrado. Víctor fue el encargado de llevar el aviso.

La larga mañana la empleó Mariano en dar vueltas por la cocina-comedor y en leer y releer una noticia de apenas tres renglones en una sección de *Marca,* en que hablaban de él y su posible traspaso. Mariano extraía todo su jugo a las palabras. Decía el titular de la media columna: «Modestos.» La cuarta noticia era la suya. «El jugador Mariano, del..., se dice que va a ser traspasado a un equipo de tercera.» Un asterisco bajo la información y luego más noticias parecidas.

Mariano Yustas se veía ya en primera página fotografiado metiendo un gol de forma inverosímil. Podía ser esto o al revés, salvando un gol de forma inverosímil. Cuando Mariano se enteró de la noticia dijo a sus padres:

—Hoy viene el asunto en *Marca.*

Pilar se secó los dedos en el delantal —estaba lavando— y fue a verlo.

—Sí, aquí viene.

Deletreó torpemente:

—El... ju...ga...dor... Mariano.

—Ese soy yo —dijo ufanándose su hijo.

César Yustas, todas las noches precedentes al jueves, aconsejaba a su hijo:

—Tú no firmes hasta que leas dos veces lo que vas a firmar. ¿Entiendes?

—Sí, padre.

—Bueno. Es porque te pueden engañar. Esta gente que se dedica a esto del fútbol es muy cuca.

Mariano se vistió de domingo. Su madre sacó del armario un pañuelo de seda algo apolillado y se lo puso en el bolsillo.

—La camisa —se quejó Mariano— está muy repasada por aquí.

César aventuró:

—Sí, hijo; pero no se te ve.

—Ni que fueras a ver a Miss España. Así estás bien, muchacho.

A las tres y cuarto de la tarde Mariano no pudo resistir la tensión de sus nervios y se lanzó a la calle. Estuvo dando vueltas para hacer tiempo. Hizo la ronda por la calle de la Aduana, Montera y Alcalá, dos, tres o cuatro veces. Por fin se decidió a entrar. Entró con la mano derecha en el bolsillo, apretando muy fuerte un billete de cinco duros. El café estaba lleno de gente. Buscó con la mirada al patrón de pesca y no lo encontró. Un camarero se le acercó:

—¿Busca usted a alguien?

—Sí, señor.

—Su nombre, por favor. Si es cliente le conoceremos.

—No sé su nombre.

Mariano se fue a sentar en medio del café en una mesita solitara. Pidió uno con leche. Los nervios le impidieron tomarlo. Le temblaban las manos y lo derramaba. Efectuó dos intentos. Por fin pensó que lo mejor era esperar a ver si se calmaba. Cuando se calmó estaba ya aburrido y el café con leche frío. Se lo tomó de un sorbo.

El patrón de pesca apareció al fin seguido de un muchacho como de la edad de Mariano. Este tuvo que llamarlo con la voz y con la mano. Mariano se levantó cuando el patrón llegó a su altura. Sin más cumplidos se sentó éste. Sentado, los presentó.

A don Orlando Salvador de las las Mazas los aires del campo le sentaban mal. Le habían salido unos tumorcillos en el vientre, para los que usaba como emoliente una planta de flores amarillas conocida popular y poéticamente por el bonito nombre de *ombligo de Venus*. A don Orlando le retenían en la finca dos motivos importantes: uno, la vigilancia de su hijo Rafael; otro, un oscuro negocio que había sido aclarado por la Policía. Resistía don Orlando sus tumorcillos y su cura casera con buen ánimo. La culpa de que su vientre padeciera aquella breve, pero dolorosa podredumbre la achacaba a unos peces de río que había comido con mucha gana unos días antes. Peces pescados por el rural sistema de «prueba y verás», o sea, envenenando convenientemente las aguas. Naturalmente, esto no lo sabía don Orlando cuando se hartó de ellos.

La vida de don Orlando en la finca era demasiado sencilla para su naturaleza de traficante con riesgo, aunque pequeño. Le atacaba los nervios su no hacer nada, aunque más se los alborotaba el no hacer nada de su hijo Rafael, que se limitaba a comer, dormir y leer un montón de noveluchas de aventuras. Don Orlando se decía que por lo menos él paseaba un poco cada mañana y un poco cada tarde. Pero Rafael se metía en la cocina, único lugar del caserón donde se podía estar a resguardo de una enfermedad por enfriamiento, y no salía de allí más que para irse a la cama. Las súplicas y amenazas de don Orlando eran totalmente inútiles:

—Pero, hijo —acampanaba la voz—, echa una ojeada siquiera a los textos. Que va a llegar junio y te va pillar *in albis.*

Como si no. Rafael estaba dispuesto a pasar el tiempo lo mejor posible y seguía con sus novelas. Una vez se desató don Orlando:

—Rafael, te has empeñado en ser un borrico y lo estás consiguiendo. No sé lo que será de ti el día de mañana, pero presumo —dijo presumo con toda solemnidad— que te verás vendiendo cacahuetes en alguna esquina de Madrid. Ten en cuenta para tu gobierno que de mí no vas a recibir nada. De modo que piénsalo.

Rafael alzó los ojos de su novela y preguntó inocentemente:

—¿Qué decías, papá?

Don Orlando dio un bufido y salió al soportal a ver cómo llovía.

En Madrid, Crisanto y Mercedes estaban muy a sus anchas. Mercedes tenía frecuentes reuniones de amigas. El programa era simple: charlas de cosas un tanto crudas —todas las mujeres eran casadas— o jugar a la canasta. Crisanto invitaba a su mujer a cenar fuera muy a menudo. Se consideraban libres. Antes también lo estaban; pero, como decía Mercedes cuando quería analizar su alegría y su libertad, un padre ata mucho y un disgusto diario por culpa del hermanito, chicas, le amarga a una la vida.

Crisanto después de comer se sentaba en un sillón, se desperezaba un poco y le decía a su mujer:

—No sabes lo feliz que soy.

—Lo creo, lo creo.

—Esta paz que se respira en la casa... Lo malo es que no va a durar mucho.

—Mientras dure.

—Eso digo yo: mientras dure.

Y se desperezaba de nuevo.

Fonchi, el hijo, había mejorado bastante. Mercedes lo llamaba continuamente cuando estaba sola y le olvidaba cuando tenía reunión. Fonchi acudía a las llamadas de su madre con justificado temor. Era examinado como un objeto.

—¿Te has fijado que le han vuelto los colores? —decía Mercedes a su marido.

—Y está más gordo.

—¿Te has fijado que antes los ojos parecían uvas de Almería, de amarillos y tristes, y que ahora los tiene vivos, vivos?

—Sí; está restableciéndose por minutos.

Al niño le tiraban de los párpados, le pellizcaban los muslitos, le hacían cosquillas en los costados al tocarle para comprobar su engorde. Fonchi odiaba aquellas muestras de cariño y no las comprendía. Quería que lo dejaran tranquilo, mas no lo lograba si no había reunión.

Mercedes y Crisanto variaban las horas de las comidas cada día. El servicio estaba quejoso. Se murmuraba en la cocina:

—¡Cómo se nota la falta del señor!

—Hay que ver. La señorita, desde que falta el señor, está como loca.

—Y que lo digas, hija.

—Menos mal que vendrá pronto, según les oí ayer tarde.

—Lo dudo. Está pendiente del señorito Rafael y no le dejará solo.

A los pocos días, don Orlando decidía volver a Madrid. Se había enterado de que se había echado tierra sobre el asunto que le preocupaba. Le dijo a Rafael:

—Mañana nos vamos, de modo que haz los preparativos que tengas que hacer.

—Muy bien, papá.

—Puedes ir pensando en ajustarte a un horario, que me has de presentar antes de tres días. Si veo que te regeneras tendrás un premio, si no... Si no ya pensaré seria y definitivamente lo que se ha de hacer contigo.

—Muy bien, papá.

—Así es que tú tienes la palabra.

Don Orlando y su hijo abandonaron la finca. Don Orlando, nada más llegar a Madrid, arreglados algunos negocios de poca monta, se fue al Círculo. Don Orlando había llegado dos horas antes de comer y había encontrado tiempo para todo.

Don Orlando volvio a su casa. En el pasillo se encontró con su nieto, que venía de paseo.

—Abuelito, abuelito.

—¿Qué Fonchi?

—Me tienes que comprar una escopeta de caza.

—Cuando seas mayor te la compraré.

—No: me la tienes que comprar ahora. Quiero matar pájaros.

—Eso está mal, Fonchi; a los pájaros hay que respetarlos...

Don Orlando empujó de la cabecita a su nieto y se metió con él en el despacho. Comenzó a explicarle por qué los pájaros se comen a los gusanos. Don Orlando se sentía a medias feliz, pero ya era bastante.

César ojeaba en el periódico los anuncios de los cines.

—Uno de estos días, Pilar, vamos a ir al cine.

—¿Al cine?

—Sí; hace mucho tiempo que no lo hemos pisado.

—Pues sí que estamos para cines ahora. Espérate que escriba Mariano.

—Bueno, no hay prisa, cuando Mariano escriba.

Víctor preguntó mientras cenaba.

—¿No hay más pan?

—No; queda un poco para mañana por la mañana —respondió Pilar—. Además, tú te has comido hoy dos barras, la que te correspondía y otra de las que he tenido que comprar de estraperlo.

—Bien, bien.

—¿Qué dices?

—Si no digo nada...

César dejó su asiento.

—Me voy a la cama. Estoy roto.

Al terminar Víctor la cena, su madre fregó con rapidez los platos. Después ordenó los cacharros en la cocina. Luego suspiró. Dejó el mandil en la barra de latón y se fue a su habitación. César estaba ya en la cama, boca arriba.

—¿Duermes? —susurró Pilar.

—No; no duermo.

—¿Piensas en Mariano?

—Sí.

—Tendrá suerte. Todo irá bien.

—Sí, ya me lo supongo; pero hasta que no tengamos carta voy a estar intranquilo. Pilar se metió en la cama al lado de su marido.

—¡César!

—¿Qué, Pilar?

—¿Has pensado que nuestros hijos se van haciendo hombres? Dentro de cinco años Mariano podrá casarse. Tú y yo... ¿te acuerdas?

—Sí; me acuerdo.

—Eramos muy jóvenes. Los chicos tardaron en venir. Tú no querías chicos.

—Bueno, ¡qué más da!

—Yo estaba muy sola.

—Dentro de muy poco volveremos a estar solos los dos.

Calló el matrimonio. De pronto Pilar dijo:

—Te voy a decir una cosa que nunca te he dicho.

—¿Oué, Pilar?

—Que yo creía... los hijos... que siempre me había parecido que tú y yo habíamos dejado de querernos, que lo único que nos unía eran los hijos y ahora que los veo ya mayores me parece que estaba equivocada.

César no respondió nada. Con la mano izquierda le acarició con suavidad el cuerpo.

—A última hora nos quedamos tú y yo como al principio —hizo una pausa—, ¿No te molesta, verdad, que te hable de estas cosas?

—Sigue.

—¿Te gustaría volver a nuestra época, con veinte años, cuando éramos novios?

—Para qué. Así estamos mejor.

—Sí; así estamos mejor.

Apoyó la cabeza Pilar junto a la de su marido.

—No pienses tanto, César; ya es hora de dormir.

El cuarto estaba oscuro, en la rendija de la puerta temblaba una raya de luz.

Pilar golpeó la pared. Llegó la voz de Víctor:

—¿Qué?

—Que apagues la luz y te dejes de leer noveluchos. Mañana hay que trabajar.

La raya de luz desapareció.

Víctor en su cama se dio la vuelta, cogiendo con una mano la almohada. En la casa la oscuridad y un invisible caminar de aduendados insectos de cocina, germinaban la calma.

En el canalón, la pelota de las miradas melancólicas de Paquito recrudecía a la luz de una clara luna de invierno su contorno funeral. Un maullido de gato se perdió por los tejados del barrio y por la claridad de la noche madrileña. Enero de gatos. Finales de enero con alta luna. Víctor no dormía tranquilo.

Un momento, sólo un momento, abrió los ojos Mariano. Fue en el pórtico del amanecer. Preguntó la estación. Alguien le dijo el nombre. Mariano volvió a dormirse. Por la ventanilla del tren entraba la luz blanca de la última luna. Una señorita flacucha, enfrente suyo, con los ojos hundidos, contemplaba el campo. Su bolso era como un diminuto ataúd en el que reposaban dos años de trabajo en Madrid.

Cuando César encontró a su compañero para comenzar la jornada, en las calles se abría la alegría de un buen día. Municio contempló el cielo lechoso, que luego se iría tornando azul.

—Es una pena perderse esta mañana, César.

César tuvo para él su respuesta de trabajador puntual:

—Vamos, que ya nos hemos entretenido mucho.

De la cloaca salía un airecillo casi caliente. Antes de entrar Municio respiró profundamente.

El moscón entre el visillo y el cristal de la ventana enloquecía buscando la libertad. *Leonardo* bostezó largamente, curvó el lomo, clavó sus garras delanteras en el asiento del sofá y se tendió con deseos de seguir durmiendo. Llegaron Fonchi y dos de sus amigos a la habitación, descubrieron el gato y comenzaron a probar su exquisita sensibilidad rozando apenas con las yemas de los dedos el vello interior de sus orejas duras, transparentes, amarillentas como el pergamino. *Leonardo* saltó ágil, neumático, displicente, a la alfombra. Lentamente se encaminó hacia otra habitación. Los niños azuzaron con el visillo sobre el cristal al moscón y le clavaron una aguja de hacer punto que encontraron. La lanzada destrozó el cuerpo del insecto. Los niños perdieron interés por el cadáver. *Leonardo* probó sus uñas en una pata de la mesa del despacho de don Orlando. Se encontró en forma. Hizo una flexión suave de desperezo y descubrió en el velador cercano al balcón un jarrón con flores. Las olisqueó detenida, pericialmente, y de un zarpazo feroz y cautivante decapitó una. Junto a la flor, al calor de un rayo de sol casi primaveral se tumbó sin prejuicios cuan largo era.

Los primeros días de su estancia en la casa, *Leonardo* fue adulado, acariciado y azotado a fuerza de mimos. Mercedes no podía vivir sin él. Fonchi, por imitación, tampoco. Crisanto intentó pintarlo, anque no lo consiguió. Y don Orlando pretendió —cuando le aseguraron formalmente que no tenía ni una pulga— que después de cenar se subiese a sus rodillas mientras él disertaba cómodamente sentado. El único que no formó parte de la corte del gato fue Rafael, que tenía cosas importantes en las que pensar. Después, el gato pasó a ser un habitante más de la casa y se extendió sobre él el mismo común denominador de indiferencia que regía para todos.

Mercedes, con la llegada de su padre, distanció las reuniones con sus amigas. Tenía largas conversaciones telefónicas, pero no salía mucho. Crisanto le advirtió un día:

—Me ha comunicado tu padre que en su ausencia han aumentado mucho los gastos.

—¡Ah!, ¿sí? ¿Por qué no me lo ha dicho a mí? Le hubiera contestado...

—Mercedes, yo creo que tiene razón; hemos hecho demasiadas locuras.

—No sé qué entenderás tú por locuras; pero desde luego si pretendéis que me siga pudriendo aquí sin ver la calle vais listos los dos.

—Tómalo como quieras. Nadie te prohibe que salgas. Ya sabes que yo te llevo donde tú quieras, pero la canasta y lo que no es la canasta me da la sensación que vas a tener que abandonarlo por ahora.

—Ya veremos.

Crisanto cruzó las piernas y cogió una revista.

Don Orlando estaba preocupado, como siempre. Ahora no intervenía con carácter de urgencia en sus preocupaciones Rafael. Ahora eran los negocios. Con Rafael había acabado por entenderse.

—Papá —le había dicho el muchacho—, he reflexionado y veo que a mí eso de estudiar Derecho no me va.

—¿A estas alturas?

—Más vale tarde que nunca. Me metiste en la Facultad casi sin contar conmigo. He decidido hacerme marino mercante.

—Pero eso es una barbaridad.

—Es una carrera de porvenir. En junio me voy a examinar a Barcelona. Si apruebo, con el título de Bachiller me convalidan el primer curso y algunas asignaturas del segundo. En dos años, estudiando fuerte, logro ser alumno de náutica. Después yo creo que si me echas una mano podré entrar en alguna naviera.

—¿Lo has pensado bien?

—Muy bien, papá.

Las conversaciones telefónicas de Mercedes se hacían eternas. A don Orlando le desesperaba no poder usar el teléfono, que inevitablemente estaba ocupado en momentos de extrema urgencia para él. Se había cansado de repetirle en todos los tonos a su hija que el teléfono no era para largas conversaciones.

Crisanto, a medida que Mercedes se interesaba más por salir y frecuentar sus amistades, se hacía más retraído y hogareño. Dejó de acudir al café por las tardes y estaba a hora temprana en casa, después de la oficina. Mercedes se mostraba cada vez más inquieta. Las quejas constituían materia cotidiana.

—Tú te has debido creer que en vez de casarte conmigo lo has hecho con una mora.

—Yo, Mercedes, no me creo nada. Ya te he dicho que salgas cuando te dé la gana.

—Eso ya lo hago. ¿O quieres también que te pida permiso?

—Yo no quiero nada.

Crisanto habló un día con don Orlando:

—No sé qué le pasa a Mercedes.

—Sí; está rara.

—Antes no era así. Salíamos cuando nos parecía bien a los dos, pero ahora quiere estar todo el día de la ceca a la meca. Me vuelve loco con sus continuas reyertas.

—Y ¿por qué no pruebas tú a darle gusto?

—No sé; me parece que sus gustos han cambiado.

—¿Qué quieres decir?

—Nada, por ahora.

Don Orlando cavilaba sobre las palabras de Crisanto. Por una parte veía a éste desvalido, enamorado de su mujer, vacilante ante lo que debía hacer. Por otro lado, Mercedes se le aparecía como despegada de su marido, con deseo, con demasiado deseo de salir no se sabía bien a dónde. Don Orlando se dijo que ocurriera lo que ocurriera él haría lo posible para que su nieto no pagara las desavenencias del matrimonio.

Fonchi y sus amigos querían jugar con el gato a esclavos egipcios, según los cromos de los chocolatines. Ataron a *Leonardo* una cuerda al cuello y pretendieron pasearse con él como con un perro. El resultado fue un arañazo considerable en las piernas de Fonchi tras un bufido de *Leonardo*. Los niños decidieron ante la huida del gato cazarlo con las escopetas de corcho. La persecución resultó peligrosa y desistieron de ella. *Leonardo* se refugió bajo un armario y por más que le azuzaron con un escobón no quiso salir. Los amigos de Fonchi también tenían sus respectivos arañazos, pero en sus manos de cazadores.

Mercedes llamaba y era llamada por una amiga constantemente.

—¿Sigue el ogro sin dejarte salir?

—No, mujer. Es que no sé qué me da ir con vosotros por ahí sin él. Ya sabes cómo es, se está apergaminando.

Se oía la clara risa de la amiga a través del auricular.

—Vente, no seas tonta. Hoy vamos a armar una muy buena. Te advierto para tu consuelo que no estarás desparejada.

Colgó Mercedes el aparato. Se quedó un momento suspensa. Hizo un movimiento reflejo con la mano... Estaba tentada de llamar a su amiga para decirle que le era imposible. Una disculpa, pensó al fin, no la creería y decirle que no voy por Crisanto suscitaría toda clase de comentarios irónicos entre las amigas, amén de una tormenta de carcajadas.

Mercedes pasó a la habitación donde su marido se entretenía pintando.

—Cris, te vengo a decir...

—¿Qué, alguna fiesta? —se adelantó violento—. ¡Cuando tú entras tan suavemente!

—Sí, una fiesta; me ha invitado Marisa. ¿Quieres venir?

—No.

—Pues yo pienso ir.

—Haz lo que quieras.

—Está bien.

Mercedes, rabiosa, extendía sus vestidos sobre la cama dispuesta a la elección. Llamó al timbre. Entró una doncella.

—¿Señorita?

—Mis zapatos de ante negro ¿los ha subido del zapatero?

—Sí, señorita.

—Tráigalos.

Mercedes se vistió para acudir a casa de su amiga. Antes de salir a la calle pasó por la habitación donde estaba Crisanto.

—Hasta la noche.

Crisanto no le contestó. Con mano temblorosa siguió pintando. Luego posó en el suelo la gran ala colorinesca de la paleta y se fue a sentar en una silla. Apoyó el mentón en las manos y se quedó pensando.

Don Orlando volvió a su despacho. Repasó por entretenerse unos papeles. Pensó que las cosas iban empeorando cada día que pasaba. Los buenos negocios iban desapareciendo. Deseó fervientemente que las cosas no fueran por cauces normales. Algunas veces había dicho, lo recordaba, cuando le decía que la gente pasaba hambre: «Prefiero que lo pasen ellos a pasarla yo, que es lo que ocurrirá en cuanto ellos dejen de pasarla.» Don Orlando se estiró el chaleco.

A las diez y media no había llegado Mercedes. Crisanto se movía intranquilo de un lado a otro. A las once menos cuarto se presentó Mercedes. Pasó al comedor.

—¿Habéis cenado, verdad? Bien hecho. Yo no tengo ni pizca de gana.

Don Orlando intentó paliar la tensión que averiguaba entre su hija y Crisanto:

—¿Que, te has divertido?

—Muchísimo. Es una pena —se dirigía a Crisanto— que no hayas venido. Hubieras conocido a un gran tipo de esos que a ti te gustan. Sabe mucho de arte y ha viajado una barbaridad.

—No tengo interés por conocer a tus amigos.

—Tú te lo pierdes.

Don Orlando volvió a intervenir:

—A ver si ahora os vais a poner a reñir como dos chiquillos.

—¿Quiénes? —fingió asombrarse Mercedes—. ¿Crisanto y yo? No me hagas reír. ¿Verdad, Cris, que tú y yo no reñimos nunca?

Crisanto, rabioso, no acertaba a contestarle:

—Pues sí —dijo Mercedes—, he conocido a un gran tipo; formidable, como os digo. Me ha traído en su coche.

—¿Que te ha traído en su coche? —preguntó Crisanto.

—Naturalmente. ¿Qué querías, que viniera a pie?

Don Orlando apaciguó los ánimos; entretanto, Rafael reía por lo bajo.

—Vaya Desdémona y Otelo que nos habéis salido.

Crisanto calló. Mercedes rió fuertemente.

—¿Y cómo se encuentra Marisa, tu amiga? —interrogó don Orlando.

—Maravillosamente. Tiene cuanto quiere y se divierte enloquecedoramente.

—Sí; es una mujer con mucha suerte.

Mientras Mercedes hablaba con su padre, Rafael se ausentó del comedor. Crisanto, en silencio, no escuchaba. Su mente elaboraba advertencias. No son celos, pensó, es que las amistades, el ambiente de Mercedes está podrido, y la pueden llevar a la catástrofe. ¿Y yo qué puedo hacer? Se sintió débil e irresoluto. Con tres mil pesetas al mes, nada. Y viviendo en esta casa a cuenta del padre, nada. Y marchándonos a vivir a otro sitio, nada. Y nada. Y nada. Del momento de alta e impotente rabia pasó a una resignación que le escalofrió de repugnancia. Entonces, ¿qué queda por hacer? Se dijo: esperar, aunque el camino de Mercedes tuviera ya marcadas las huellas de sus primeros pasos. Crisanto sonrió tontamente.

—¿De qué te sonríes? —le preguntó Mercedes.

—De nada.

El gato *Leonardo* había saltado por la ventana de la cocina y hacía equilibrios por los pretiles de las terrazas. La primavera cercana adelantaba un cierto perfume de tierra húmeda. El gato ahuecó la nariz y olfateó largamente.

… … … … … … … … … … … … … … … … … …

Alta noche de Madrid.

El silencio corre como un temeroso perro delante de los zapatos de los serenos. El silencio salta trizado en la chuzada dada en el borde de la acera. El silencio vuela de las celdillas de las cerraduras, que se abren o se cierran, buscando nidos de espera.

La noche dilata la ciudad por el campo.

La ciudad parece callada y sin embargo desde la lejanía se oye su desmesurado sonido, sus vibraciones de labios de herida, su palpitar apacible e iracundo, lento o veloz. La ciudad está anclada por las luces en vagos contornos.

En la noche crecen los rumores.

No calla ese último tranvía que huye vacío dejando tras sí la instantánea de su prisa, en un chispazo, y que busca las cocheras donde se estabulará hasta el amanecer. No para ese taxi del caso urgente, del juerguista final, del noctámbulo distante de su lecho, de deslizarse como una sanguijuela por la charca de su sueño que es la ciudad. No enmudecen las fuentes públicas, que monótona, continuamente, sisean silencio.

En la buhardilla de César Yustas, duermen.

Gotea el grifo del fregadero sobre una cazuela sucia que da un débil cloqueo de respuesta al caer del agua. Un fantasma rijoso combate desesperadamente con Víctor. El matrimonio se acompasa en la respiración.

En la morada de don Orlando Salvador de la Maza, duermen.

La luz de un cercano farol llega de la calle para perderse en la sucia paleta de Crisanto. Cruje en el pasillo la tarima o el arcón u otro mueble. El gato salta, atento a la llamada del tejado.

Antes de amanecer, solamente un instante, como del rayo, se abrirá el silencio en la ciudad. Callejas de turbio silencio. Calles de silencio compacto. Glorietas de transparente silencio. Plazas de silencio geométrico. Parques donde el silencio se trenza sobre las copas de los árboles y deja caer sus grandes colas hasta el suelo. Luego seguirá la vida; la vida y sus historias con esperanza, con alegría, con tristeza, con dolor…

La clase media

Apertura

Las cristaleras del café siempre estaban sucias y la luz de la glorieta, agria y escenográfica, se filtraba a través de ellas con matices de recuelo. El viejo camarero arterioesclerótico arrastraba la pierna mala como cosa ajena a su persona e iba de mesa en mesa, frágil, doméstico, temblante y arácnido. Bufaba la máquina exprés; cantiñeaba el aburrido cerillero; la señora de los servicios cultivaba sus emociones leyendo una novela de amor; el chicharreo de la llamada del teléfono no era atendido; esputaban en sus pañuelos, y por turno, los cinco viejos del friso de la tertulia de fondo; bajaba el cura jugador las escaleras de la timba; componía un melindre la pájara pinta timándose con un señor solitario y de mirada huidiza; el renegrido limpia tenía un vivaz sátiro bajo la roña, el betún y la piel, y no se perdía detalle, desde su ras, sacando lustre a los zapatos de una *vedette* del «Maravillas». En los grandes y mágicos espejos había salones hasta la angostura del infinito y la perspectiva de las lámparas reflejadas era una pesadilla surreal.

Los veladores de mármol blanco y las mesas de mármol negro formaban un tablero de ajedrez desbaratado, en el que los escaques hubieran obedecido a la anarquía de un seísmo. A los veladores se posaban las gentes de paso; a las mesas se sentaban los residentes en el café: vecinos de la barriada, asilados de las oficinas, durmientes de la jubilación, aficionados al toreo clásico, bayaderas de imaginaria, provincianos de Sodoma con economía limitada y algún que otro actor perteneciente a la penumbra de las segundas partes. En los veladores se negociaba, en las mesas se hacía filosofía de la Historia. En la esfera de los veladores las agujas marcaban, más o menos, la hora de la ciudad, de la nación y acaso la del mundo; en las mesas retrasaban lustros, décadas, «antes de la guerra» y a veces hasta siglos. El egiptano gato del café, sumido en el *haschich* de su *taedium vitae,* entreveraba el ojo con los párpados caídos combinando luces disparadas, machacadas y zumosas, invernales cristales, estanques profundísimos y empañados espejismos. La oreja la tenía hecha al coro de la salmodia, y sólo el olfato se le resentía y le avisaba de tal cual ventosidad de la clientela; entonces escapaba hacia el diván vacío en el que reposa el fantasma de la melancolía del tiempo pasado.

La barra del café sostenía a la minoría del pendoneo nocturno. Rebullían de piropos soeces, escarceos obscenos, flamencadas de boquilla y asnales estrategias futbolísticas.

—... voy y le digo cuando me dice... Un momento... Haga el favor... Con usted no va nada... El día que tenga que hablarle me informaré de su partida de nacimiento y de si está legalizada...

—... tres veteranos... Invítanos... El Atleti... ¡Pero venga ya!... Al tete ginebra...

—... ¿y tú qué pintas por aquí?... ¿Has dejado a Marlon?... Estás rebuenísima... ¿Qué tomas?... A ver..., date la vuelta, mujer... ¡Hala, hala!... Ni línea ni nada... Te debes poner de potaje a tope... Que hay que cuidarse y no echarlo para la cadera...

Casi todo era ayer.

Salto de caballo

El percherón entró en el café tascando su veguero. El párpado superior derecho se le derramaba sobre el ojo congestionado, la calva le brillaba de digestión y lociones y la ahita panza turgente le tironeaba la bragueta de alta pretina. Su estatura se acreció marcial en la entrada convoyeando a su dama.

—¿Dónde quieres sentarte, riquina? —masculló cariñoso—. ¿Al fondo?

—Al fondo, no, que me hacen echar las tripas esos viejos cerdos.

—¿Aquí, a la entrada?

—Hay mucha corriente...

—¿Allí, donde el peluquero marica?

—Allí. Se está mejor y así no tienes celos.

—Pues allí... Medina —llamó el percherón—, un *cointreau* para la señorita y mi coñac arriba, como siempre.

La dama se contoneaba escandalosamente luciendo su estola, su triunfal vestido y lo que la naturaleza había proveído. La crencha semita le contorneaba el óvalo del rostro, demasiado maquillado. Le fosforescía el violeta de los labios.

—No tardes mucho, cariño, que me aburro como un hongo.

—Dos pasadillas —dijo el percherón— y listo.

—Ya serán cuatro... No, ¿eh? Ayer me resolví el crucigrama y todo, con lo difícil que era. Fíjate, amor, si tardaste.

—No iba a perder tres verdes...

—No pierdas, pero ven pronto, que cuando tardas mucho estoy como volada. Todo el mundo a mirarme..., y yo que no sé disimular... Acaban poniéndome nerviosa.

—Tranquilidad, Encarnita, tranquilidad... Te miran porque te envidian. Métete eso en la cabeza...

—Pero el joven que se sienta en el velador de la columna no me mira porque me envidia, me mira por otra cosa...

—Me envidia a mí, chatita. ¿Comprendes?

—Sí, sí, pero me da como acharo... Es que es de un sinvergüenza el tío...

—Si te molesta me mandas aviso con el camarero, y ya le diré yo lo que le tenga que decir... Son como buitres... En cuanto ven a una mujer, buitres, pero se les corta el pico, las garras y lo que haya que cortarles —dijo amenazador el percherón—. Tú no te preocupes.

—Bien, encantito —hizo un mohín de mimo la mujer—. No tardes mucho y suertecilla.

—Ojo al pollastre, Encarnita; si te molesta, ya sabes...

—Te avisaré, celosón.

El percherón lució su veguero con la mano extendida y amagó un regalo:

—Si se me da bien, mañana te compro algo que te guste.

—Bien, cariñín, pensaré lo que quiero... He visto —dudó— una cosa que me gusta con locura, pero ya te la diré.

El percherón se encaminó a la timba humeando el cigarro. La dama llamó al cerillero.

—Esto no funciona —dijo mostrando el encendedor.

El cerillero maniobró un poquito.

—Tiene la rueda sucia, Encarna. Ahora te lo arreglo.

Juega alfil

Doña Francisquita era la virtud; la ebúrnea, achaparrada e inasequible torre de la virtud. Llegaba sobre las once al café, pedía su tila y comenzaba a horrorizarse tan ricamente y de consuno con su peón de brega y marido don Fortunato. Entre condena y repulsa se refrescaba la maternal, también briosa, pechuga a golpe de abanico. Doña Francisquita era una viciosa de la virtud como otras gentes son virtuosas del vicio y se las saben todas. Don Fortunato de vez en cuando rebuznaba una aquiescencia a la plática de su señora mientras cargaba la andorga de anís.

—Esta es la tercera y la que paga las consecuencias es una servidora. Luego no te quejes de la barriga.

—No me quejo.

—¡Que no te quejas! Y te pasas la vida en el water.

Doña Francisquita torció la boca en la confidencia:

—Mira, Fortu, mira al zorro cómo se acerca a la zorra... Qué vergüenza. Mira, hombre, mira y no te distraigas...

—Ya, ya...

—Pero no ves cómo el camándula se ha cambiado del velador a la mesa... Pero qué asco... Si será asqueroso el tío gorrino... Y ella... ¿Qué me dices de ella? Con todo ese escotazo que se le ve hasta...

—Ya, ya... —dijo el observador don Fortunato.

—No la mires —ordenó doña Francisquita—. No mires esa basura... Y qué gestos tan provocativos y que indecencia... Y no es ella sola, que viene por aquí cada una... Claro, como el dueño hace negocio, pues chitón... Y luego que nadie protesta, porque se ha perdido la dignidad, la vergüenza y todo lo que hay que perder...

—Eso...

El alfil encendió un cigarrillo con cinematográfico ademán y lanzó el humo volviendo el labio inferior. Cruzó las piernas y ladeó la cabeza. Encarnita acusó la estima rebuscando nerviosamente en su bolso.

—Una casa de esas... —dijo doña Francisquita—. Peor que una casa de esas...

—Peor, peor —confirmó don Fortunato.

—Y el caballo blanco tirando de la oreja a Jorge sin enterarse... Desde luego la tía tiene hígados... Y delante de todo el mundo, sin respeto para nadie...

Los ojos del alfil recorrían el espejo, bajo el que estaba Encarnita. Los ojos del alfil dejaban una baba negruzca por los salones hacia el infinito. Encarnita sentía que la baba caía del espejo, cálida y viscosa, y le alcanzaba la espalda y le fluía por la columna vertebral hasta perderse bajo su vestido.

—¡Huya! —dijo Encarnita—. Cerillero, Domingo...

—Pero cómo está el mundo —dijo doña Francisquita—. Todo podrido, nauseabundo y lleno de mierda.

—Desde luego —abundó don Fortunato.

—Y eso de «Reservado el derecho de admisión» como todo, en el papel, pero sin cumplirse —dijo doña Francisquita.

Peón de enlace

—Encarna, ya lo tienes nuevo —dijo el cerillero entregándole el encendedor—. No le pongas piedras que no sean de su marca. El muelle está muy preto.

—¿Te debo algo, Damián?

—Cuando baje tu novio... Me quedan seis décimos, ¿quieres lotería?

—Me los das cuando nos vayamos.

—Y tu tía, ¿cómo anda de las piernas?

—Fatal. Ni para hacer sus necesidades es capaz de moverse. Estoy frita con ella, y como además quiere que esté todo el tiempo allí. ¡Como si pudiera!

—Son muchos años. ¿Y por qué no se opera ahora que tú puedes?

—Ni hablar. Cuidado que se lo he dicho. Raimundo es bueno y no le importaría, pero ni hablar. Si supieras el canguelo que tiene a eso.

El cerillero habló del barrio y de sus gentes. De un bar al que iba Encarna cuando todavía no estaba en la vida. Hablaba del tiempo pasado y del tiempo presente objetivamente. Eran noticias nuevas o noticias viejas, pero exentas de emociones.

—Te dejo, que me están llamando —terminó el cerillero.

Llamaba el alfil. Encarna probó dos o tres veces el encendedor y luego aventó su hermosa cabellera, abieldando los dedos.

—¿Me haces un favor? —preguntó el alfil atusándose el pelo del parietal derecho, y añadió—: Con sus razones... —pulió el pulgar.

—Diga usted y se verá —respondió, en guardia, el cerillero.

—Bien. Primero querría saber cómo se llama esa señorita con la que estabas hablando, la señorita morena...

—Encarna —dijo de mala gana el cerillero.

—Disponible, ¿no? —el alfil guiñó el ojo picardeado y cómplice.

—Creo que no. Tiene novio; el señor que está arriba jugando...

—Su papá... —dijo chulonamente el alfil.

—Y yo qué sé —contestó desabrido el cerillero.

—Bueno, amigo, bueno... Quiero que le lleves este papelillo, con discreción, ¿eh?, con mucha discreción.

—Se equivoca usted.

—No —dijo el alfil enseñando una moneda de cincuenta pesetas—. No.

—Sí, señor —dijo el cerillero sin levantar la voz— se equivoca usted. Yo no soy un alcahuete.

Rió el alfil suavemente y en su risa había sorpresa y desdeño.

—Entonces ¿de qué vives?

—De mi trabajo —dijo el cerillero amenazante—. De mi trabajo y eso le salva.

Inició la marcha cuando la voz del alfil le retuvo.

—Dame un paquete de emboquillado rubio.

—No tengo.

—¿Y esos de la caja?

—Están comprometidos.

—Peor para ti. Te ibas a ganar tres pesetas de propi.

Piafa el palafrén

El salón de juegos del café estaba ilustrado de manchas oceanográficas debidas a las goteras. El retrete de los perillanes del póker, con la puerta abierta, daba tufo al garito. Brillaban esmeraldinas las praderas del juego regadas de las fuertes luces empantalladas. El percherón perdía verdes, perdía puntería en los envidos y el ojo reventón, bajo la persiana del párpado, se le blandecía de humores.

—Con esta mano acabo. Hoy no es mi noche —anunció.

El veguero se le hacía amargo y lo abandonó sobre la cazoleta de latón de la mesa. El camarero le servía un cuarto coñac pasándolo de la raya para darle consuelo, aunque parvo. El percherón estaba bien educado y cuando finalizó la mano apuró de un golpe la copa y se despidió con gentileza.

—Hasta mañana, caballeros. Tengo la esperanza de desquitarme. Hoy ha habido mucho tomate para mí. Si sigo, esto me cuesta un harén y los riñones.

Bajó las escaleras con meditado paso. No había que dar ocasión a comentario alguno entre las gentes del café. Un jugador debe tener pudor, tanto en la suerte como en la desgracia. Se acercó a la mesa de Encarna.

—Lo siento, gatita, pero no hay regalo. Me han pelado.

Encarna suspiró y dio su inevitable consejo:

—No debes jugar tanto, Raimundo. Ves lo que trae. En vez de estar con tu mujercita haciéndola compañía te subes a ese antro de golfos y...

—Mañana será otro día.

—¿Y si mañana te vuelven a zurrar?

—No me gafes, Encarnita.

—Pero puede ser, ¿no?

—No seas pata. Una mala noche nada justifica. Tendrás tu regalo, pierda o gane. Lo que yo quería hacerte ver es que no estás perdiendo el tiempo mientras yo estoy arriba. Quería que tuvieses tus compensaciones... ¿Y el pollastre?

—Ahí lo tienes. Se ha cambiado de mesa para verme mejor, para verme a sus anchas —dijo enfurruñada Encarnita—. Cualquier día, si te descuidas mucho, lo tengo sentado aquí.

—Y para qué estoy yo, ¿di?

—¿Y cuando no estás? Cuando estás arriba, ¿qué?

—Lo mismo. Esta mesa está vigilada por los camareros. Medina me avisaría.

—Vaya, vaya... —dijo enfadada Encarna—. No sabía que yo necesitara la Guardia Civil. ¿Tan poco te fías?

—No es por eso, niña; no confundas —respondió fastidiado el percherón—. Es para que no te molesten. Para que no te molesten —recalcó—, y mi dinero me cuesta. Anda, vámonos.

—¿Tan pronto? —dijo desafiante—. Otros días me tienes aquí hasta el cierre.

—Anda, vámonos —dijo cachazudamente el percherón—. Hoy no tengo muchas ganas de hablar.

—Ni que tuviera yo la culpa.

El alfil desde su escaque les contemplaba sonriendo. Al fondo del café, junto al friso de los viejos, un hombre de edad mediana, con el pelo blanco y algo melenudo, el porte elegante, observaba a Encarna con mirada rapaz.

Se aventura la dama

Cloc, cloc, cloc, cloc... cloc.

—¿Aquí estás bien?

—Sí, Raimundo. ¿Subes ya?

—Me tengo que sacar la espina, nena. Verás cómo hoy les unto el morro.

—Ten cuidado que luego estás de una uva...

—Hoy siento la suerte. ¿Te pido un *cointreau?*

—Sí, corazón.

No estaba en el turno Medina. El que le había relevado pertenecía al orden de las meriendas de la tarde y no estaba muy ducho en los gustos de la gente de la noche.

—¿Los señores? —preguntó el camarero.

—La señorita un *cointreau* —dijo el percherón—. A mí me sube usted un coñac.

—Tendrá que decírselo al camarero que sirve arriba.

—Páseselo usted.

—Es que las cuentas, señor...; luego se confunden.

Cuando se fue el camarero Encarna comentó:

—Está más amarillo que un chino. La bilis que debe tener el gachó.

—Pídele un periódico al cerillero y entretente. En seguida bajo.

—No tardes mucho, cielito.

El percherón mordisqueó el cabo de un cigarro y lo encendió con ostentación y pericia. Arrastrando las herraduras, al desgaire de los señoritos de otro tiempo, caminó hacia la escalera. Una última mirada apoyado en la barandilla hizo que Encarna frunciera los labios enviándole un discretísimo beso. El percherón subió lentamente con teatrales andares y evidente fatiga. Iba pensando: «Pero qué mujer me llevo. Y a mi edad. Y conmigo siempre pastueña».

El alfil entró al poco rato cargado de periódicos y se fue a sentar frente por frente de Encarna. La miró rijosamente y aparentó distraerse en la lectura de uno de los diarios. Encarna llamó al cerillero.

—Damián, me dejas el «Madrid» para hacer tiempo.

—Claro que sí, Encarna. Ahora mismo.

El oído zorrino del alfil había captado la petición. El alfil se revolvió un instante en su diván y se levantó con uno de los periódicos dirigiéndose a Encarna.

—Si no la molesta, señorita, puedo dejarle el «Madrid» y si quiere una revista también.

—No, gracias —dijo sonriendo, pero secamente, Encarna—. Me lo deja Damián; ya se lo he pedido. Usted tendrá que distraerse...

—Tengo todos los de la noche. No se preocupe por eso. Acéptelo usted.

—No, muchas gracias.

—Perdone usted, entonces. Yo creí...

—No hay de qué, caballero. Muchísimas gracias...

Doña Francisquita y don Fortunato se miraron.

—Ya ves, eso me ha gustado —dijo doña Francisquita—. A cada uno lo suyo. El moscardón ese ha recibido su merecido. Pero qué se creerán, digo yo, que todo es orégano.

El alfil no quitaba los ojos de las rodillas de Encarna. De vez en vez agachaba la cabeza como inmerso en interesante lectura. Encarna se sintió a disgusto y se movió dos mesas a la derecha junto a la torre.

—Venga usted aquí hija —dijo doña Francisquita palmeando la gutapercha del diván.

—Muchas gracias, señora.

—Es que los hay... —dijo doña Francisquita—. Como si no hubiera mujeres para todos... Y luego sobramos..., porque hay que ver las que sobran...

Doña Francisquita habló del tiempo, de que la noche había refrescado, de que el verano podía salir bueno o malo y de que a ella le gustaba mucho más el invierno.

—Se está tan bien en casa, tan calentita, tan agradable... y con la televisión. Nosotros en el invierno casi no salimos, ¿verdad, Fortu?

—Sí, sí —respondió don Fortunato.

—Al café sólo venimos cuando vamos al cine y un ratito, nada más un ratito... Y a usted, hija, ¿qué le gusta más, el invierno o el verano?

—No sé, me da igual —respondió Encarna.

—¿Y a su marido? —preguntó con cierto retintín doña Francisquita.

—A mi marido —recapacitó unos segundos Encarna— creo que el invierno.

—Vaya, vaya —dijo doña Francisquita.

Un buitre ha hecho su nido en el café

—¡Qué hombre tan interesante! —dijo doña Francisquita a su marido.

—¿Qué hombre? —preguntó don Fortunato.

—Cuál va a ser, pasmado. Ese que viene todos los días, el del pelo blanco, el que tiene ese aire de aristócrata, el que se sienta al lado de los carcamales. ¡Cuál va a ser!

—¡Ah!, sí...

—¿No te parece interesante?

—Mujer, no sé, no entiendo de hombres.

—Pero de mujeres sí, ¿no?

—No he dicho eso. No me busques las vueltas, no quiero líos.

—¿Quiero yo líos?

—No me embarulles. Cuando tú dices que es interesante será interesante.

—Pues sí, señor, hay que decir la verdad. Es muy interesante y muy guapo. Claro que ya está metido en años..., al borde de los sesenta, pero bien llevados. Con facha y...

Don Fortunato contempló al hombre interesante y lo enjuició:

—Tiene buena pinta, es verdad, aunque parece un poco rebuscado.

—Es como un artista de cine —exclamó doña Francisquita.

El hombre interesante observó discretamente la entrada de Encarna y su acompañante. Les vio dudar sobre el escaque a ocupar y se imaginó la conversación:

«Junto a la señora esa, no.»

«¿En dónde? Di tú.»

«Allí. Junto al ventanal.»

Doña Francisquita había sonreído como invitando a Encarna, que hizo un pequeño ademán de saludo. El alfil devoraba periódicos con la cabeza gacha. Encarna se sentó junto a las sucias cristaleras abiertas y el percherón la dejó en su abandono por la partida de póker. Se repitieron los acostumbrados gestos.

—Camarero —llamó el hombre interesante—, haga el

favor de llevarme la copa a la mesa cercana al ventanal. Hace demasiado calor aquí.

El hombre interesante desfiló gravemente ante la mesa de doña Francisquita. Sonreía gentil y al pasar dejó una leve aura de colonia cara.

—Ha debido ser un real mozo —dijo doña Francisquita—. Y qué maneras. Se ve que es de buena cuna.

—No te fíes de las apariencias —advirtió don Fortunato.

—Hay algo en él que lo demuestra. Un no sé qué...

—Todas sois iguales —concluyó don Fortunato—. Ni valoráis la inteligencia, ni la voluntad ni nada. En cuanto veis a alguien que parece un maniquí estáis perdidas.

—No parece un maniquí, sino todo lo contrario: un perfecto caballero.

El hombre interesante sonrió a Encarna.

—Buenas noches. ¿No la molesto aquí?

—No, no me molesta.

—Es que hace tanto calor...

—Sí, sí. Esta noche es muy calurosa. Se ve que va entrando el verano.

—Menos mal que en el verano tenemos las playas y la montaña. Particularmente yo prefiero las playas, ¿y usted?

—Yo también. La montaña me agobia un poco, aunque la verdad es que hace dos años que no voy a playa ni a montaña.

—Pues este verano necesitaría usted un cambio. Hay que descansar de la gran ciudad.

Doña Francisquita se estiró intrigada, contemplando a Encarna y al hombre interesante.

—¿De qué hablarán, Fortu? —preguntó.

—Del tiempo o de cualquier tontería —respondió don Fortunato.

El alfil recogió sus periódicos y se fue del café.

Pura sangre

Era sábado y la noche de la inauguración del verano. La glorieta cantaba al buen tiempo con la alegría de su multitud. La terraza del café refugiaba un bullicioso y desorganizado coro de zarzuela madrileña. En el salón los espejos estaban casi vacíos. Las palas de los viejos ventiladores coloniales batían el aire. El camarero, arterioesclerótico, humeaba su colilla sentado, como en visita, en el diván. La barra soportaba a su clientela de trueno. La mujer de los servicios imaginaba veraneos ojeando una revista con amplia información, gráfica y literaria, sobre las playas de Levante. El cerillero hacía su negocio en la calle.

Satisfecho y reposado, el percherón bajaba las escaleras de la timba. Desde la mitad, con la mayo apoyada en la barandilla, buscó a Encarna con la mirada. Se tanteó la cartera repleta de billetes en un ademán caricioso. Encarna no estaba en su escaque. Encarna no estaba en el salón. Descendió y llamó al camarero.

—Medina, ¿y la señorita? ¿Ha salido a la terraza?

—No, don Raimundo, se ha ido.

—¡Que se ha ido!

—Sí, señor, se ha ido.

—¡Cómo que se ha ido! ¿Qué quiere decir usted?

—Eso; que se ha ido, don Raimundo.

El párpado se le cayó fláccido sobre el ojo. Sopesó la pregunta antes de formularla.

—¿Sola?

—No, señor. Con el hombre que se solía sentar estos últimos días junto a ella.

—¿Un joven?

—No. Un hombre de la edad de usted, tal vez con algunos años más.

—¿Algunos años más?

—Sí, señor.

—Dame una copa de coñac —dijo el percherón, sentándose a un velador.

«Corazón, cariñito, chatito... No tardes... No me dejes tanto tiempo sola, que me aburro... Y ese joven sinvergüenza, y ese joven indecente...»

El camarero se apresuró arrastrando su lamentable pierna. El percherón apuró la copa de un trago.

—Ponme otra.

Bebió calmoso.

—Bien, ¿qué te debo, Medina?

—¿Lo de ella también?

—Lo de ella no —pero el percherón dio una larga propina.

Al salir se topó con el cerillero.

—Dame un cigarro.

—Sí, don Raimundo. Nunca creí, don Raimundo, que la Encarna le iba a hacer a usted esto.

—Pues ya lo ves.

—Se necesita ser zorrón, y yo que la conozco desde chica...

—La vida, Damián; en la vida hay que saber perder.

Y mordiendo el puro salió a la glorieta.

—Se necesitan muchos redaños —comentó Medina.

—No será la primera vez —dijo Damián—. Lo que se compra se paga.

Panorámica caprichosa

Por las agujas de las torres desfilaban oscuras nubes pastoreadas del cierzo. Los chubascos habían barnizado la ciudad. Brillaban lívidos los tejados y el asfalto, triste y ceniciento, de las calles era con la lluvia recién caída una fulguración de azabache. En la escampada blanqueaba el ocaso, el viento llevaba olor de tierra húmeda y algún gallo de corral urbano equivocaba los crepúsculos cantando. Las campanas de San Miguel sonaban con largas vibraciones, daban las siete de la tarde y la esfera del reloj de la torre se encendió. Poco después las luces del alumbrado público rielaban en el asfalto mojado.

Era la hora del cierre de los comercios. Pulcros horteras de los almacenes de «Tejidos y Novedades» pasaban el apuro social de echar las trampas; los mancebos de la montaña, recriados en los mostradores de los ultramarinos y en el recadeo por las casas de la clientela burguesa, ensayaban con orgullo sus desmedidas fuerzas bajando de golpe y porrazo los cierres metálicos; los comerciantes de menor cuantía hacían breve guardia con el palo del cierre como alabarda a las puertas de sus establecimientos, intercambiando saludos, charlando de pasada con los transeúntes conocidos; los boticarios contemplaban desdeñosamente la última actividad laboral del día de sus conciudadanos, significando que eran hombres de carrera y que cerraban a las ocho y media porque los horarios del comercio nada tenían que ver con su facultativa dedicación.

Excepción hecha de los dueños de unos pocos grandes almacenes, los comerciantes parecían tomar precauciones a la hora del cierre contra la revolución anarquista, la cuartelada incruenta, bizarra y ruidosa —el ancestral miedo a la bala perdida—, el borracho rompelunas hostil al orden y al Ayuntamiento y las consecuencias de la mala vida —de siete a once de la noche— amparada en la nocturnidad y soliviantada por el vino tinto. Los grandes almacenes eran un alarde de luz y de viciosos escaparates.

A las siete de la tarde comenzaban los pregones de los periodistas. El diario carcunda y el algo menos tenían controversia desde los principios de septiembre. La ciudad se divertía con la polémica, y en el Casino Militar y Mercantil se había dado el escándalo hache al ser abofeteado uno de sus brillantes actores por un empedernido jugador de póker que era alguien en la Audiencia. La controversia discurría por los barrocos y deshonestos cauces del trapo sucio flameante y la zancadilla de tercera división, que es la zancadilla de descrismarse para a continuación ser pateado, como los pámpanos en el lagar, hasta el acabóse. El motivo era una fuente luminosa, mal emplazada y de gusto pirotécnico, aldeano y ferial, pero por los albañales de la fuente corrían las verdaderas porquerías causantes.

A las siete de la tarde comenzaban deliciosas novenas para edificación del abundante beaterio, y en la penumbra y en el bisbiseo se fraguaban calumnias de alcance contra las honras aparentemente más firmes. Damas con años de entrenamiento en el menester, y con extraordinarias aptitudes perceptivas y verbales, hacían la vivisección de la ciudad. Solapadas, unánimes en el conocimiento de la historia contemporánea de la población, las damas corvinas se instituían en cronistas anónimas del pecado.

A las siete de la tarde las tabernas se atoraban de consumidores insaciables. Navegaba en conserva la polémica de la fuente con otros temas de alto bordo referentes al traspaso de jugadores del equipo local y a los enjuagues consiguientes, dislates de ediles, cuernos de magnates, quiebras de negocios, emigración de jienenses, mariconerías de retoños de próceres, analfabetismo de millonarios nacidos del estraperlo pasado, orgías de la gente bien en la ruina, más el siempre lamentable y consabido anecdotario erótico de los presentes. Nadie se columpiaba porque todo o casi todo era la verdad y nada más que la verdad, y la taberna tenía que refrendar con hechos comprobados lo que en las cautelas de la Iglesia era solamente presunción o calumnia.

A las siete de la tarde las damas maduras tertuliaban o se jugaban las pestañas al naipe. A las siete de la tarde los caballeros provectos se sacaban los hígados a la baraja o discreteaban en sus peñas.

A las siete de la tarde novios nictálopes encontraban acomodo en las últimas filas de los cines, mientras en las primeras tosían y expectoraban sólidos burgueses en compañía de sus elefantas.

A las siete de la tare paseaban mocitos y mocitas por la calle principal, arriba y abajo, abajo y arriba, consumiendo grasas, chicle y maní, suelas de zapatos y algún que otro piropo aprendido por tradición oral. El picadero de la calle principal, desde las siete hasta las diez, dejaba a los adolescentes derrengados, sin malos pensamientos y con ganas de coger la cama. El voy y vengo y el empujón y la persecución cinegética sin éxito y el hago el asno como nadie, eran una institución prudente y un exutorio necesario.

Y a las siete de la tarde, cuando la ciudad se esponjaba en el ocio y algunos comenzaban a vivir su modesto desenfreno de taberna o bar, y otros se recluían en sus pisos al amparo de la televisión, daba comienzo el aquelarre de la calle de la Libertad, número 4, piso primero izquierda, habitado por doña Lucía Martínez, viuda de don Ildefonso Rodríguez, del comercio, y su hermana doña Matildita, y el hjio y sobrino de éstas, Cayetano Rodríguez y Martínez, chupatintas en la Diputación, y su fiel servidora, Angustias Ruiz de Arana, ex ama de cura y en su juventud pastora.

Aquelarre con merengues

La salita estaba en penumbra y el piano del fondo destacaba solemne y hostil como un catafalco. Una mano cuidadosa recogía levemente el visillo izquierdo de la cristalera del balcón. La rampante silueta de doña Lucía se recortó en contraluz al encenderse el farol de la calle. Doña Matildita entró a paso de *minué* balanceando un paquete por el cordón, como quien lleva por estela un flotante pañuelo.

—Riquísimos, Lucía —titiló—. Riquísimos...

—Siiís —silbó tenue la hermana—. Calla, calla...

—¿Qué pasa? ¿Ocurre algo interesante?

—Se acerca Ayalde —dijo doña Lucía retirando un instante la mirada del espejo retrovisor atornillado a la barandilla del balcón—. Hubiera sido mejor estudiarle desde el mirador, pero hoy ha dejado el despacho tres minutos antes... ¡Qué desastre, ni puntualidad...! Ahora lo tengo bien cogido... Que no se desvíe, que no cruce, Virgen del Carmen... Pero ¡qué cara! Ese hombre está enfermo... Jí, jí, jí —rió o hipó—, la procesión que le está saliendo...

—La mala conciencia, eso es la mala conciencia —confirmó doña Matildita—. La cara es el espejo del alma y la zorra no puede disimular el hopo.

—Ahora pasa. Atención. Agacha la cabeza.

—El miedo, eso es.

—Ya puedes encender las luces, Matildita. Enemigo fuera de campo... No, no, espera...

—¿Vuelve?

—No, no. Algo interesante y muy extraño.

—¿Otro pez gordo?

—No, no. Esto es otra cosa.

—No me digas que algún lío. En estos tiempos lo sexual no interesa.

—Déjate de lo sexual. Desde hace diez años lo sexual, si no está emparentado con el dinero, no le importa a nadie, y aun así y todo...

—Me tienes en ascuas. ¿De quién se trata? —dijo doña Matildita arrimándose a su hermana—. Pero si es el viudo alegre —era don Juan Alegre, viudo desde hacía dos semanas—. ¡Pobre desventurado!

—Mira cómo anda... Observa que no pisa raya... Fíjate en esa cabeza que quiere volverse y en la mirada al soslayo... ¡Qué esfuerzo de voluntad...! Apártate, que hacemos sombra... Apártate... Ese hombre va para loco... Antes de un año, en el asilo —sentenció doña Lucía.

Las dos hermanas se separaron de la cristalera. La mano de doña Lucía soltó el visillo y éste cubrió el espectáculo de la calle como un mínimo cortinaje de teatro.

—Parece mentira lo que puede trastornar una mujer a un hombre —dijo doña Matildita—, y con lo pendón que era. Imbéciles —dedicó a los hombres.

—¿Dónde has puesto los merengues? —preguntó doña Lucía—. A merendar antes de que llegue Ursula.

Doña Matildita abrió el paquete deleitándose en la operación.

—Riquísimos, Lucía... Cuatro para cada una, uno para Angustias, otro para Cayetano...

—Tú has comido por lo menos dos —dijo doña Lucía.

—No es verdad. Uno.

—Claro que es verdad, Matildita, golosa. Cuando están riquísimos —dijo poniendo énfasis— se repite. Anda, dile a Angustias que nos sirva el café.

Merendaron. Después de merendar, mientras Angustias se llevaba el servicio arrojando miradas de crimen a sus señoras, doña Lucía y doña Matildita comenzaron a fumar.

Aquelarre en cinta magnetofónica

Doña Ursula Villangómez, viuda del ilustrísimo coronel de Infantería don Lauro Ortiz, se había aburrido en la novena.

—Voy a cambiar a San Pedro —dijo—, San Miguel está pesadísimo. La pelmaza de Palmirita se te sienta al lado y dale que dale con el asunto de Intendencia en el que estuvo mezclado su cuñado. Que si se ha exagerado, que si ha habido mucha envidia por medio y ganas de hacerle la cusca. Ya os digo, cada día más pesado.

—Pero si de eso ya no hablan ni los militares cuando van de maniobras —dijo doña Matildita—. Creo que en San Pedro están más al día, pero de todos modos no mucho más.

—En San Pedro —explicó gravemente doña Lucía— se estudió el caso Barrios y hay que confesar que no lo hicieron mal.

Doña Ursula irguió el busto y oteó la calle por las ventanas del mirador. Sus largas manos rapaces se cerraron un instante.

—¿No tenéis por ahí algo de comer? —preguntó—. Estoy desfallecida.

—¿Quieres un merengue? —dijo doña Matildita.

—Bueno, pero uno solo, no quiero abusar.

—Tiene que ser uno solo, porque no hay más. Y si quieres acompañarlo de una copita... Te comes el de Tanito. A quien madruga, Dios le ayuda.

—Bueno.

—Entonces voy a decirle a Angustias que nos saque tres copitas de Brizard.

—Para mí no —dijo doña Lucía—. Prefiero el anís del Mono, es más tonificante; pero una gota, Matildita, una gota, que tengo que pensar lo de Ayalde.

—Tú también coges unas perras —habló doña Ursula—. A mí me parecen figuraciones, no otra cosa.

—Cuando se le mete una cosa en la cabeza —aseguró doña Matildita— no se la saca hasta que la resuelve.

Doña Matildita, risueña y oronda, evolucionó por la habitación.

—Me gustaría hacer la prueba magnetofónica —dijo—. A ver lo que resultaba.

Doña Lucía, desde los abismos de sus meditaciones, confirmó:

—No es mala idea. Creo que algo podría sacarse. Tráete el magnetófono y vamos a verlo.

Entró Angustias con las copas y el merengue. Depositó la bandeja en una mesilla de Manila y frunció los labios con gesto insolidario. Doña Matildita enchufaba el magnetófono de su sobrino Cayetano, al que jamás se lo habían permitido usar.

—Ya está, Lucía.

—Muy bien —dijo doña Lucía—. Operamos como siempre. Yo haré de acusado y vosotras de acusadores. Es un primer interrogatorio y no hay sospechas fundadas. Por tanto, me llamaréis señor Ayalde con respeto y no iréis al grano directamente. Me preguntáis dónde veraneo, cuántos somos de familia, servicio que tengo. Podéis preguntarme algo sobre mis ingresos, pero no insistáis, porque me pondré en guardia.

Doña Matildita maniobró en el magnetófono. Se oyeron las últimas notas de «La Paloma», después una confusa conversación tomada en el patio de la casa y luego la voz del hijo y sobrino Cayetano. Cayetano producía ruidos y palabras sueltas totalmente ininteligibles.

—El otro día le cogimos un sueño —dijo doña Matildita sonriente.

—Para analizarlo, naturalmente —dijo doña Lucía—. Un hombre debe ser vigilado constantemente, y más si es algo chocholo como mi hijo.

Aquelarre con lelo resignado

—Y ahora que se repose —dijo doña Lucía, encendiendo un cigarrillo—. Los guisos están mejor de un día para otro.

—Entonces, ¿no vamos a oír el resultado? —preguntó doña Ursula.

—Siiís —chifló doña Matildita—, alguien llega. Debe de ser Tano. ¿Qué hora es?

—Las diez menos veinticinco —respondió doña Lucía consultando su cronómetro de submarinista—. Por San Miguel las diez menos veinticuatro y por el reloj del Palacio de Comunicaciones de Madrid las diez menos veintiséis. Pero mi hora es Greenwich deducida y es la que vale. Se la ha ganado.

—Me tengo que ir —aclaró doña Ursula—, y además no me gusta ver cómo reñís a Tanito.

—No le reñimos —dijo doña Matildita—, le reprendemos y le castigamos solamente cuando se lo merece. Un funcionario debe ser disciplinado, ¿verdad, Lucía?

—Así es. Aquí está.

Se oyó un tropezón en el pasillo. Las dos hermanas se atiesaron como a una voz de mando. Una tímida voz pidió permiso.

—¿Se puede?

—Adelante —ordenó doña Lucía.

—Buenas noches, mamá. Buenas noches, tita. Buenas noches, doña Ursula.

—Al grano —dijo doña Lucía—. Dé su información rápidamente, que de lo demás hablaremos luego.

Cayetano se pasó la mano por la calva y se ajustó con el dedo medio de la mano derecha el puente de las gafas sobre la nariz. Con la mano izquierda hurgó en el bolsillo de su impecable americana sport hasta que logró extraer una libreta diminuta.

—Comience —conminó doña Lucía.

Cayetano hizo un trémolo:

—Día catorce de octubre. Sábado. Nueve de la mañana. Me incorporo a la oficina. Sin novedad hasta las dos. Dos y cinco, vermut en la barra del casino. Conversación intrascendente con don Carlos, el médico. Dos y media...

—No hay conversaciones intrascendentes —dijo furiosamente doña Lucía—. Reproduzca.

—Es que no me acuerdo.

—Rememore.

—No sé —balbuceó Cayetano—. Cómo me voy a acordar... Hablamos de enfermedades.

—¿De enfermedades en general o de enfermedades en particular? —inquirió doña Matildita.

—De enfermedades...

—Tonterías —dijo doña Lucía—. Cuando dos hombres de más de cuarenta años hablan de esas cosas siempre lo hacen con referencia a alguien. Recuerde.

—No sé, mamá... Hablamos de enfermedades nerviosas... Ah, sí, ahora caigo: de que don Juan Alegre había estado en la consulta de don Patricio porque don Carlos se lo había recomendado...

—Acabáramos —dijo doña Lucía—. Pon cinco puntos en contra en el debe de Tanito, Matildita. Un dato tan interesante y hemos estado a punto de perderlo por pura incompetencia. ¿Y qué más dijo?

—Pues nada más, eso nada más... Que estaba muy nervioso, que estaba muy afectado...

—Vaya, vaya. Continúe —ordenó doña Lucía.

Cayetano buscó por el cuaderno de bitácora la hora en que estaba.

—Dos y media, comida. Tres y diez, vuelta al casino, café y copa de Soberano.

—Beba Fundador —dijo doña Matildita—. Es más barato. Sus dietas nos van a arruinar.

—Da lo mismo, que beba Soberano, pero que sea eficaz. Siga —dijo doña Lucía.

—Tertulia con mi jefe —prosiguió Cayetano—, don Armando el joyero y Perico Valle. Se habló de toros. En contra de «El Cordobés».

—¡Imbéciles! —gritó furiosamente doña Matildita—. Aburridos, gentuza. «El Cordobés» es el mejor.

—A las cuatro y cinco entró el señor Ayalde. Pidió una copa de coñac francés y se sentó solo. A los diez minutos pidió otra. Salió a las cinco menos veinte. Le seguí de lejos. Pude ver que en la lotería de la calle Independencia compraba dos billetes completos del sorteo del día veinticinco y otros dos billetes del cinco de noviembre, que es sorteo extraordinario.

—Esto equivale a una confirmación de nuestros supuestos —dijo doña Matildita.

—No tan de prisa —pidió doña Lucía—. Siempre ha jugado a la lotería y su mujer a los ciegos. No hay que excederse. Es un vago indicio nada más por la cantidad. Continúe.

—A las cinco lo dejé en su oficina y regresé al casino. Seguía la tertulia de mi jefe. Procuré darle coba.

—Mal hecho —recriminó doña Lucía—. Usted no debe darle coba. Debe invitarle y significarle que vive de otra cosa, que vive muy bien. Así ascenderá, si no siempre será un piernas.

—Es que tita dice...

—Tita no tiene que decir nada al respecto, ¿entendido?

—Desde luego, mamá. ¿Puedo seguir?

—Sí.

—En el casino hasta las seis. A las seis y cinco vengo a casa, quiero decir al Comisariado. Tomo un vaso de leche y me cambio de traje. Salgo a las seis y media. A las siete, cine. Película del oeste.

—¿Va usted solo? —preguntó doña Matildita.

—Claro, solo —dijo titubeante Cayetano—. ¡Con quién había de ir!

—No sé, no sé, pero algo me huele a podrido —se escamó doña Matildita—. No nos gustaría que fuera una traición.

—A las nueve y diez salgo del cine y paseo hasta las nueve y media.

—Hasta las diez menos veinticinco —afirmó doña Lucía—.

Pero todos estos asuntos de régimen interior los aclararemos después de cenar. Puede retirarse.

Cayetano guardó su libreta en el bolsillo y saludó:

—Buenas noches, doña Ursula. Hasta ahora, mamá y tita.

Su pequeña figura gordinfloncilla tenía un balance de barquichuelo al andar.

—Este niño —dijo doña Matildita— vuelve a las andadas. Cualquier día nos da un disgusto. Está mucho en la calle y es un buen partido.

—Para evitarlo estamos nosotras —dijo doña Lucía.

Doña Ursula se retocó con el lápiz de labios mirándose en un espejito de nácar regalo de su difunto.

—Mañana vendré pronto. A las cuatro retransmiten, en directo, el partido Real Madrid-Barcelona, y no quisiera perdérmelo.

—De acuerdo, Ursula —dijo doña Lucía— Después oiremos la cinta y haremos la escaleta psicológica.

El anónimo

Don Luis Arrilucea tomó un sorbito de su taza de manzanilla. Estaba repantigado en su sillón y se notaba flatulento. Don Luis tenía el estómago chafado y el carácter desleído en vinagre.

—La mami y la tiíta de este memo necesitan un serio correctivo —propuso a los tertulianos—. Ya que no se las puede llevar a la cárcel es necesario fastidiarlas lo más posible.

Cayetano acababa de abandonar la tertulia de su jefe, don Luis, para salir a los alcances de Ayalde. Perico Valle, comisario jefe de la Policía de la ciudad, usaba su dejo andaluz para las grandes ocasiones:

—Olé —dijo—, olé esa sangre y esa bilis. Hay que hacerles la puñeta porque si se enteran en Gobernación que tienen un fichero mejor que el mío me trasladan a la plantilla de Valdecominos. ¿Qué se propone?

Don Armando Sánchez, el joyero, y don Asensio Nieto, el rentista y presidente de la Adoración Nocturna, preocuparon de consuno el gesto.

—No se vaya a hacer una barbaridad —dijo don Armando.

—No nos metamos en un berenjenal —dijo don Asensio.

—Nada de barbaridades ni de berenjenales —explicó don Luis—, simplemente un bromazo. A mí, el sobrinito me tiene frito, y a la tía y a la mami las tengo atravesadas desde el asunto de las oposiciones a la Guardia de la Diputación, de cuyo tribunal era yo presidente.

—Olé y olé. Algo hay que hacer —afirmó Perico Valle—, que nos aburrimos lo nuestro. Yo de joven he sido un ciclón del Caribe para esto de las bromas.

Don Luis reclamó silencio.

—Confidencialmente he de decirles que yo ya he comenzado mi campaña.

—No quisiera verme mezclado en esto —dijo timorato don Asensio.

—Un momento, caballeros —exclamó Perico Valle—. Esto que comienza es otra cosa. Siga, siga, don Luis.

—El caso es que estas brujas —prosiguió don Luis— se dedican a meter la nariz en todos los asuntos de la gente conocida de la ciudad. Por ejemplo, usted, don Armando, fue acusado hace dos años, más o menos, de usura.

—Yo nunca he delinquido —protestó don Armando.

—Yo no hablo de delitos —continuó don Luis—. Yo hablo de que fue acusado, de que fue acusado en general, y usted sabe tan bien como yo que la acusación nació en la calle de la Libertad, ¿no es así? O por lo menos fue en aquella ocasión lo que usted dijo. Y en cuanto a usted, don Asensio, debe recordar que aquel chiste, no fundamentado, claro está, en que las ciudades de Sodoma y Gomorra...

—Quite usted, no me lo recuerde que todavía me desazona y desvela.

—Bien, señores —dijo don Luis—. Pues usted por esport, Perico, y ustedes por revancha, deben ayudarme. Como antes les decía yo, ya he comenzado mi campaña. Por lo pronto sé que el idiota de Cayetano está enamorado hasta las cachas de la hija mayor del bastardo Pérez, el zapatero, y que el bastardo no vería con malos ojos el trueque; colocar al estafermo solterón y adquirir un yerno microcéfalo y con dinero. He pensado en anunciar algo así como una pedida de mano en los periódicos, pero con la dichosa polémica no están para estas cosas. Por lo pronto tengo unos pilletes que pintan corazones en el portal de las brujas con leyendas alusivas: «Tanito quiere a Isabelita Pérez», y cosas así. Pero lo que se escribe a las seis, a las seis y cinco es borrado por Cayetano. Total, el velo de Penélope. Entonces he recapacitado y...

—Un anónimo —gritó Perico Valle—. Un anónimo, no hay otro remedio...

—Exactamente —dijo don Luis—. Enterado como estoy por las confidencias de Cayetano... considero que un anónimo..., amén de que ellas no salen de casa..., quiero decir excepto el sábado a las doce de la noche y sin pasar por el portal..., como no hay posibilidades de pintar en el interior de la chimenea... Ustedes me entienden: el disgusto de sus vidas..., heridas en lo vivo..., ¿me comprenden?

—Mano a la obra —gritó el jefe de Policía.

Los cuatro caballeros, llenos de entusiasmo, subieron a la biblioteca del casino. El viejo encargado les proveyó de recado de escribir. Perico Valle ensayó a escribir con la mano izquierda.

—No lo van a entender —dijo don Armando, frotándose nerviosamente las manos—. Será mejor recortar las letras de un periódico viejo, como en las películas, e irlas pegando en la hoja hasta formar las frases. Además habrá que recortar el membrete para que no sepan de dónde procede. Pueden dedicarse a investigar y entonces...

—Bueno —dijo don Luis—. Todo eso es absolutamente conveniente hacerlo y no tengo nada contra el procedimiento, pero lo primero que hay que saber es lo que vamos a decir.

—Esto me retrotrae a mi juventud —dijo don Asensio—, entonces sí que era bueno...

Perico Valle volvió la cabeza hacia don Asensio y en su mirada había celo policial, y de sus palabras había desaparecido el dejo andaluz.

—¿Es que ha escrito usted muchos anónimos? —preguntó duramente.

Don Asensio se encogió temeroso:

—Alguna vez, claro, chiquilladas, usted lo entiende —sonrió, y luego se encogió como una vulpeja—. Cosas de los pocos años.

En el fondo de la biblioteca el jubilado don Leandro, sordo de solemnidad, alzaba la oreja tras de un periódico con la vana pretensión de enterarse de aquel extraño asunto en el que andaban mezcladas parte de las fuerzas vivas de la ciudad.

Un paseo romántico accidentado

Cayetano e Isabelita se habían citado a la entrada del hermoso paseo central del parque. Cayetano esperaba a su enamorada amparado en las sombras de un castaño de Indias, junto a un crecido seto de boj. Diluviaba y el galán, con el cuello de la gabardina comando subido y con el ala del sombrero impermeable bajada, levantaba sospechas a cien pasos.

Isabelita hizo los últimos metros correteando, cuando entrevió a Cayetano y oyó su santo y seña.

—Pirupí. Chucurrucu.

—Chucurrucu. Pirupí.

Cayetano se permitió el mimo de un tironcillo de la espléndida pieza nasal de Isabelita, que revalidó con una estupidez verbal.

—Gretita. *Lapin bleu.*

—Charli. Lobo solitario —respondió *Lapin bleu.*

Se miraron intensamente hasta que lograron desasosegarse.

—Bueno, ¿y ahora qué hacemos? —preguntó el lobo solitario—. Porque si paseamos por el parque nos vamos a transformar en ranas. Y si no paseamos por el parque sólo podemos ir a los soportales de la plaza Mayor, que están llenos de espías. Y si nos quedamos aquí, con esta lluvia, el que pase y nos vea pensará que estamos haciendo cosas feas.

—¡Qué horror!

—Y a un café no podemos ir. Y a una taberna no está bien. Y al cine es demasiado tarde, porque una cosa es entrar con la película comenzada y otra entrar a media película, que no te enteras de nada, y a mí me gusta enterarme por lo menos de algo.

—Y a mí.

Cayetano reflexionó unos instantes.

—¡Eureka!, purrupurru, ya lo tengo. Voto al chápiro, no sé cómo no lo había pensado antes. Nos vamos al paseo de Los Arquillos, que estará vacío.

—Qué listo eres —dijo Isabelita con admiración—. No se me hubiera ocurrido jamás. Es un paseo muy romántico.

—Un paseo para dos almas gemelas y con el mismo destino —entonó Cayetano casi con ritmo de bolero.

El paseo de Los Arquillos era evidentemente un paseo romántico. Tuvo su vida en el tiempo del miriñaque, y ahora era una desolación. Construido en la parte vieja de la ciudad, grandes fanales con pequeñas bombillas de amarillenta luz le daban un viso escenográfico teñido de melancolía. Discurría por lo que hubiera sido el tercer piso de la manzana de casas en la que estaba construido como una gigante balconada o galería.

Cayetano e Isabelita soslayaron la plaza Mayor y buscando los disimulos de lo oscuro caminaron hacia el paseo. Jamás dos personas podrían dar a quien las observara más impresión de presunta culpabilidad. Iban hacia los Arquillos regateando a la luz y a las personas, temerosos y equívocos. Se adivinaba en ellos la casa de citas hasta para el ojo más generoso y límpido.

—Buuuf —sopló Isabelita—. Ya estamos.

—Buuuf, buuuf —resopló Cayetano—. Lo conseguimos.

Cayetano tomó la mano de Isabelita y comenzaron a caminar lentamente, mirándose y sonriéndose.

—Nuestros enemigos nos persiguen —habló Cayetano—, no nos dan tregua, pretenden aniquilarnos —tragedió—. Pero seremos fuertes y acabaremos derrotándolos. Morderán el polvo, te lo aseguro, riquina...

—El amor siempre vence —confirmó Isabelita luchando contra las gotas de agua que le corrían por la nariz—. Además, tú eres fuerte —dijo embelesada—, y tan guapetón.

Cayetano enarcó el pecho bajo la gabardina comando y apretó los dientes.

—Nada debes temer —aseguró olímpico—, este brazo y esta espada toledana... —se excedió zarzuelero sin conseguir terminar la frase.

De pronto, Isabelita hizo un movimiento de recelo.

—¿Quién está ahí? —preguntó a Cayetano.

—¿Dónde, dónde?

—Ahí, tras la columna. Ese hombre. Ese que nos mira.

Cayetano tuvo dificultades para sacar las gafas del bolsillo de la chaqueta y calárselas. La pareja estuvo unos momentos inmóvil, esperando, temiendo, prestos a la huida. Retrocedieron unos pasos y se alzaron a una de puntillas.

—¿Quién es?

—No le veo bien.

—¿Será un espía de tu familia?

—No lo creo.

—Vámonos, Charli, vámonos.

Cayetano se hubiera largado con mucho gusto, pero todavía le quedada el remusgo de la frase incompleta de la espada toledana para abandonar tan repentinamente el campo.

—¿Quién va? —preguntó timidamente—. ¿Qué quiere usted?

Asomó la cabeza de don Juan Alegre. Mechones mojados le cubrían las sienes y la frente. Su mirada de cánido los estudió con detenimiento.

—¿Por qué me persiguen? —dijo—. ¿Por qué no me dejan en paz? ¿Qué les he hecho, santo Dios?

—Don Juan —dijo Cayetano— cálmese, no nos asuste. No le perseguimos.

—¿Entonces por qué están aquí cuando debieran estar con todos?

—Venimos a pasear —afirmó Isabelita—. Los novios pasean, el amor...

—¿El amor? Espías, eso es lo que son, espías asquerosos, espías pagados. Pero tengo la conciencia bien tranquila. Digan a quién les envió que lo sé todo. Sé que sospechan de mí, sé que quieren acorralarme, pero esta boca no hablará. Yo no la he matado.

Don Juan Alegre avanzó hacia la pareja y la pareja retrocedió.

—Yo no la he matado, murió de muerte natural, ¿se enteran? De muerte natural, ya lo saben.

Don Juan Alegre volvió la espalda a la pareja y corrió hacia el extremo este del paseo. Cayetano e Isabelita corrieron hacia el extremo oeste.

En la seguridad de las calles transitadas, despreocupados del qué dirán por el susto, con las manos cogidas en una crispación, Cayetano e Isabelita avanzaban en silencio.

—Ese hombre está totalmente majareta —dijo Isabelita.

Una mínima lucecilla se hizo en el cerebro de Cayetano y dijo:

—¿Y si es otra cosa?

Terminaba la sesión de tarde en los cines de la ciudad, el paseo de la plaza Mayor se acrecía de gentes, los cafés de la calle principal estaban repletos de pudientes mojados. Cayetano acompañó a su casa a Isabelita. La madre de ésta los observaba por el mirador.

—Adiós, Charli querido —dijo Isabelita.

—Adiós, Gretita amada —dijo Cayetano.

Luego se dieron el santo y seña:

—Pirupí. Chucurrucu.

—Chucurrucu. Pirupí.

Cayetano caminó hacia la calle de la Libertad, sumido en hondas meditaciones.

Alta finanza

—Quiero que me reciba el propio director —dijo doña Ursula—. Soy una señora de bastante edad y no deseo tratar mis problemas con tenientillos.

—Veré si don Marcelino la puede recibir —dijo el joven y pulido empleado con visible irritación—. Estos días está muy atareado, y fuera de casos muy excepcionales...

—No sea tan impertinente, joven. —El empleado cambió varias veces de color—. Mi caso es tan excepcional como el más excepcional.

—Sí, señora —suspiró el financiero jugando nerviosamente con la cadena de su reloj de pulsera.

—Muy bien —aceptó doña Ursula—. Diga a su director que desea ser recibida doña Ursula Villangómez de Ortiz. El me conoce perfectamente.

—Sí, señora.

Doña Ursula se sentó en uno de los durísimos sillones de la galería del Banco y sonrió satisfecha.

Don Marcelino Ayalde recibió con gran estilo a doña Ursula Villangómez de Ortiz. Había apagado su cigarrillo para no ser descortés y lució sus mejores fórmulas de salutación y su pavorosa dentadura.

—Bien, señor Ayalde, sé que está usted muy ocupado. Lo sé por ese joven —dijo con absoluto desprecio— que como todos los jóvenes de hoy es, además de irreflexivo, bastante mal educado.

—Es mi sobrino —dijo algo amoscado don Marcelino.

—No empece —respondió doña Ursula—. Un perfecto caballero puede tener como sobrino a un perfecto gañán. Pero dejemos estas cuestiones. He venido a abrir una cuenta corriente en este Banco, porque he considerado que es el que me coge más cerca de casa y yo ya no tengo las piernas para trotar por las calles.

—Buena idea que, además, es muy de agradecer —reverenció don Marcelino—. Esta es su casa y estoy a su disposición.

—Gracias. Voy a abrir la cuenta con una pequeña cantidad, y si veo que el Banco se porta bien trasladaré mi dinero aquí y solamente trabajaré con ustedes.

Doña Ursula ofreció un cigarrillo a don Marcelino, que éste correctamente rehusó.

—Fumo rubio, señora.

—Mal asunto. El rubio destroza los bronquios y propicia el cáncer. ¿No lo ha leído en los periódicos?

—Sí —dijo dubitativamente don Marcelino— pero la costumbre. Ya sabe usted...

—Mal hábito —dijo implacable doña Ursula—. Hay que cuidar la salud. Por cierto que no tiene usted demasiado buena cara.

—Las preocupaciones, el trabajo...

—Hágase un chequeo, porque puede que no sean solamente las preocupaciones, puede que tenga usted cualquier cosilla. ¿Qué edad tiene usted?

—Cincuenta y cinco.

—A los cincuenta y cinco hay que vigilarse. Cualquier cosilla, claro, y luego las preocupaciones...

Don Marcelino creyó adivinar un punto de retintín en las palabras de doña Ursula y cayó en guardia:

—Tendría que consultar, esa es la verdad, pero no tengo tiempo.

—Y además las preocupaciones —insistió doña Ursula—. Y que se acerca fin de año y tendrán ustedes mucho trabajo con eso del cierre de ejercicio, o como demontre se llame.

—Claro, claro —se escurrió don Marcelino—. Bueno, si usted me permite llamaré para que rellene usted la ficha y firme.

—Muy bien.

El sobrino de don Marcelino apareció en el marco de la puerta, hasta entonces entreabierta.

—Para cuenta corriente —dijo don Marcelino.

—Es curioso —pajareó doña Ursula—. Los casos de mucha tensión, las hepatitis y las úlceras de estómago se dan abundantemente entre ustedes. ¿Cómo anda de colesterol?

Perdón se me había olvidado que no se chequeaba. Todo eso lo producen las preocupaciones. Parece mentira cómo se puede desarreglar el neurovegetativo, ¿verdad?

El sobrino de don Marcelino apareció con el papeleo de la cuenta corriente.

—Al salir, cierra, Josechu —dijo don Marcelino.

Indicó a doña Ursula dónde tenía que firmar y le ofreció una pluma estilográfica. Doña Ursula apoyó su temblorosa mano en la mesa del director del Banco.

—Tengo una firma muy extraña y muy difícil de imitar —dijo sonriente.

Don Marcelino Ayalde se pasó la lengua por los labios resecos.

El método deductivo

Doña Lucía y doña Matildita estaban sentadas en su mirador. Sobre el regazo de doña Lucía reposaban unos espléndidos prismáticos de campaña, que de vez en cuando se llevaba a los ojos para explorar ora la lontananza de la calle, ora los miradores y balcones vecinos en los que la imprevisión o la imprudencia tuvieran los visillos recogidos o las persianas sin bajar.

—En casa de los Carrión las criadas no se molestan ni en pasar el plumero —dijo doña Lucía—. Especialmente la jovencita que tiene ese novio que parece un rifeño.

—Si es que no las pagan y les dan de comer auténticas ranchadas.

—Por ahí viene el párroco de las Oblatas —dijo doña Lucía cambiando de objetivo—. Está que revienta.

—Creerá que la gula no es pecado.

Llamaron a la casa en el timbre del portal.

—El cartero —dijo doña Matildita.

—Se me escapa siempre. Como salta de trinchera en trinchera no hay quien le cace.

Se oyó refunfuñar a Angustias. Las dos hermanas guardaron silencio. Doña Matildita era menos calmosa que su hermana y salió al pasillo para recibir la correspondencia. Doña Lucía se entretuvo con los prismáticos y localizó a una señora en *baby doll* en el fondo de su dormitorio.

—Lascivia repugnante —dijo para sí—. Y tiene cinco hijos...

—Un anónimo, un anónimo —gritó alegremente doña Matildita en el pasillo—. Lucía, un anónimo...

Doña Lucía se puso en pie y su figura de mariscala, con los prismáticos en la mano, tenía algo de la atenta husma del podenco en el rastro.

—¿Un anónimo?

—Sí, un anónimo. Hace por lo menos tres años que no recibimos uno.

—Tres años y cuatro meses —corrigió doña Lucía—. Desde el asunto del «gato somnoliento».

—Efectivamente, desde el asunto de las drogas.

—Trae acá.

—Es una verdadera hermosura.

Doña Lucía leyó atentamente las dos líneas que componían el anónimo: «Cayetano es novio de Isabelita. Se les ha visto besarse en público. Una amiga».

Doña Lucía estudió el documento morosamente.

—Sencillo —dijo—. Usando del método deductivo, esta simpleza no ha podido ser enviada por una mujer: A) porque una mujer no firma «Una amiga». B) Porque una mujer considera perfectamente normal un noviazgo y cree que los hombres han nacido para casados. C) Porque a una mujer se le ocurriría de inmediato añadir que Isabelita había tenido lío previo con cualquier *quídam*. D) Porque los recortes de las letras del periódico están hechos torpemente y una mujer si sabe manejar algo es la tijera. E) Porque hay huellas digitales en goma por todo el resto del papel, lo cual supone la guarrería común a los hombres; luego está claro que no ha sido una mujer. Es decir, puede que haya sido un hombre o un grupo de hombres. Tráete la lista de nuestros enemigos, Matildita, y examinaremos las posibilidades de cada uno. Y olvidémonos del triste motivo que ha dado ocasión al anónimo.

—Yo diría que casi se lo tendríamos que agradecer a Tanito. Me encontraba como un poco olvidada. Como si me hubieran jubilado.

Durante el resto de la mañana doña Lucía y doña Matildita estudiaron su lista negra. A la hora de comer tenían tres nombres en cartera. A los postres doña Lucía, empleando el método deductivo, había eliminado a uno de ellos. Después del café doña Lucía consideró que cualquiera de los dos restantes podía ser el autor del anónimo y decidió vengarse de ambos.

—Corresponderemos en la misma moneda. Ojo por ojo, diente por diente.

—Y al que Dios se la da San Pedro se la bendiga. ¿Sobre qué tema?

—Cuernos —dijo Doña Lucía—. Son tan idiotas que es lo que más les duele. Nosotras no contestaremos con letras de periódicos, ni escribiremos como se usa con la mano izquierda. Nosotros emplearemos la caligrafía rústica de Angustias. Llama a Angustias.

Angustias se sentía incómoda sentada al buró.

—A mí esto no me gusta —dijo—. No me gusta hacer estos papeles.

—Bobadas —dijo doña Lucía—. Escribe en el sobre: Don Helenio, con hache, García. Calle Poeta Arolas, veinticuatro, tercero. Plaza. Muy bien. Ahora el otro sobre: Don Francisco Monleón. Calle Hernán Cortés, treinta y cuatro, primero izquierda. Plaza. Muy bien. Coge el papel rayado y ponlo debajo. No tuerzas los renglones. Guíate por la transparencia. Texto: «Su señora ha sido vista a la salida de un chalet de la Ciudad Jardín acompañada de don Francisco Monleón. Lo siento por usted. Estas cosas... —dudó— le pueden ocurrir a cualquiera. Solamente quiero advertírselo. Una amiga.» Punto. Muy bien. Ahora el otro. Lo mismo, pero donde dice don Francisco Monleón pon don Helenio García.

—Eres un genio —dijo doña Matildita.

Doña Lucía sonrió modestamente. Angustias sacaba la lengua esmerándose en el último anónimo.

—Para que aprendan —dijo doña Lucía.

En la tertulia del jefe de Cayetano se comentaba la potajada a la que habían sido invitados todos por el mecenas Hernández. Cuando Cayetano se levantó para seguir a don Marcelino Ayalde, que parecía muy decaído, don Luis Arrilucea comentó:

—Lo de anteayer, ¿habrá hecho impacto?

—De olé —aseguró Perico Valle—. Ronchas, ampollas y lo que ustedes quieran. A Cayetano lo escalpelan.

Los efectos producen la causa

A la hora de la merienda Cayetano tuvo un serio encuentro con su madre y su tía. Fue acosado, escarnecido y denigrado. Doña Lucía, viéndole tan irreductible y seguro, puso fin al bravío debate.

—Si así nos pagas todo lo que hemos hecho por tí, si tu desagradecimiento es tanto, lo mejor que puedes hacer es dejar nuestro servicio. Tú verás cómo te las arreglas. Aquí siempre tendrás comida y cama, pero Roma no paga a traidores y, por tanto, te las compondrás con tu mísero sueldo de mísero chupatintas. Ya puedes irte.

—Muy bien —dijo encolerizado Cayetano—, lo estaba deseando. Estoy harto de que me tratéis de usted, estoy hasta el pelo de que me hagáis seguir a personas respetables por las calles, estoy hasta las narices de llevar ese cuadernillo en el bolsillo y apuntar todas las idioteces que os interesan.

—Siiís —pitó doña Matildita—. Silencio.

—No me da la gana —gritó Cayetano—. No me da la gana de callarme, so bruja…

—Me ha llamado bruja —se asombró doña Matildita.

—Bruja de las de escoba de barrendero del parque, que son las escobas más grandes. Y además os anuncio que me pienso marchar de esta casa.

—Se piensa marchar, Lucía… —dijo doña Matildita, casi estupefacta—. Se ha vuelto loco. Tendremos que recluirlo en el Asilo…

—Calma, calma —pidió doña Lucía—. Tened calma. Seamos lógicos. Tengamos serenidad. Examinemos el problema de nuevo...

—No quiero examinar el problema —dijo fieramente Cayetano—. Estoy decidido a casarme con Isabelita por encima de vuestros cadáveres…

—No exageremos, Tanito —insistió la madre—. Examinemos el problema. Cedamos todos un poco. No es para ponerse así. Te acaba de salir tu padre de lo más profundo y esto me alegra. Los hombres deben ser hombres y no monicacos… Dejadme pensar…

Hicieron un grave silencio. Doña Lucía meditaba. Doña Matildita se secaba una furtiva lágrima. Cayetano se retorcía las manos nerviosamente.

—Ya está —dijo doña Lucía—. Admitimos tu noviazgo con Isabelita, no te trataremos de usted y seguirás gozando de todas tus prebendas siempre que reingreses en la organización.

—¿Tendrá que hacer una instancia como la otra vez? —preguntó doña Matildita.

—No, esta vez será sin instancia. El no tendrá obligación mayor que la de observar si tiene ganas y contárnoslo a la hora de cenar. No llevará cuaderno. En fin, será un corresponsal especial. ¿Aceptado?

Cayetano remoloneó un poco antes de contestar. Dijo:

—Entonces, ¿nada de disciplina?

—La imprescindible en un hogar. Se respetarán las horas de comer, merendar y cenar. Nada más —dijo doña Lucía.

—Bien, acepto —y cucamente añadió—: ¿Tendré dietas de noviazgo?

—Nos va a arruinar —afirmó doña Matildita.

—Tendrás dietas de noviazgo —concedió doña Lucía—. Diez duros diarios y los domingos y festivos veinte.

—Fenómeno.

—Debes de retirar antes lo de bruja de escoba —dijo doña Matildita.

—Desde luego, tita —dijo Cayetano haciéndole una cucamona—. Retiro eso y todo. Soy feliz. Y además os voy a pasar un servicio casual...

Cayetano contó a su madre y a su tía lo que le había ocurrido en el romántico paseo de Los Arquillos. Al terminar la narración, doña Lucía dijo:

—Ese hombre está completamente loco. Ya lo vi el otro día andando a no pisar raya y mirando al soslayo.

—Pero no habéis entendido nada —dijo Cayetano—. No habéis entendido nada. Tantos medios audiovisuales, tanta investigación y no os enteráis de nada. Don Juan Alegre ha matado a su mujer. Estoy seguro, y ahora la negra conciencia lo está volviendo loco. La mató por algo que hay que averiguar. Probablemente la causa es algo demasiado baladí para nosotros, pero importantísima para él. Quien sabe si ella le martirizaba demasiado. Acordaros. Era una mujer chupada...

—Como si la estuviera viendo —dijo doña Lucía concentrándose—. Un poco seca tal vez.

—No, no —dijo Cayetano—. Era un palo cargado de bilis. Un bichejo altivo que miraba a don Juan por encima del hombro y lo trataba como algo que está entre el animal y el hombre, que no es del todo hombre ni del todo animal. Investigaré —afirmó Cayetano—; investigaré hasta que encuentre la secreta clave del crimen. Adiós, mamá; adiós, tita. Hasta la hora de cenar.

—¿Vais al cine? —preguntó doña Lucía—. Si vais no os pongáis en las últimas filas, hijo mío; está más bien feo.

El virus bajo el microscopio

Angustias trajinaba por el pasillo. Hablaba sola salmodiada y quejosamente. Doña Lucía apagó su cigarrillo en el cenicero de concha.

—Por favor, Matildita, vete a ver lo que le ocurre a esa mujer. Me va a volver loca con su delirio y sé buena y pon un disco...

—¿Qué quieres, Lucía?

—Jazz, por favor; jazz intelectual... Nada de Nueva Orleáns.

Comenzó a sonar un disco y doña Lucía entornó los ojos y movió la cabeza rítmicamente. A los pocos momentos entró doña Matildita.

—Problemas de conciencia —dijo—. Quiere confesarse. Ha sido tentada por el maligno y ha escrito los anónimos. Nosotras al purgatorio y ella al infierno.

—Menos mal que nos salvamos de la quema.

—Le he dicho que se fuera a confesar.

—Bien, bien. Ahora silencio. Esto descansa.

Doña Lucía y doña Matildita escucharon jazz intelectual hasta que llamó a la puerta doña Ursula, que parecía haber atravesado una tormenta atlántica. Chorreaba agua por todas partes e inmediatamente fue invitada a pasar al baño para que se desposeyera de su impermeable, de su sombrero parecido a un sueste, de sus chanclos y de su paraguas.

—¿Una copita? —ofreció doña Matildita.

—Se acepta —dijo castizamente doña Ursula—. Este invierno va a ser memorable. Llueve en todas partes desde

Irún a Tarifa, desde Alicante a Vigo. Y en París, Roma, Londres, Bilbao y las chimbambas.

—Buen invierno para los criminales —soñó doña Matildita—. Calles con poca luz, callejones horribles, lluvia en las ventanas, manos de estranguladores, los parques vacíos, pisadas y chapoteos, un coche a sesenta por hora...

—No seas novelesca —dijo doña Lucía, y añadió—: ¿Qué se rumorea por ahí, Ursula?

—No vuelvo a San Pedro —dijo doña Ursula—. Con todas sus pegas prefiero San Miguel, hay mayor cordialidad y más ambiente. Apenas hay noticias. Cosas de poca monta. Bodas y bautizos y lo consabido: el carcamal de turno que estira el zancajo.

—Hoy ha habido rebelión a bordo —alegró la conversación doña Matildita—. Menos mal que nos hemos hecho fuertes en el castillo de proa.

—Siiís —silbó doña Lucía—. Eso no tiene mayor interés que el familiar. Pasemos a los acontecimientos del día. ¿Fuiste a ver a Ayalde, Ursula?

—Fui.

Doña Ursula contó su entrevista con don Marcelino Ayalde y la apertura de cuenta corriente. Terminó:

—Y al final un *crochet* corto; le dije: «Tengo una firma muy extraña y muy difícil de imitar» ¿Qué tal?

—¿Se desconcertó, claro? —reguntó doña Matildita.

—Cambió de color siete veces —afirmó doña Ursula.

—Baja un poco la música o mejor quítala del todo, que hay que trabajar —ordenó doña Lucía, y prosiguió en las claves del *box*—: Noveno asalto; se acerca el final. Le llevamos la pelea a los puntos, pero... —reflexionó— ¿y su capacidad de recuperación? He de advertiros que la prueba magnetofónica ha sido un fracaso. La escaleta psicológica no es acertada.

—No nos solemos equivocar —dijo doña Matildita.

—Solamente la prueba contable puede darnos el quid de este asunto —afirmó con evidente sabiduría doña Lucía—. O esperamos a que tape todos sus trapicheos o lo pesquen en el ejercicio de fin de año... La prueba contable. Con números imaginados, pero que tengan una cierta realidad. Venga, Matildita, proveenos de papel y boli.

Doña Matildita cumplió la orden con celeridad. Las tres viejas se sentaron en torno de un velador de caoba. Sobre el velador caía la verde luz de una lámpara de flecos.

—Sueldo —dijo doña Lucía.

Cada una de ellas escribió una cantidad en su papel.

—Gastos generales de la casa —dijo doña Lucía.

Doña Ursula trabajaba con celo e idoneidad, meditando y chupando la contera del bolígrafo. Al objeto de que doña Matildita no le copiara cubría las cantidades con la pantalla de su mano izquierda.

—Gastos superfluos, viajes y gastos de relación social —dijo doña Lucía.

Silencio. Solamente se oía el raspar de los bolígrafos sobre los papeles.

—¿Puedo hacer una pregunta? —dijo doña Matildita.

—No. Luego —respondió doña Lucía—. Y ahora cantidad imaginada que gasta Ayalde al mes, distribuyéndola en los apartados que se crea oportunos.

El silencio se extendió por cerca de cinco minutos. Las tres viejas pedían inspiración al cielo con las manos sobre el velador.

—Esto se mueve —dijo de pronto con evidente susto doña Matildita—. Esto se mueve.

El velador se movió un poquito.

—Atención —pidió doña Lucía con la voz quebrada—. Entre nosotras hay una médium.

—Que horror —dijo doña Matildita.

—Atención —pidió de nuevo doña Lucía— Puesto que se nos da, empleemos a los espíritus en la investigación.

—De ninguna manera —dijo doña Ursula—. Yo no quiero mezclar a mi Lauro en estos asuntos.

Doña Matildita y doña Lucía se miraron sorprendidas.

Los muertos hablan

—Pirupí. Chucurrucu.

—Chucurrucu. Pirupí.

—¿De quién son estos ojitos que se ha de comer la tierra? —preguntó Cayetano.

—No seas bárbaro, Tano —dijo haciendo un mohín Isabelita.

—Es la fuerza de la frase hecha —se disculpó Cayetano—. Quería decirte que esos ojitos son míos, sólo míos, de mi absoluta propiedad, y que la tierra se vaya a la eme. No te enfades, chupitel, purrupurru —continuó produciendo ruidos llevados por los zureos del amor.

Isabelita sonrió encantada, hipnotizada, moviendo la cabeza como una cobra.

—¡Ay!, qué amor el nuestro —dijo al fin recuperada del vértigo que le habían producido los arrebatos sonoros de Cayetano—. ¡Ay!, qué amor para morirse.

—Ves, ahora eres tú —dijo Cayetano—. Nada de para morirse, sino para pasarlo bomba, ser muy felices y tener muchos hijos y comer perdices.

—Tres. Una parejita seguida y a los cinco años un varoncito.

—Diez, o los que envíe el cielo. Cinco niñitas y cinco niñitos.

—Ay, no, que son muchos.

—¿Muchos? —enarcó el pecho Cayetano significando que él podría fabricar en serie dos o tres mil nuevos ciudadanos por lo menos—. La bendición de la casa son los hijos, Gretita.

—Sí, Charli, pero hay que darles de comer y educarlos y casarlos y todo eso que es la vida —respondió Isabelita perdiendo la mirada en el vacío después de tan altas reflexiones filosóficas.

Una vecina de Isabelita, que salía a hacer el abasto hogareño diario, interrumpió el diálogo dando los buenos días.

—Llevamos media hora en el portal y esto no está bien. A mi madre no le gusta que estemos en el portal.

—Pues vámonos.

—¿Y adónde, si son las once? La verdad es que no debieras haber faltado a la oficina.

—La oficina —dijo con desprecio Cayetano—. Allí me encuentro como un león enjaulado entre los barrotes del papeleo —metaforeó sordo a la llamada del deber—. Cuando no estoy junto a tí sufro, sufro lo indecible y siento aquí, en el pecho, como una lengua de fuego que me quemara el corazón.

—¡Qué bien hablas, corazón mío! —dijo admirada y entusiasmada Isabelita.

—Vámonos al mundo los dos solos —dijo arrebatadamente haciendo mutis el poeta.

Isabelita y Cayetano, cogidos del bracete, caminaron por las calles de la ciudad. Isabelita iba embelesada, Cayetano con un ojo en Isabelita y el otro atento al posible encuentro con alguien de la Diputación. Al pasar por la parada de taxis Cayetano vio algo que despertó su total atención.

—Párate, Isabelita. Haz que miras el escaparate.

—Ya estás otra vez con tus aficiones de detective.

—Por favor, Isabelita.

Don Juan Alegre tomaba un coche. Cayetano cruzó la calle casi arrastrando a Isabelita. Abrió la puerta de un taxi, empujó a Isabelita adentro como si se tratara de un rapto, y ordenó.

—Fermín, sigue a ese auto.

—No es necesario tanto apresuramiento —dijo el taxista—. Sé donde van. Don Juan Alegre visita todos los viernes la tumba de su mujer.

—¿Cómo lo sabes? —preguntó Cayetano.

—Porque siempre lo lleva Inchausti. Todos los viernes a la misma hora. Creo que fue el día en que murió su mujer y posiblemente también la hora.

Cruzaron la ciudad y salieron a la carretera del norte. Las tapias del cementerio comenzaban poco después del fielato. El coche de Inchausti estaba parado en la puerta grande y su tripulante leía tranquilamente *Marca,* enterándose de los pronósticos de los partidos del domingo.

—Para y espéranos —dijo Cayetano.

Cayetano saltó ágilmente del coche, ayudó a Isabelita y se informó de inmediato por Inchausti de hacia dónde caía la tumba de la mujer de don Juan Alegre.

—Creo que a la izquierda —dijo Inchausti—. En la tercera o en la cuarta bocacalle.

—Muchas gracias. No le digas nada, ¿eh? —y generosamente Cayetano compró el dudoso silencio del chófer con un duro.

Isabelita y Cayetano entraron en el cementerio con paso quedo. El lugar y la misión exigían tal prudencia. Buscaron en la segunda bocacalle, en la tercera, en la cuarta y en la quinta. En la sexta, sentado sobre las losas de un panteón, don Juan Alegre gesticulaba y manoteaba. Por entre las tumbas, al amparo de monumentos funerarios y de cipreses, Isabelita y Cayetano jugaban a un macabro escondite.

—Huy, que me caigo —dijo Isabelita resbalándose.

—Siiís —chifló tenuemente Cayetano—. Que estamos al lado. Ya se le oye.

Se acercaron más y se asomaron. Las espaldas de don Juan

Alegre tan pronto se encorvaban en pesarosa inclinación como se erguía su figura con altivez. Escucharon.

—Tú, solamente tú y nadie más que tú tuvo la culpa —decía don Juan Alegre—. Si no me hubieras tratado siempre como a un perro, si no me hubieras humillado con tu familia, con tu dinero...

—...

—No me quiero callar.

—...

—Entonces —decía irónicamente don Juan Alegre— ¿me lo merecía?

—...

—Pues lo volvería a hacer, maldita. Te volvería a dar la pócima, pedazo de desgraciada.

—...

—¿Que lo pagaré? Ja, ja, ja —rió teatralmente don Juan Alegre—. Tú ya lo has pagado. Yo estoy vivito y coleandito, bruja funesta...

—...

—Que me volverás loco... Que mi conciencia... Tonterías... Me pienso ir de la ciudad... Me iré con todo tu dinero...

—...

—Que no me va a servir de nada... Te desafío —don Juan Alegre se puso en pie—. Te desafío, asesina...

Tal vez el vientecillo, tal vez un rumor de hojas, desconcertó a don Juan.

—No rías, perra; no rías, por lo que más quieras...

Don Juan Alegre se derrumbó sollozando sobre la tumba de su señora, doña Hermenegilda Gil, de los Gil de Soria, opulentos comerciantes en granos, con pariente lejano diplomático.

Isabelita y Cayetano huyeron despavoridos saltando tumbas y parterres hacia la puerta del cementerio.

El mentidero del salón de billares

Don Luis Arrilucea, en chaleco escocés, con las mangas de la camisa ligeramente recogidas mostrando el vello jabalino de los brazos, apoyado en su taco y pendiente una humeante colilla de los labios, no era, ni mucho menos, una versión moderna de un caballero español del cuadro de «Las Lanzas». Contemplaba la partida de chapó con estudiada impasibilidad, mientras calculaba las tardes que habría perdido a lo largo de su existencia entregado a tan deliciosa prueba de habilidad y fortuna. Treinta años a doscientas setenta tardes por año, eran una cifra con posibilidades de récord. De su espeluznante matemática le sacó la voz de su querido amigo Perico Valle.

—Notición. Le han dado la patada charlot. No se sabe la cantidad, pero el gachó se ha pringado en bastantes miles —dijo el lebrel en la más expresiva germanía—. Ahora todo por lo fino y por lo bajo. A nosotros ni moste. Lo envían a una guarnición de sucursal de pueblo rebajado a empleado mondo y lirondo.

—Coño con los Bancos —dijo don Luis—, ni para eso son serios. De modo que Ayalde se pringa y la ley no interviene; pero ¿dónde vamos a parar?

—Hombre, Ayalde estaba bien relacionado y la montonera de años que ha cumplido como un cabestro para algo le habían de servir...

—Pues si yo hago eso en la Diputación me cargo El Dueso, Puerto de Santa María y el penal de Chinchilla, todos juntos y para toda la vida, porque me tienen unas ganazas.

—Le toca a usted, don Luis —indicó uno de la partida.

Don Luis Arrilucea no estaba para usar el taco más que contra el consejo de administración del Banco.

—De modo, Perico, que la cosa iba en serio, ¿eh? —dijo volviendo a la conversación.

—Y tan en serio. *Vox populi, vox Dei.* Se veía, se veía... Si aquí nos conocemos todos.

—Tú mejor que nadie —halagó don Luis.

—Yo primero por el oficio, pero después por la pupila. A mí uno de esos gastosos no se me escapa ni a tiros. La mujer con abrigote de astracán, ojo Perico, me digo, y me siento a esperar a que pase el cadáver. Coche, viajes a San Sebas y semanas grandes por aquí y por allá, tate nene, que se aproxima la debacle.

—Vaya, vaya con el Ayalde —dijo don Luis—, y tanta misa y tanta comunión y tanta frecuentación de la clerecía...

—Y tanta copa de coñac francés... Lo demás camuflaje.

—Y del gilipuertas de Cayetano, ¿qué? —preguntó rolando el tema don Luis—. Ni el anónimo, ni los maitines.

—Se nos casa.

—Si me lo tenía yo tragado. Entonces ¿hemos hecho el ridículo?

—No, hombre; hemos colaborado. Lo que se llama vulgarmente hacer de palanganeros.

—Le voy a dar unas sesiones en la oficina —dijo don Luis —que se va a acordar del día en que nació.

—Tiene forrado el riñón. Será inútil.

Don Luis reflexionó apretando los dientes.

—Menos mal que lo de Ayalde consuela bastante —dijo.

Uno de los de la partida le indicó:

—Don Luis, ahora juega usted.

El mejor jugador de chapó del Casino picó por descuido el verde paño de la mesa.

Los sótanos del concejo

La segunda botella de tinto iba mediada. Matacán se pasó sus anchas manos de campesino por el barrigón y eructó como un trueno. Estaba satisfecho. Escachapobres se recogio el hilo de grasa que le resbalaba por la barba con una miga, que luego tragó, y correspondió a la tormentaria de su cabo con una espléndida andanada.

—Las guardias de invierno tienen más apaño —dijo Matacán—, si se quitan las noches de sábado...

—Para mí las noches de sábado dan de sí, porque si cae por un casual un elemento de los que tengo fichados —dijo Escachapobres frunciendo el entrecejo cerril— lo descompongo para un rato.

—Al finchao del pelotari lo quisiera tener por estos barrios. Me iba a pagar en gritos las cosas que me dice cuando va con su cuadrilla.

—Ese tiene buenos padrinos, igual te buscabas un expediente.

—Ya me las compondría yo —dijo cazurramente Matacán—. Ya se vería a quién daban la razón los de arriba.

El cabo Matacán y el número Escachapobres, de la Policía Municipal de la ciudad, distraían sus guardias de retén comiendo, bebiendo, eructando, fumando, golpeando a los borrachos y soñando con grandes venganzas contra la gente chunga de la plaza.

—Que ganado ese... —dijo Escachapobres meditativo—. Ni se dan cuenta de lo que es la autoridad, ni tienen respeto ni, a mayor abundamiento —se expresó airadamente— son hijos de su padre. Uncidos debieran ir como el vacuno.

—De segadores todo el año los iba yo a poner. Que se tronzaran para ver si les quedaban ganas.

Los dos bárbaros acabaron con la segunda botella de tinto.

—Queda otra en reserva para más tarde —dijo Escachapobres.

La puerta vidriera del retén, en los bajos del Ayuntamiento, se abrió de repente.

—¿Quién va? —gritó Matacán, mientras Escachapobres se apresuraba a retirar platos, vasos, botellas y migas de la mesa despacho de su jefe.

No hubo respuesta.

—Acérquese quien sea —ordenó Matacán.

Se oyó un sollozo y luego un largo quejido.

—Pero ¿qué pasa? —dijo Matacán, sorprendido, mirando a la penumbra sin ver porque encima de su cabezota tenía cien bujías deslumbrándole.

—Un asesino... Un hombre que ha matado... —dijo don Juan Alegre apareciendo a la luz.

—Don Juan Alegre —dijo Matacán levantándose.

—Don Juan Alegre —dijo Escachapobres asombrado.

Don Juan Alegre se retorcía las manos y temblaba como un azogado.

—A entregarme, vengo a entregarme —gritó—. La he matado y vengo a entregarme.

—Pero, don Juan, ¿qué locura le ha dado? —preguntó Escachapobres.

—A entregarme, porque la he matado —insistió don Juan Alegre.

Escachapobres quiso reconfortar a don Juan Alegre después de estudiarle, no fuera que estuviera borracho, con una copa de vino. Matacán tomó el teléfono.

—Que se siente ahí —indicó a Escachapobres— en tanto informo.

Don Juan Alegre lloraba entre hipos como un poseso de Lucifer. Escachapobres colocó sus robustas manos en los hombros del asesino.

—Cómo trepita —dijo para sí.

La torre de las lechuzas

—Los chicos se acaban de ir —dijo doña Lucía a doña Ursula—. Es una pena que no los hayas visto.

—Los veo todos los días —respondió doña Ursula—. Los veo todos los días y a todas horas. Están en todas partes.

—Se nos va una fortuna en dietas —afirmó doña Matildita—. Como la lleva a todos lados y tira de cartera como un maharajá.

—No seas roña, Matildita. Se quieren y son jóvenes, pues que lo pasen bien. Es lógico que muestren su amor a las claras después de haberlo ocultado tanto tiempo.

—¿Y no os da pena perder un hijo? —dijo doña Ursula—. A mí me daría mucha pena.

—No —contestó doña Lucía—, no perdemos un hijo, ganamos una hija. Has de saber que Isabelita nos ha prometido entrar en la organización. Tiene buena disposición para el informe. Además Tanito le ha metido en la cabeza la investigación desde el asunto Alegre y está muy animada.

—Fue una pena lo de Alegre —dijo doña Matildita—. Tanito sigue sosteniendo que es un asesino. Le hemos recomendado que se calle, porque como de todos modos garrote vil no le iban a dar, pues es mayor castigo el manicomio.

—¿Y qué se dice por ahí? —preguntó doña Lucía.

—Nada en San Miguel, nada en San Pedro, nada en San Vicente. Todo está muerto. Ya ni colea lo de Ayalde...

—Qué se le va a hacer —suspiró doña Lucía—. La que nos espera este invierno...

—Nos vamos a aburrir como ostras cartujas —dijo doña Matildita—. Ni un mal caso que resolver. En fin, Dios proveerá... ¿Pongo la televisión?

—Bueno —dijo doña Lucía.

—Bien —dijo doña Ursula.

—¿Y una copita?

—Bueno —dijo aburridamente doña Lucía.

—Bien —dijo bostezando doña Ursula.

—Chicas, cómo estáis. Hay que tener más espíritu.

Las tres viejas se acomodaron para ver la televisión. Corrieron las cortinas del mirador para que no entrara luz alguna de la calle.

—Cuando las cosas vienen mal dadas —dijo doña Lucía— no queda otro remedio que resignarse.

Estaban pasando el telediario. Un ministro discurseaba ante una multitud.

—Que cara tan antipática tiene —dijo doña Ursula.

—Que aire de advenedizo —dijo doña Matildita.

—Lo que habrá hecho ese —dijo doña Lucía—. Que buena investigación debe tener.

—Lo que nos perdemos por no vivir en la capital de la nación —aseguró doña Matildita—. La de casos que podríamos estudiar.

—Es una pena —se quejó doña Ursula.

—Lo dicho, hay que resignarse —dijo doña Lucía.

En la pantalla apareció un concurso de saltos de esquí.

—Este invierno va a ser muy largo y muy duro —comentó doña Lucía.

—Y tanto —corroboró doña Ursula—. Y qué triste.

—Y qué amargo —añadió doña Matildita apurando su copa de Brizard.

Reflexión obvia

Del círculo de la Amistad, primera fundación recreativa de la ciudad, al Casino Militar y Mercantil, segunda fundación recreativa y primera cultural de la plaza; del Casino Militar y Mercantil al Tennis Club, tercera fundación recreativa, segunda cultural y primera deportiva de la población; del Tennis Club al Nuevo Club, cuarta fundación recreativa, tercera cultural, segunda deportiva y primera elegante de la urbe. Los empleadillos, las criadas, los obreros especializados y algunas momias del tiempo de la fundación van al Círculo. Los militares y los burgueses al Casino que apelan. Algunos tránsfugas del Casino y los *snobs* al Tennis Club.

Y la crema, la nata, la flor, la sangre gótica y algunos títulos algo desvaídos al Nuevo Club. Y del Nuevo Club se segregan los calaverones nihilistas y *dandys,* que regresan al Círculo para alternar con la marmota y el chupatintas, con el eléctrico y la momia añorante. Siempre vuelta a empezar.

Así un invierno y otro invierno y otro... Hasta que uno por uno o en grupos, según las circunstancias y las epidemias, todos, al fin, se reúnen en el Círculo, Casino y Club de los Santos Apóstoles, cementerio de la ciudad. Mientras, las contadas u otras vanas ocupaciones.

Y las nubes pasando por las agujas de las torres, pastoreadas del cierzo.

Los bajos fondos

Los vecinos del callejón de Andín

Jácara de poca, pero buena intención

Aquí es donde se cuenta que el callejón no tenía salida.

El callejón de Andín olía mal. En su entrada avisaba el celo municipal al transeúnte, por medio de un cartelón, que estaba prohibido, bajo multa de cinco pesetas, hacer aguas. Siete casas y una tapia, alta, desconchada, triste y florecida de plantas humildes, formaban Andín. Una taberna, una relojería y un modesto prostíbulo eran sus únicos establecimientos. El dueño de la taberna era un tipo curioso: gordo, comilón, ingenioso, deslenguado, y pobre hasta de sueños de lotería, vivía a cuenta del crédito que a su padre concedieron en otros tiempos en la pequeña ciudad. El relojero era un zaragata, un tirillas, lleno de resentimientos, trompa y clamoroso de justicia; se bandeaba en cuestiones de dinero, y cuando estaba pasado de vino, con bastante dignidad. De la dueña de la casa de mala nota luego hablaremos.

El callejón de Andín pertenecía al invierno. Cubierto en su primera mitad, era como un túnel hacia el corazón de la manzana de casas donde figuraba. El corazón de la manzana estaba formado por unas huertas míseras, de plantas apolilladas, sobre las que flotaban trapos sucios y trozos de periódicos. Las huertas entristecían las miradas de los niños en las galerías con ropas blancas, colgadas de los alambres de tender; niños melancólicos, que veían pasar las nubes y buscar porquerías a los perros vagabundos que se colaban por el callejón.

Andín pertenecía al invierno: a las lluvias, a las nieves y a los fríos intensos. En el verano parecía una fosa común, con gordos gusanos de vecindad en albornoz; en la primavera, conmovía la angustia su soledad, y en el otoño, sucio, de luz siniestra, de penumbras, de crimen alevoso y deyecciones, repugnaba. En el invierno, sin embargo, el callejón tenía un cálido misterio hogareño, de pasillo sin luces.

La gente chungona llamaba al callejón, en vez de Andín, de las ratas. Todos los borrachos de la ciudad orinaban creyendo molestar a los vecinos, pero ellos ni se enteraban. A veces salían el tabernero y el relojero hacia la verdadera calle, y entonces se daban aires de dueños viendo pasar a las gentes desde el umbral del callejón.

La taberna era gloriosa, según calificación de un sacristán con hábitos de rufiancillo que caía de vez en vez por allí para coger fuerzas y seguir hasta la casita en pecado mortal. Había dos mesas diminutas junto a una ventana de cristales azules, que entenebrecían el interior, rodeadas de unos cuantos taburetes. Un mostradorcillo, frente a la puerta, con cinco o seis frascas de vino tinto y dos de blanco —«Cuando se acaben, a mirar», dijo una vez el tabernero—, que formaban el bastimento cotidiano; unas cubas de roble americano vacías, y heredadas vacías de su buen padre, que murió de un *paralís,* a su contar. Eso era la taberna. Todo lo que no se vislumbraba eran catacumbas: la cocina, el dormitorio, un trastero de cosas divertidas —sombreros Frégoli, sombreros de pico, un trébede, palanganas, restos de abrigo, cacharros desportillados... y el indudable cuarto del crimen.

Nadie se explicaba por qué aquel relojero colocó su taller en el lugar más oscuro de la población. Solamente lo entendían el tabernero, que era su amigo, y un compinche dado al sable y a las malas costumbres.

La taberna gozaba de pocos clientes: algunos que compraban allí el vino para las comidas y los habituales que se bebían el de las frascas del mostrador. Entre los habituales solía haber con cierta frecuencia sus más y sus menos, como consecuencia del juego del mus, disciplina en la que todos estaban muy versados. Eran buenas personas y, aunque poco de fiar, no sobrepasaban en mucho las rasancias de la normalidad.

El relojero mimaba a su hija, que no era un modelo de belleza, pero que no estaba mal. Y la hija mimaba a un novio que ni era un modelo de belleza —de belleza moral, se entiende— ni un ejemplo a imitar. El novio, de profesión curtidor y de inclinación belitre, era un vivalavirgen que, desde su llegada de cumplir el servicio militar, no hacía más que el mono por la calle y el tenorio en los bailoteos de la plaza Mayor. Decía, por gracia, que vivía del cuero; pero debía de ser del ajeno, que llaman de Ubrique y que suele estar hecho con pellejo de pobre, de las pocas veces que se le ve orondo. Al relojero no le gustaba ni un pizco aquel noviazgo, porque mal estaba que a la chica le hubiera salido el padre tronado y la madre holgazana, pero que el novio tuviera también truenos en la cabeza y la hiciera una desgraciada, era cosa que él, aprovechando los restos de sentido común que le quedaban, no podía pasar por alto. Varias veces había echado al galán del callejón cuando sentía a la pareja en las sombras, despidiéndose larga y amorosamente, hasta que un día el mozo se le encaró y le vino a decir que no se metiera donde no le llamaban. A la niña le costó aquello una paliza por partida doble: la primera, inquisitorial —la del padre— y la segunda, cinematográfica —la del gachó de la que estaba enamorada—, en un intervalo de quince horas. Fue difícil que no se le saltara algún hueso de los trastazos que llevó. La chica volvió a las andadas, porque parece ser que las manos paternas no escarmientan y las de presuntas nupcias tienen algo de brujas que ellas sabrán lo que importan. Además, era de buena raza.

Solamente salía de la taberna de Gorrinito para escupir, Mataba sus horas leyendo el periódico, espantándose de los sucesos, bebiendo y discutiendo con la poca gente de paso. La muerte le rondaba los pulmones clavándole alfileres. Era pesado en su charla, absurdo en sus conocimientos, tajante en sus apreciaciones. No sufría bien las bromas y no fumaba otro tabaco que el que le daban. Cuando andaba, lo hacía encogido de enfermedad y a veces escorado de vino. Presumía de caballero y hablaba con respeto de su padre, un asturiano que tuvo alguna fortuna y que le dejó, para que se hiciera hombre de provecho, magníficas máximas y sabios consejos, porque las apuestas, las mujeres, la sidra y los negocios ruinosos le dejaron a él listo y agotado. Tenía el hombre hábitos y presunciones de Don Juan y cooperaba en el abrirles la boca de tedio al tabernero contándoles sus memorias, un tanto pornográficas y complicadas. Resultaba que fue en su juventud bala perdida, siguiendo ejemplo notorio, y ahora andaba moqueando sus borracheras con los bolsillos casi vacíos. Había estado de mozo de Méjico, y contaba fábulas de la indiada, imitando las voces y los giros guasones. Era hombre de poca ropa.

A pesar de su edad, que, en proporción de tiempo, era de guinda en aguardiente, se le nombraba siempre por un diminutivo menos cariñoso que de vaya. Así, Morito, por sus cuentos de moros, obscenos y añorantes; así, Cabecita, aunque era un cabezota y llevaba boina gigante de modelo carlista; así, Panchito Villa, por haber estado en época de revolución, vendiendo telas en Sonora. Era loco coleccionista de guarrerías, y el llevar gafas cayéndosele de la nariz le multiplicaban la intención rijosa.

Panchito debió de ser mozarrón erguido como ahora era una pena —y no hay más que decir—. Volvía a las andadas del amor, de tarde en tarde, con busconcillas que humorísticamente llamaba sus sobrinas y que tenían apodos de cuenta: «La Chinorris», «La Tomate», «La Garrafón». Su amigo de verdad era un taxista grandullón que tripulaba un viejo Renault y del que tampoco se sabía bien su bautismo, porque pecaba de demasiado simpático y de mucha correa y aguantaba motes y bromas de mal gusto. Al taxista, los de más confianza le decían Volante, y los otros, lo que les daba la gana. Volante era bueno, católico especial, socialista antiguo y un mago, por añadidura, con las cartas en la mano. Todos le querían y era jefe de partidas y amante del tumulto. Hablaba raro y rompiendo la charla a carcajadas.

Fue la tarde del 24 de noviembre cuando Panchito y Volante se citaron en la taberna llena de basura de Gorrinito, en el callejón de Andín. Entró Panchito mojado de lluvia y con él un viento norte que le hizo dar un tiritón al relojero, que allí estaba murmurando de todo y levantando falsos testimonios, hecho un clásico. Gorrinito, contra su costumbre, se mostraba obsequioso y alegre. Iban a preparar una merienda, una merienda sin muchas fantasías, pero nutritiva y gustosa, al decir del relojero. Gorrinito recibió a Panchito momero y mal intencionado.

—Panchito, nene, ¡cómo te vas a poner! Chacho, ¡qué tío! ¿Cuánto hace que no comes? Anda, Panchito, haz una gracia. Hom., diles a tus sobrinas que vengan, cuando acabemos, para que nos demos la fiesta.

Gorrinito hacía continuamente gracias de este jaez. A Panchito le sentaban mal, porque siempre, por ser tan escamón, las sospechaba doble sentido contra sus antepasados. De pronto le interrumpía, medio enfadado, medio echando a risa la cosa.

—Ustez —así hablaba—, a su obligación, que es el negocio o lo que sea esto. Ustez, con los clientes, respeto, porque si no, ya sabe...

Gorrinito se engallaba, también, medio en broma y veras.

—¿Qué ya sabes? No te... ¿Desde cuándo estás mareada, sílfide?

Unas veces se trataban de usted y otras de tú, unas groseramente y otras con una refinada educación, que se sacaban de sus recuerdos de niños, a los que las madres hacen saludar ruborizados o dar las gracias con frases tópicas.

El relojero intervino, paliando la bronca.

En la calle se iba haciendo la oscuridad. Una lección apagada de solfeo ponía un punto melancólico en la tarde. De la entrada del callejón llegaban unos bocinazos conocidos. Volante y su Renault estaban allí. La gata del establecimiento, alzando el rabo, abandonó el umbral de la puerta por el resguardo del mostrador. Se oyó, al asomarse el relojero a la calle a una mujer llamar angustiosamente; la voz sonaba como un toque de cornetín:

—¡Fernandito, aquí que te pilla!

La puerta de la taberna se ennegreció poco después, al entrar Volante. Se escucharon dos azotes y un intento de lloro frustrado por la disciplina materna.

—A callar o hay más.

Después, el golpe metálico del cerrarse la puerta y los berridos del chófer saludando.

—Buenas tardes a todos. ¡Hombre, Panchito! Buenas tardes; he dicho buenas tardes, grosero —fingía el habla de su compadre—. Me han dicho que ayer tarde te mareaste —hacía un alto—. ¿Se dice marearse o estar como una cuba? —y se reía estruendosamente.

Se abrió de nuevo la puerta. Un viejecillo ciego taconeó su bastón. Fue saludando al unísono.

—Buenas tardes, abuelo.

—Buenas nos la dé Dios. Una cañita, hijo, que traigo sed.

Gorrinito se volvía a los otros.

—Mirad el abuelo. Y que no se pone bueno, dice. Pues si todos los días se coloca, y luego que todavía...

El abuelo, disimulando el piropo carreteril, se encrespaba chulón.

—Ya no estoy para eso. Vosotros, vosotros; que yo antes moro que lirondo.

Otra vez risas. Luego, silencio. Se daban tabaco. Gorrinito encendió la luz. Pasó un trapo por una mesa. En unas banquetas medio cojas se sentaron Volante, Panchito y el relojero. El dueño de la taberna se colocó sobre el tablero una frasca, cuatro vasos y dos panes largos: luego se sumergió en las tinieblas interiores, de las que volvió al rato con una gran fuente de filetes empanados. Invitaron al ciego, que lo agradeció con educación. Sacaron las charrascas para ayudarse. Gorrinito acercó otra banqueta y se pusieron a comer. En un vaso cayó una polilla. Gorrinito la sacó con la hoja de su chafirote y la disparó al aire.

—Agradéceme la vida.

Un reflejillo de grasa se notaba en el mostagán. Comían torpemente, con las manos agarrotadas. Comían como unos estupendos animalillos. Paraba Volante en su deglutir, se pasaba el pañuelo, calloso de sonadas, por los labios y se echaba un trago. No hablaban apenas. Llegó un cliente y el tabernero se levantó un momento a servirle. El cliente respetó la merienda y se bebió el vaso de un sorbo; para entonces Gorrinito estaba de nuevo sentado.

—¿Quiere cobrar?

—Déjelo ahí, por favor.

Acabaron de merendar y la conversación empezó a tomar un tono. Dirigía el tabernero.

—Oye, Volante, me han dicho que al chico de la Petra lo han cogido con las manos en el pringue. ¿Es de verdad eso?

Se escalofrió Panchito y adelantóse a la respuesta, cerciorándose de lo oído.

—¿Que han cogido al chico de la Petra? ¡No puede ser!

—¿Que no puede ser? Pues está con la tía Carlota, de la que le han arrimado, y bajo cubierto, para que no se insole.

—Yo no había oído nada —engañaba Volante.

El abuelo intervenía en suspirón de andanzas.

—¡Qué pena de chico! Y era buen mecánico. Dicen que, además, anda mezclado en otras cosillas.

Gorrinito explicaba su rodeo.

—A eso es a lo que iba yo.

—Pues la ha hecho —y Volante se servía más vino para ayudarse en la meditación de los malos que son los caminos que a veces el hombre recorre.

Panchito estaba de piedra y le cabrilleaba en el cristal de las gafas un reflejo miedoso. La conversación cogía cuerpo después de los primeros escarceos meridionales. Repentinamente, Panchito se levantó y se disculpó para marcharse.

—Pero ¿qué mosca te pica, Panchito? ¿Te ha hecho algo daño? —buenón, el chófer se debía a la amistad.

—No, no es nada de eso. Es que ahora recuerdo que estoy citado con Perico para una asunto de aquello que te dije. Y voy al momento. Estoy de vuelta en seguida.

Sin más explicaciones, se fue a la calle. Volante, Gorrinito y el relojero se miraron sorprendidos. El taxista encogió los hombros y comentó:

—Está como un silbo. Chalao del todo. ¡Anda ahí, que lo encuentre un caballo!

Gorrinito meditaba. Se coló de afecto, llamándole por su patronímico.

—No es eso, Pepe.

—¿Qué dices tú? A ti también va a haber que llevarte atado con cadenas. Pero, abuelo —inflaba el pecho y sostenía a pleno pulmón las sílabas—, ¿cuándo se ha visto eso? Estáis igual que el ermitaño de las cercas.

—Que no es eso, Pepe, ¡y tú lo sabes!

El relojero callaba, elaborando un cigarro.

—Pero ¿qué dices, Eutiquio, qué dices?

—Tú eres muy bueno, Pepe; pero esto lo sabes igual que yo que tenía que acabar mal. Lo del chico de la Petra iba a mayores, que no se puede comprar lo robado. Y luego, esas chusmetas, que dan a las gentes que pensar.

—Pero ¡qué van a dar, qué van a dar! —aspeaba las manos Volante—. Tú ves duendes donde no los hay. Además, ni siquiera sabes si es verdad lo del chico ese.

El abuelo, que fumaba silencioso, saltó aclarador.

—No, señores. Lo del chico es verdad, que lo he oído en casa de Gregorio.

—Mire usted, abuelo —decía el relojero, al que tocaba el turno de despellejar a alguien, poniendo cátedra de saber lo que es la vida y llevando pausada la frase—. Mire usted, Gregorio está más visto que Carruca, y ahí la gente no va más que a hablar mal. Si dicen, que digan; que también de la madre del Preste decían, y resultó honrada. ¿No te fastidia tanta guasita?

—¿Y si resulta verdad? —añadía Gorrinito.

—Pues chico: si resulta verdad, a la cárcel con él.

—¿Y si Panchito está en ese laberinto?

—Ese qué va a estar, hombre —cortaba Volante—. Anda déjalo ya. Anda y cambia, que tú sí que estás.

El chófer giró la conversación con gentileza, dirigiéndose al abuelo, que chupaba incesantemente su pipa rota y arreglada, rota y cortada, y añadida y sucia, y maloliente y remordida por cuatro recuerdos históricos de una hermosa dentadura.

—A ver, abuelo, cuéntenos cosas de su tiempo. Sácale una copa al abuelo.

El abuelo le daba un chupito al vaso para terminarlo. Después se echaba para atrás, colocaba bien el bastón entre sus piernas, lanzaba una larga bocanada y, deseoso de que le marcaran el tema de siempre, preguntaba.

—¿De qué te hablo, Volante? ¿De las mujeres de mi tiempo?

—De lo que usted quiera, abuelo, que este Gorrinito nos ha estropeado la fiesta con sus zanganadas.

Gorrinito se molestaba, refunfuñón.

—Has dicho, Volante, que vamos a dejarlo.

—Pero si es que eres un berzas, Gorrinito —le reprochaba, lleno de bruta cordialidad, y seguía—: Ande, abuelo, déle a las mujeres, que de eso es usted un Cajal.

El abuelo comenzaba rotundo con su tema predilecto.

—Por tres cucas, en mis tiempos, había verdaderas diosas, de esas que dicen los paganos.

Desde la puerta saludaba Piorrea, un charlatán que vivía en Andín, se pasaba el verano por las ferias de los pueblos vendiendo dentífricos, y llevaba tal apodo porque los anunciaba así: «Comprar estos polvos *dentríficos,* porque si no os puede dar la piorrea, que ataca a la calavera.»

Aquí se dice que hubo burla y dimes y diretes y algo de sangre

Llovía pausadamente: llovía del mismo modo que anda un concejal jaleándose la barriga. El callejón se adensaba en tinieblas. El reflejo de la luz de la taberna, reflejo azul, valoraba todavía más la oscuridad. La fruta podrida de una bombilla amarillenta de portal también colaboraba en la negrura del callejón. La imaginación hacía nacer monstruos que terrorificaban aquellos andurriales. De la tierra mojada de las huertas llegaba, esparciéndose, un olor acre y vegetal de capilla ardiente. La sombra de una rata se distinguió veloz, en la pobre claridad que arrojaba la taberna. El ruido de la lluvia era agradable, convidaba a estarse quieto, mojándose, o a chapotear infantilmente, apenas sin moverse. El callejón, a pesar del frío y de la lluvia, estaba caldeado por un elemento extraño que nada tenía que ver con las sensaciones físicas normales.

Por la calle, de la que nacía Andín, desfilaban los últimos paseantes de los soportales de la plaza. La ciudad se avejentaba desde que los habitantes abandonaban las calles, el ajetreo y el gran devaneo del amor paseante. La ciudad no se salía de las normas provincianas: las mujeres y los hombres, los hombres y las mujeres mantenían un juego, en el paseo, de miradas y de vueltas y revueltas en distintos sentidos. Esto formaba parte del rito ciudadano, como el que los hombres más hombres, en la misa de doce de los domingos, se quedaran junto a las puertas, sin entrar en los bancos, aunque hubiese sitio. Los últimos paseantes caminaban entre escalofríos fingidos, esto es, preparándose artificialmente el cuerpo para, al llegar a sus casas, gozar mejor de la delicia del calor hogareño. Toda una fisiología como consecuencia del brasero y las zapatillas.

Dos hombres llegábanse a la entrada del callejón, despacio, perdiendo su tiempo a pasitos. Venían enlazados en conversación y como encapullados en hilos de agua; algo importante les traía indiferentes al tiempo, desafiando el frío. Frío de noviembre, frío de color negro humo, como el de octubre gris y el de finales de septiembre tinto; frío volteado por el arado, como el de diciembre asfáltico y el de enero tuno.

Se colaron por el callejón sin abandonar su conservación

un solo instante para certificar las pisadas en el suelo sospechoso. Se colaron guiados por el faro tabernario. Y allí llegaron cuando el sacristán empinaba el codo para animarse el pequeño trecho que le separaba del pequeño lupanar, fija meta de aquella noche. Se oyó un lejano silbido de tren.

La dueña de la casa es Paca, Paca Martínez. Paca no usa alias; es una mujer morena, seria, aséptica. Su hermana Olga —nacida Cecilia— tiene la cabeza llena de canarios que le trinan sin cesar, el corazón veleidoso, la contestación impertinente a flor de labios, la edad niña, los rizos rubios y un novio carterista.

Se ha cambiado su nombre de guerra siete veces, porque posee los siete pecados capitales y tal vez alguno más que ella se inventa. Cecilia se ha llamado con nombres bonitos de cortesana novelesca: Yolanda, Coral, Nina, Vicky, Carola, Bebé. Ahora se llamaba Olga por pura influencia del cinematógrafo. Su novio es el Antonio, hijo de la Petra, aunque ella le dice Tony porque es más bonito.

Paca tiró el corazón a la basura en Murcia después que la deshonró un sargento, del que era novia cuando fue criada de servir. Olga es muy distinta.

Cuando a Paca le preguntan por qué está así, suele contestar amablemente:

—Los garbanzos están muy caros. El aceite, por las nubes.

Cuando se lo preguntan a Olga, responde guiñando un ojo y palmeándose el pelo:

—*Mon ami, la vi. Sé la vi.*

Luego se ríe casi inocente, casi misteriosa.

La vida de las dos, aparte de sus andanzas profesionales, es muy simple. Paca es una mujer de su casa, hacendosa, limpia y buena cocinera, aunque no de mucho repertorio. Olga prefiere a todo el cine, el baile, los noveluchos de amor. Olga obedece a Paca, que tiene más experiencia y también más mano izquierda.

A Olga se le presentó una vez la ocasión de redimirse, según su hermana, con un paleto de Guadalajara que se había enamorado de ella y quería casarse. Olga no lo aceptó por miedo a que se le estropearan las manos en el río del pueblo al lavar la ropa. Además, es una mujer de ciudad, una mujer que apenas comprende el campo. ¡Ay, si la ocasión se le hubiese presentado a Paca!

Olga piensa organizar una fiesta en el burdelito para Antonio y tal vez el sacristán; su hermana no está muy conforme con la chaladura. Sin embargo, Paca lo da por bueno, porque siente el fatalismo de que para cuatro días que va a vivir una... Olga ha invitado a Antonio, que es un bicho malo y le va a buscar la ruina, según lo aprecia Paca. Es algo borrachín, bastante pendenciero, muy cobarde, hábil con las cartas y con los dedos, habla un idioma estrafalario, con su poquito de guasa y de mala sombra. Paca cree que es carne de presidio.

Todos los días hay bronca por Antonio. Paca ya le ha tenido que decir más de una vez: las manos quietas. Y un día darle un bofetón, con demostraciones de ira espectacular por su parte, porque pretendía cosas feas. Olga siempre le expone a su hermana argumentos convincentes de retiro de mala vida:

—Tony me pone piso, chica. Tony me ha dicho que me va a comprar un abrigo de pieles con los ahorros que él ha hecho y con lo que yo le di.

—Pero, ¿le diste a ese sinvergüenza dinero?

Entonces Olga hace un mohín de escama.

—¿Tú crees que se lo habrá gastado?

—Tú estás en la inopia.

—Cómo eres de desconfiada.

—Y tú de idiota.

Luego Paca se va a la cocina con gesto avinagrado, no sin antes de recomendar a su hermana:

—Repasa las medias, ¿o quieres que lo haga yo todo?

Piorrea se apoyaba en el pequeño mostrador de la taberna de Gorrinito, escuchando al sacristán y a los recién llegados. Hacía ya un buen rato que el abuelo y Volante habían desaparecido, uno a dormir, porque la vejez requiere cuidados y sueño antes de media noche, y el otro a encerrar el taxi, porque ya nada había que hacer. Gorrinito y el relojero charlaban algo importante muy en voz baja y con gran aparato y recelo, mirando al soslayo, bajando cada vez más el tono y subiéndole hasta el aullido de cuando en cuando.

—Pero, mira, si yo te dije. No ves que yo...

Interrumpía el otro:

—Pero si yo me lo sabía de memoria que tenía que ocurrir y ha ocurrido.

—Y ¿éste? ¿Te das cuenta? —se volvía el tabernero de espaldas a los clientes de mostrador, señalándose con el dedo pulgar el pecho, guiñando un ojo y moviendo casi imperceptiblemente la cabeza hacia atrás.

Bajaban de nuevo la voz. Ahora tocaba el turno a los clientes, que gritaban también, desaforada y misteriosamente. La conversación de los dos grupitos era como una balanza, mejor como la balanza escénica de un sainete antiguo, donde los enemigos o los desconocidos gritan para el público por turno riguroso y ellos no se enteraban de nada.

En los silencios, cuando la balanza estaba en su fiel, la lluvia sonaba sus bisbiseos en los cristales.

Andín era un cuenco donde las lluvias, las nieves y las estrellas encontraban su reposo; echaban nata. Los vecinos, al extender sus manos al cielo, casi podían apresar los luceros, de bajos que parecían, y casi podían dejar entrar en sus casas las lluvias y las nieves de humanas que se les hacían.

Seguía lloviendo. De pronto, en la dulzura de la noche, un sereno clavaba un arpón, que las traspasaba, con el golpe de su chuzo sobre el bordillo de la acera. En la taberna Gorrinito se ajustaba el cinturón.

—¡Que nos vamos, que han dado las once!

El relojero todavía pretendía conversación bebiendo el último trago.

—Ya lo sabes, Eutiquio; eso es así, y nada más que así. Convida a estos señores si aceptan.

Se levantaba la voz del sacristán:

—Faltaba más. Muchas gracias. ¿Qué tal va ese negocio?

—Regulín, regulán.

—Todo está malo ahora, ¿eh?

Se presagiaba una conversación interesante. Gorrinito se nombró adelantado, fijando la mirada en los dos hombres que habían entrado los últimos. Piorrea se servía tabaco y se dejaba caer la petaca; luego se agachaba a recogerla, haciendo en el suelo un montoncito con lo que se había escapado, con mucha más basura que tabaco. Estaba borracho y tartajeaba.

Gorrinito se dirigió a uno de los dos en que se había fijado:

—Oye, Antonio; tú ya sabes que por aquí se te quiere bien, ¿eh? Fíjate, yo te he visto nacer, como quien dice nacer. A la Petra, tu madre, pues no digamos, es de mis tiempos. Además, compañera de mi mujer, que en gloria esté.

El Antonio afirmaba con la cabeza, mientras liaba su cigarrillo, algo emocionadillo, si cabe.

—Sí, Eutiquio; ya lo sé.

El otro descerrajó sus tiros a bocajarro:

—Hombre, pues por eso; porque somos amigos, ¿no? A mí me fastidia que se digan por ahí de ti ciertas cosas.

Al hijo de la Petra le nació un gallo de pelea en el pecho. Mordió las palabras:

—Algún hijo de la sota de bastos. Como yo me entere de quien es se va arreglao.

—Hombre, yo no estoy enterado, porque si no ya sabes. No es menester decirte que en mi casa de eso nada. Que aquí se respeta a todo el mundo. Panchito, ¿sabes?, creo que se fue a enterar, porque, según tengo entendido, tenéis sociedad en algo, ¿no?

El Antonio meditaba sobre lo que habrían podido decir de él tantas cosas y ninguna honrada había hecho. Se calentaba el caletre averiguando.

—Bueno, Panchito y yo somos socios; pero no sé qué tiene que ver eso con lo que dicen.

El tabernero se perfilaba:

—Pues que si vives de las manos y que si habías hecho cosas peores no sé en dónde y que si estabas jugando con los guroñones para matarles el aburrimiento de estar por capricho a la sombra. Y, claro, que si Panchito te compraba los afanes.

El Antonio, tranquilizada su conciencia, se cruzó de brazos y, medio riéndose, apagó el fuego.

—Nada, hombre; yo creía que era algo peor, porque como ya de uno dicen tantas porquerías.

—Es que decían que te había pillao el trueno y que al arrimarte al código no quisiste jarabe y te fuiste de la mojarra y estabas trasnochado seriamente.

El hijo de la Petra dio un estirón.

—Eso ya sé de quién es. Eso viene de casa Gregorio, donde alterna Bayoneta. Le voy a partir el alma en cuanto me lo encuentre.

Sonreía el relojero, y luego, como hombre mayor y sin fuerzas para tanta empresa, decía:

—Yo también tengo que arreglar una cuenta con ese mamarracho buscavidas, que le ronda a mi chica y busca de los cuartos de atrás, de ella y de los míos, que sospecha una herencia.

Piorrea se dormía de pies... El sacristán gozaba en aquellos momentos de misteriosos escalofríos. El acompañante del hijo de la Petra contempla en silencio, con cara de importarle aquello un pito. Gorrinito lavaba los vasos y servía otra ronda.

—Esta, ¿por cuenta de quién?

—Da igual; mía —hablaba el Antonio, y se dirigía al relojero—. Cuénteme eso, cuénteme eso.

—Pues nada, que anda detrás de mi chica y la trae loca. Total, que yo no le puedo quitar de la cabeza a ese mendrugo. Hoy se la ha llevado al cine; vendrán cuando Dios quiera.

El Antonio, enterado, se volvió para pagar.

—¿Cuánto debo? —pausa—. Pues nada; usted no se preocupe que a ese tipo le voy a arreglar yo. Ahora me largo, pero esto no se queda así. De modo que hasta mañana, y que no se apure Panchito; le dicen, eso sí, que yo no le he visto antes. Vamos, tú, vamos, sacristán.

Salieron a la calle.

Gorrinito le decía a Piorrea:

—Vamos, tú, que ya es hora.

—Dame otro vaso.

—Anda, que vas servido; no bebas más.

El borracho se puso pelmazo y Gorrinito le sirvió la última copa, después saludó y se fue dando bandazos hacia la puerta; iba cantando su interminable letanía de charlatán: «Dentrífico elaborado al carbón, con flores de montaña que perfuman el aliento y endurecen las encías, con extracto de crema cubana y un poderoso astringente».

Se perdió por el callejón. El relojero se despidió lentamente de Gorrinito:

—Hasta mañana, Eutiquio.

—Hasta mañana.

Se marchaba pensativo y con una extraña sonrisa en los labios. Antes de entrar en su portal, oyó todavía a Piorrea faltar a las Ordenanzas municipales en la rinconada de la entrada del callejón.

¡Vaya si venían amorosos Bayoneta y su novia! Daba el cuarto primero de las dos de la mañana en el reloj de la parroquia. Las torres en la ciudad se levantaban como malos pensamientos, negras, espesas, atolondrando la noche. Guardaban en el campanario pájaros moribundos de frío.

Solían trepar las ratas de los sótanos hasta la altura para comerles los huevos, en el tiempo de la puesta. Desde las torres el verano se ensanchaba, el invierno se empequeñecía y recuadraba, la primavera y el otoño eran como decoraciones de teatro.

Bayoneta y su novia se quedaron a la entrada del callejón, bajo cubierto. Desde la sombra les clavaba su mirada el relojero. Los ojos del relojero tenían una inquieta y amenazante lucecilla roja. Bayoneta se mostraba más amoroso que de costumbre, llenaba los oídos de su novia de proyectos, la cabeza de sueños de colores, el cuero de deseos.

—Me voy a poner a trabajar para arreglar esto. Y luego a la iglesia para estar como Dios manda. Ya no quiero líos.

—Sí, cariño.

—Sí, porque está visto que hay que formalizarse y hacer lo de los demás aunque te cueste. Fíjate en mis amigos, todos se van casando. Es que no hay otro remedio. O casarte o hacerse un golfo, y esto no, porque la vida es la vida, y luego no puedes ir con la cabeza alta por ningún sitio.

La muchacha suspiraba y entornaba los ojos.

—¡Vaya, Dios te ha oído! Y ¿cuándo vas a empezar?

—Desde el lunes, chiquilla.

—Pero de verdad, ¿eh? ¡Que siempre dices lo mismo y luego nada!

El relojero sonrió. Después, pegado a la pared, se fue hacia la casa en juerga. Iba como una rata buscando el refugio del sumidero. La pareja seguía con sus proyectos.

—Te advierto que en cualquier taller me admiten, porque yo sé el oficio. No creas que soy un piernas.

—Sí, ya lo sé que cuando tú quieras...

—Pues ahora quiero— se le escapaba un taco—, porque lo que yo estoy deseando es trabajar, trabajar de verdad y dejarme de tonterías.

Luego se besaban y extendían como un zureo de palomas con sus voces cálidas y apagadas.

El relojero ya estaba llamando a la puerta suavemente. Cantaba el sacristán una jota procaz de vendimiador sabio. Si se le quedaba un verso en el rincón de la memoria, decía una sola palabra y el resto lo tarareaba. Así parecía que la jota era todavía más tremenda y se llenaba sin querer de reticencias espantosas, de las que hacen temblar la piel escarchada de las beguinas, que ven como lamen el trasero las llamas del infierno a quien las canta. Abrieron la puerta al relojero y asomó la cara morena de Paca.

—¿Qué quiere usted? No son horas.

—Hablar con Antonio, hija.

—Pues no está.

—Sí, está. Me ha dicho que le venga a buscar.

—Pase.

Hacía un calor pegajoso. Olía a perfumería barata. El relojero se quedó en el principio de una escalera que ascendía hasta el piso donde Antonio y los demás pasaban revista al folklore patrio... Alzó la cabeza el relojero y vio cómo subía Paca, enchancletada, cloqueante. Se entreabrió una puerta y llegaron las voces perfectas y una sensación de humo encerrado, que necesitaba, como un fantasma, bajar por las escaleras y luego perderse por el callejón. El relojero se creyó en el deber de advertir su presencia. Gritó:

—Soy yo, Antonio.

—¡Que ya voy, hombre!

El Antonio asomó el cuerpo a la baranda.

—Suba usted.

Al relojero le apareció un ratón puritano por un bolsillo de chaqueta. Asqueó la cara y rogó:

—Antonio, es que es para algo importante. De lo que hablamos antes. Bayoneta está ahí, a la entrada del callejón.

—¿Que está ahí?

Al Antonio no le hacía gracia que le interrumpieran la diversión. Lo malo es que había dado su palabra de hombre y que se debía a ella. Así, aunque de mala gana, concertó la pelea.

—Ahora bajo a darle a ése.

—Date prisa.

El Antonio, en la habitación, se echó con disimulo un sacacorchos al bolsillo. Flamenqueó cuando Cecilia le preguntaba dónde iba.

—En seguida estoy de vuelta. Voy a arreglar una cuenteja.

Empezó la función de teatro. Cecilia se alborotaba.

—Tú no vas a ningún sitio —luego ablandaba el habla—. Anda quédate, no hagas locuras.

—Déjame, mujer.

Intervenía el sacristán:

—Pero, hombre, deja las cuentas para mañana.

Dijo Paca:

—No arméis escándalo. Bajad la voz.

El único que callaba era el amigo del Antonio, que fumaba plácidamente y se balanceaba en una silla. Recorría con los ojos lentamente el riachuelo de vino que se había formado en la mesa, volviendo la copa para tirar las heces. Ayuda a la corriente con el dedo. La lámpara se reflejaba en el vino como un ojo gigante. La comedia seguía:

—Tony, no salgas —gritaba histérica Cecilia—. No salgas, que te pierdo. No te busques la ruina.

—Cállate, que yo ya sé lo que tengo que hacer. Yo soy un macho y tengo que darle a ese...

Había llegado el momento de los insultos fuertes.

El sacristán temía comprometerse.

—Si ocurre algo, yo no he estado aquí.

Entonces fue cuando el compañero silencioso y canalizante tomó postura, y quedó muy gallardamente:

—Antonio, ¿me necesitas?

Y el Antonio, con el mejor gesto de «fuera too er mundo» de los toreros romancescos, le contestó, mientras todo el furor de Cecilia se concentraba en las manos, macerándole el brazo derecho.

—No; esto lo arreglo yo solo —se interrumpió—. Domínate, Cecilia, o te doy.

Paseó la mirada por la habitación. El sacristán se acoquinó ante tanta hombría. El compañero oferente trazó un riachuelo con el dedo y vertió un poco de vino para darle caudal. Después el Antonio se fue hacia la puerta. El relojero gritó nervioso.

—Vamos, Antonio, que se puede marchar.

—Espérese, viejo idiota —fue la contestación.

El relojero se la envainó, y a callar tocan. Paca, apoyada en el quicio de la puerta, con los brazos cruzados, poderosos y frescachones, entre de gladiador y de pescadora, sonreía. Aquella sonrisa hizo bajar la vista al valiente y produjo un recrudecimiento en los arrebatos de Cecilia.

—¡Ay!, que me lo matan, ¡madre mía!

—No seas idiota, chica, y deja de hacerme daño. Tengo el brazo que ni que me hubiera cogido la carga.

Cecilia se despintaba del llanto. En el maquillaje, las lágrimas le trazaban unos surcos tan raros, que parecía que la gran avenida de llanto se llevaba la carne por delante, como un ácido corrosivo. Al compañero del Antonio comenzó a interesarle el rostro de Cecilia.

El Antonio salió triunfante, glorioso, lleno de piropos secretos de Cecilia; salió como debieron salir los caballeros a las cruzadas.

—Hasta pronto; y si no vuelvo, olvídame.

Y salió. ¡Qué bárbaro!

Abajo, el relojero se apretó contra él.

—Yo primero llamo a mi hija y la subo para casa, tú en seguida te las entiendes con él.

Tal vez fuera el cambio de ambiente, o tal vez no, pero lo cierto es que al abrir la puerta y dar el primer paso a la calle el Antonio se escalofrió. El que lo azuzaba le tomó del brazo.

—Ahí están. Encógete contra la pared para que no te vea. Ahora voy yo y llamo a mi hija. Suerte, muchacho, y gracias.

Después, el relojero se adelantó, mientras al Antonio, pegado a la pared, le entraba una congoja inexplicable y un como sentimiento de vacío en la tripa. La luz del portal se reflejaba en los charcos ondulantes, porque llovía dulcemente. Habló el padre:

—A casa, hija, que es tarde.

—Ya voy, padre.

—A casa he dicho.

El palomo le dijo algo al oído, y la despidió con un azote en la nalga. Sonó un portazo y el ruido de una llave en la cerradura; ruido especialísimo que hace pensar en un grillo gigante encerrado en una jaula de hierro. El palomo dio la vuelta para marcharse, y le sorprendió su nombre. Le pareció, justamente, más que haberlo oído, verlo escrito en la pared, junto al «Se prohibe» municipal.

—Bayoneta.

La voz era conocida; bastaban dos segundos para localizarla. Estiró las manos teatralmente y giró la cabeza.

—Hola, Antonio.

El Antonio estaba parado en medio del callejón, bajo las ventanas de la casa del relojero. Se ensombrecía todo detrás de él. Comenzaron las fintas trágicas.

—Vengo a matarte, Bayoneta.

Bayoneta se extrañaba en principio, y se metió una mano en el bolsillo. Inquirió:

—¿Qué dices?

—A matarte, Bayoneta, porque tú y yo no cabemos en este lado del mundo —la frase la había aprendido en una función que él se sabía.

Se entusiasmaba el Antonio con su oratoria, creciéndose en caballero de drama en verso. Bayoneta intentaba aplacar la furia grandilocuente del Antonio, mientras un ojo tuno dividía el campo desde la cerradura de la puerta del relojero.

—Mira, Antonio, que siempre nos hemos llevado bien.

—Yo no me llevo bien con una rata.

Quedó herido Bayoneta, y dijo: Me has llamado rata.

—Sí, ¿qué pasa?

Comenzaron los juegos florales. Estaban magníficos. La técnica consistía en hablar tajante y continuamente, de tal modo que al enemigo no le quedara tiempo para formar el insulto con cierto cuidado. De pronto, se callaron. Fueron acercándose.

La primera la recibió Bayoneta; luego, todo se complicó. Apareció en una mano el sacacarchos; en otra, la navaja. Jadeaban. Habían caído los dos al suelo. Descansaban uno sobre otro. Tuvieron la mala suerte de que apareciera un sereno. Este les sirvió para crecerse: el mismo diablo se apoderó de ellos, y fue en un momento de descuido, cuando los palos del sereno menudeaban, cuando el Antonio gritó: Me ha pinchao.

Y se desmayó. Bayoneta salió corriendo, y todavía alcanzaron a darle dos estacazos del sereno, que manejaba el chuzo como El Cid la espada.

Se abrió el portal del relojero; se encendieron algunas luces en las casas. Se llamó frenéticamente en la puerta de la taberna de Gorrinito. Se desvelaron todos, y abrió un ojo el Antonio, después el otro. Le ayudaron a ponerse en pie.

—¿Dónde ha sido?

—Aquí —y se levantó la camisa.

Tenía una cortada en la espalda, en forma de media luna poco profunda y aparatosa de sangre.

El cinturón, bajo la tripa de Gorrinito, cuando éste apareció en camiseta y con el abrigo sobre los hombros, daba un matiz islámico a su persona, un aire de sultán gordo y cumplidor con las mujeres de su harem. Una media luna era también la boca de la hija del relojero, que sonreía. El sereno denunció el caso, aunque se apresuraron a bajarle un vaso grande de aguardiente con limón.

Aquí; que entró la rabia, aunque nada pasó

Amaneció un día bueno. El cielo estaba estirado; a ratos se rompían las nubes y asomaba el sol. Había templado. Jugaban la sombra y la luz, y en el callejón se retiraba una para dejar paso a la otra; les empujaba una mano, la mano que vela la luz de la lámpara y entenebrece el rincón, que deja escapar entre los dedos pájaros luminosos y cierra de pronto la jaula a cal y canto. El callejón se inundaba todo de sombra y luego se secaba todo de luz. Crecía, a veces, la sombra como una marea e iba avanzando, avanzando. También, como cuando se echa la alentada en un espejo y se empaña, y después el empañamiento se va reduciendo hasta que desaparece, del mismo modo que si una claridad marina fuera comiéndose la tierra, haciéndole y deshaciéndole, calas, bahías, golfos, cabos. El sol, entonces, se ponía azul en los charcos del callejón.

El relojero y Gorrinito discutían a la puerta de la taberna. Antonio estaba en casa de su madre durmiendo a pierna suelta, descansando de la dura batalla del día anterior. Bayoneta había sido denunciado y le buscaban los guardias. En Andín se trataba del caso con largos comentarios, siguiendo una especial técnica de degustadores de la página de sucesos que tienen los papeles. Una vecina llegaba de la compra con el capazo encerrando una huerta en miniatura. Le asomaban, como canelones de charretera, desflecados, los tallos de los puerros. Se paraba con Gorrinito.

—¡Huy!, Eutiquio. Pero, ¿cómo llegaron a tanto?

—Señora Francisca, y ¿qué sé yo?

—Parece mentira.

La vecina balanceaba la cabeza y le hacía un mohín al relojero.

—¡Qué se le va a hacer! Ahora que el uno cure y que al otro no le ocurra nada.

El relojero se adornaba de Judas fingiendo que él apenas estaba enterado.

—Ya ve usted; unos buenos muchachos, y luego... Habrá sido el vino del Antonio, porque el novio de mi chica apenas lo cata. Ya ve usted, cosas de la vida.

Gorrinito truhaneaba con su amigote:

—Sí; puede ser que el novio de tu chica sea un buen muchacho, pero lo que ha hecho no tiene perdón. Vete ahora a decirles a los guardias que es una alhaja.

Discutían amicalmente. La vecina se despedía:

—Bueno, me voy a hacer la comida. Ya me contarán lo que haya. Queden con Dios.

—Hasta luego, señora Francisca.

El tabernero, glotón, husmeaba en el proyecto de condumio:

—¿Hoy judías? Poco bien que las pone usted, ¿eh?

La mujer se esponjaba ante el piropo, ante el último piropo que a una mujer con los hijos grandes se le puede hacer. Sonriente, desaparecía por un portal.

Gorrinito y el relojero entraron en la taberna. Bebieron. El local se llenaba de tinieblas. Cambió el tiempo y un chubasco dio sueño a los habitantes del callejón. Gorrinito cerró la puerta, que se abría, con un tremendo bostezo.

—Cambia el día.

—Estos cambios son malos. Te descuidas y te vas con una pulmonía al «cortijo de los callaos».

Meditaba el dueño apoyado sobre el mostrador. El relojero se colgaba del rostro una careta que le ponía gesto terne y patibulario. La lluvia sonaba fuerte.

—Oye —dijo Gorrinito—. ¿Es muy difícil hacer con una navaja un ojal de media luna?

—A mí me parece que sí.

—Oye, ¿y si se lo hizo con algo en el suelo? La entrada siempre está sucia. Pudo ser un cristal.

—Pudo.

—Vamos un momento a ver.

—Vamos.

Salieron los dos. El relojero corrió un poquito, conejunamente.

Parsimonioso, el tabernero se dejaba mojar. Principiaron a buscar, resoplaba Gorrinito al agacharse y hasta parecía que le crujían los riñones. Daban ganas de andar a puntapiés con ellos. Asomó en la entrada un guardia. Los paseantes, al cruzar por el vano del portalón, extendían esas sombras fantasmas, que sólo ven los enfermos y que se reflejan en el techo de las habitaciones cuando pasan camiones por la calle, llenándolas de penumbra y de salpicaduras de rocío solar, de dudas y luces. El guardia quedó parado.

—¿Qué buscáis? ¿Se os ha perdido algún diente?

—Nada; de lo de ayer.

—¿Cómo va el herido?

—Debe de estar bien, porque fue poco.

Gorrinito linchó la conversación al encontrar un trozo grande de cristal del fondo de una botella.

—Aquí está. Esto debió de ser.

El guardia no entendía y pidió una explicación.

—¿Que pudo ser qué?

—Lo que hirió al Antonio, hombre; porque una navaja es muy difícil que le pueda cortar a uno la espalda estando cubierta por el santo suelo y, además, en media luna, que es la herida.

—Pues igual. Tráelo a lo claro.

Los tres se pusieron a examinar, en la calle, bajo la lluvia, el cristal. El relojero, con mirada profesional, con ojo de astrónomo, descubrió un estrellita de sangre en el corte.

—Esto ha sido.

—¿Seguro? —exigió la autoridad.

—Seguro. ¿No ves aquí y aquí unos puntejos negros? Esto ha sido.

—Pues hay que llevarlo al retén para que lo examinen. Véngase usted conmigo.

—Es que yo...

—Véngase usted, que no le va a pasar nada.

—Entonces, espere que me eche algo sobre los hombros.

El relojero fue dando saltos a su casa como un gerbo. El municipal hablaba con Gorrinito.

—Pues nada, esto le salva.

Se ofrecieron tabaco. El guardia, con astucia de hombre de poco sueldo, aceptó el del tabernero. La conversación se hizo intrascendente hablando del tiempo.

—Si sale el Norte a mediodía, barre las nubes y guiñará el ojo «Lorenzo».

—Pero el «castellano» no le va a dejar. ¿No oye cómo suenan las cornetas?

Llegaban hasta el corazón de la ciudad los ensayos de la banda de cornetas en los cobertizos de un cuartel. Lo que tocaban eran unas órdenes con letra obscena, con letra de garita de centinelas aburridos y de retreta militar. La lluvia mojaba también el sonido, haciéndolo opaco, soso, como cuando cuenta un chiste pizpireto un hombre obeso, calvo, maduro y ausente de la gracia más elemental.

A mediodía se presenta la Petra en el callejón. Venía hecha una furia. Se coló de rondón en la taberna de Gorrinito, que jugaba, por tradición, al mus con unos amigos profesionales del ocio.

—¿Dónde está ese?

Lo dijo de tan malos modos, con un acento tan impertinente en la voz, dejándose escapar las palabras como salivazos por entre los dientes, desquiciados y bailones, que sublevó al tabernero.

—¿Dónde está quién?

—La porquería esa.

Arrugó la nariz Gorrinito y se hechó hacia atrás.

—¿Qué porquería dices?

—El relojero, que tiene la culpa de todo.

Gorrinito no quería entender; Gorrinito tascaba el freno que le ponía la calidad de mujer de la Petra y se desentendía de todo.

—¿Que tiene la culpa de qué?

—De que a mi Antonio le hayan dado una puñalada.

Gorrinito se ennegreció de experiencia, disculpando todo lo que había pasado la noche anterior.

—Vamos, vamos; pero ¡qué le van a dar! A tu hijo no le ha pasado nada. Se cortó con un trozo de botella. El tiene la culpa por romperlas a la entrada del callejón, que eso, cuando se entusiasma demasiado, se lo he visto hacer más de una vez.

La rabia de la Petra fue desapareciendo.

—Pero si me lo ha dicho él, que lo tengo en la cama.

—No querrá trabajar.

—Pero si me ha dicho que ayer se armó aquí un tumulto de espanto...

—¡Qué se va a armar! Unas bofetadas y pare usted de contar.

—Pero si me han insistido en que fue el relojero quien le dijo que si tal y si cuál para que se untase con el novio de la chica...

—Eso ya es otra cosa. De eso sé yo algo.

Los tres amigos de Gorrinito se entendían contemplando a la Petra sin jugar baza en la conversación. Gorrinito puso el colofón.

—Pero no pasó nada. Sí sé que el relojero le dijo algo. Pero nada, ¿sabes? Es que tu hijo anda metido en muchos belenes y luego, claro, que Bayoneta es un chismoso.

La Petra estaba enteramente calmada y se quejaba.

—Esos líos de mi Antonio ya sabía yo que le iban a dar disgustos.

Intervenía Gorrinito, disculpando a las ligeras de cascos.

—Ellas tampoco tienen la culpa. Es que la vida es así y con una copa de más se hacen locuras. A propósito, ¿quieres tomar algo, Petra?

—Hombre, por no despreciar, dame una copa de aguardiente.

—No hay. ¿Quieres vino?

—Ahora, no; gracias. Y perdonen todos que me tenga que ir. Adiós.

La mujer se envolvió en su toquilla y se fue hacia la puerta. Gorrinito, desde la puerta, le regaló un consejo:

—A ver si haces trabajar al Antonio, que será mejor.

La Petra, desarmada, desafió al tiempo con una mirada y se largó por el callejón.

No había pasado un cuarto de hora desde que se fuera la madre de Antonio cuando, en el callejón, se abrió el fruto de los gritos. Alguien entró en la taberna.

—Gorrinito, cierra, que un perro rabioso se nos ha metido hasta las huertas.

Se sobresaltaron todos.

—¿Un perro rabioso?

—Sí; se ha ido a las huertas.

En las puertas, un perrucho hético, con el pelo mojado y una pata llagada, buscaba un refugio. Se escondió debajo de unos maderos medio podridos. Los maderos destilaban un agua gris del color de las ratas.

Las galerías estaban abarrotadas de caras ansiosas, de caras almacenadas que se pueden comprar y vender lo mismo que melones y que son las caras de todos los grandes espectáculos. La seguridad de sentirse en un tendido de plaza de toros se transparentaba en las voces de aquel auténtico público en camiseta o entregado a las labores de la casa. Se abrió una ventana de cristales esmerilados y apareció un *clown* con el rostro enjabonado; debía de estar afeitándose; daba órdenes grotescas que nadie cumplía; hacía sonreír a los vecinos desde sus localidades. Gritaba:

—Oiga, guardia; dispárele desde el lado derecho, que se le ve mejor. Oiga, guardia; váyase a la izquierda; ¿qué dice? Que se vaya hacia la izquierda, porque parece que asoma por allí el hocico.

Dos guardias, disimulando sus miedos, cumplían su deber. Empuñaban las casi inservibles pistolas municipales, enroñecidas de no hacer uso de ellas, que les dieron cuando ingresaron en el cuerpo para hacer más patente su autoridad. Buscaban puntería sin acercarse demasiado.

El perro, acorralado, ladraba lastimeramente. Se oían las voces de algunos espontáneos.

—Oiga, paisano; tírele una piedra, a ver lo que hace.

Le lanzaban un pedrusco. El perro se callaba y enseñaba los dientes.

En la taberna, Gorrinito y los suyos jugaban al mus y tendían las orejas a los ruidos del exterior, hechos unos hombres, como si aquello no fuera con ellos. Sonaron dos disparos.

De pronto se abrió la puerta de la industria que regentaba Gorrinito. Los jugadores levantaron las cabezas. Hubo unos segundos de prólogo para la entrada de alguien. Se oía canturrear. El tabernero iba a levantarse, para ver lo que pasaba, cuando, como impulsado por un empujón, la invisible mano que siempre decide a los borrachos, entró en carrerilla de trompicones el inmenso Panchito. Al llegar al mostrador resbaló y se dio de narices contra el suelo. Lo levantaron con presteza. Tenía un chichón monstruoso, reluciente, a punto de estallar, en la frente. Parecía que le iba a surgir por allá el principio de un cuerno mitológico. En cuanto estuvo de pie se desasió de los brazos que le sostenían y comenzó a dar golpes en el mostrador, gritando y haciendo una sola sílaba de la palabra «sírveme». Era algo así como una extraña voz ejecutiva de la acción, del movimiento, que ordenaba su presencia. El tabernero se perfiló por bajinis:

—¡Cómo viene!

Gorrinito, en otra ocasión, le hubiera puesto de patitas en la calle o arrojado al rincón de los borrachos; pero un pico de curiosidad le hacía ser paciente. Quería enterarse de algo que suponía hubiera ocurrido. Le llenó un vaso. El borracho derramó el vino y se bebió las gotas que quedaban. Volvía a repetir su cantinela de hombre al que le florecen en una sola cosa las dotes de mando:

—Sírveme, sírveme.

Y unas veces lo decía como un grito, otras lo acentuaba a su gusto y otras casi lo deletreaba.

Un chiquillo entró corriendo.

—Señor Eutiquio, ya han matado al perro rabioso.

—Ya hemos oído los tiros.

Panchito se asustó de pronto: recordaba.

—Que viene por mí, Gorrinito; escóndeme, que he roto no sé qué por ahí. Escóndeme.

El tabernero y los demás se quedaron mirándole.

—¿Qué dices?

—Que me buscan los guardias; escóndeme.

—Pero ¿qué has hecho?

—No sé, Eutiquio —lloriqueaba—. Pero vienen por mí.

El tabernero y los contertulios, en una reacción de pura raza, lo agarraron, aunque pataleaba, y lo metieron en una cuba. El borracho gritaba al principio; a los pocos momentos canturreaba; por fin se calló.

Entraron dos guardias. La taberna, al parecer, estaba perfectamente tranquila. Seguía el mus. Al borracho, ni respirar se le oía, porque, una de dos, o se había espabilado con miedo o estaba cadáver. Gorrinito se denunció:

—¿Buscan a alguien?

—No. ¿Por qué?

—¡Ah, no sé! Como rara vez se les ve por aquí...

—Hemos venido a lo del perro. ¿Nos da unos vasos?

Pagaron y se fueron.

Al perderse los pasos de los guardias, el tabernero se fue a la puerta a escudriñar. Después volvió a la cuba donde estaba metido Panchito.

—Panchito, sal.

Al principio no contestó nadie. Gorrinito dio dos patadas que sonaron como dos cañonazos y que sirvieron para aflojar una duela.

—Sal, Panchito.

La voz del borracho se pasteaba.

—Sírveme, sírveme.

Y entonces pretendía engañarle como a un niño.

—Si sales, te sirvo lo que quieras. ¿Qué quieres?

Y en la bruma de la borrachera brotó, absurda, la contestación de Panchito con la lengua estropajosa y bellaca:

—Que... no... me... quites... el... sol...

A la caída de la tarde la lluvia aumentó ahumándolo todo, trayendo la noche. Estaba reunida toda la plana mayor en la taberna, excepto Panchito, que dormía en un catre la borrachera y el sueño perdido, allá en los intestinos de la cueva. Volante llevaba la batuta.

—¿De modo que fuiste tú el que los azuzaste?

—¡Hombre, yo! —contestaba el relojero.

—Pues menos mal que todo está arreglado, que si no...

Gorrinito entraba en línea.

—Lo malo es lo de Panchito. Eso no se arregla más que pagando. Pero ¿qué le ocurriría para romper el escaparate?

Volante explicaba lo ocurrido.

—Pues que estaba rabioso. A veces se pone así, ya lo sabéis, y luego, a buscar refugio en el callejón.

Entró el ciego arrastrando los pies y pegando con su bastón fuertes golpes en el suelo. Se anunciaba a sí mismo como un gran chambelán.

—Buenas tardes, abuelo.

—Buenas nos las dé Dios. Una cañita, hijo, que traigo sed.

Gorrinito le gastaba la broma de siempre.

—Usted no cambia, abuelo; todos los días se marcha a su casa bien cocido.

—Y qué se le va a hacer; mejor es así que de otros modos.

Se alegraba la conversación con el vejestorio. El abuelo arrugaba la frente y cantaba coplas viejas de su tiempo, en que todos eran más valientes y más crudos. Se le quebraba el plante cuando le daba un chupito al vaso.

—Buena la de ayer, ¿eh? En mis tiempos, de esas teníamos todos los días. ¿Dónde está Panchito, que no se le oye? Hablo con todos. ¿Ustedes creen que hoy por hoy un duro es algo?

Enredaba la conversación.

—Déjese de cuestiones económicas, abuelo —decía Volante—, que usted vive bien.

En la puerta de entrada a las catacumbas apareció, ajustándose las gafas, Panchito; luego se entretuvo en guardarse un faldón de la camisa que se le escapaba por donde no se debe decir.

—Buenas tardes, caballeros.

Le saludó Vicente con la brutalidad y el cariño acostumbrados.

—Hola, pelma. ¿Sabes lo que has hecho?

—Sí; ¿por qué?

—Pues entonces, nada. Si te parece poco chinar la luna del escaparate de Gregorio, puedes salir a la calle a hacer barrabasadas de nuevo. Te advierto que nos ha dicho que como no la pagues te echa los guardias encima.

—¿Ese? Ya le hablaré yo; no hay que apurarse.

—Pues por mí —Volante se lavaba las manos—, como si quieres incendiarte ahora mismo.

—Algún día lo hará, algún día —dijo Gorrinito.

El abuelo invitó a todos, porque estaba muy contento, tal vez demasiado, que es una razón poderosa. Panchito bebió de un sorbo su vaso y pidió más. La tranquilidad en la taberna extendía de nuevo sus alas de gallina para cobijar a los polluelos del callejón. El abuelo, como estaba contento, comenzó a contar las barbaridades de rigor. Volante reía. Se dieron tabaco. Panchito guardóse disimuladamente un puñado en el bolsillo. Sólo faltaba en la reunión Piorrea, que no asistió a la firma de la paz porque estaba penando en los calabozos un altercado con un sereno, al que desobedeció cuando fue instado a no dar escándalo líquido en medio de la calle.

Tristemente, a los quince días de haber sucedido todo esto, sin causa justificada, se cerró la casa de Paca y Cecilia por orden de la superioridad. Paca se hizo planchadora, y Cecilia, por vocación, se fue a correr mundo, viajera en el correo que llega hasta Algeciras, donde la mirada intenta descubrir minas de oro en la acera de enfrente. Así fue cómo al sacristán le entró la formalidad, por falta de ocasión, y el callejón pudo oler un poco mejor, ya que menos gente, de la llamada de mal vivir, aparecía por sus andurriales.

Y este es el capítulo en que se viene a hablar de una fiesta que en el callejón se hizo y de cómo todos los vecinos, después de ella, quedaron con Dios

La noche de fin de año se presentaba en el callejón hermosa, sin nubes, con un firmamento de baile. Soplaba un vientecillo melocotonero, que hacía bambolearse los faroles de verbena que Gorrinito había colocado a la puerta de su establecimiento. Los vecinos enguirnaldaron el callejón y las ventanas de las casas estaban abiertas como si fuera verano.

En las galerías que daban a las huertas había mucha luz y mucha expectación. El relojero purgaba culpas pasadas, desviviéndose en arreglarlo todo, en disponerlo todo convenientemente. Era un extraordinario maestro de ceremonias: «Vosotros no comencéis a cantar hasta que dé la última campanada; se puede bailar en los portales; no es conveniente que traigáis vino de fuera, porque podría molestarse Eutiquio, que ha comprado muchas cosas y está muy preparado. Si Panchito, Piorrea o alguno se emborracha y molesta, me avisáis, porque ésta es una fiesta familiar y no queremos líos; el altavoz colocarlo bien, para que todos puedan oír.» Sí; el altavoz del viejísimo gramófono asomaba su gigante boca metálica, con el garganchón rojo, por una ventana, queriendo devorar con aquel su aire de pez monstruoso la restinga de la noche, que se fugaba salpicándole de miles de escamas. El altavoz era lo más importante; sin altavoz, la fiesta se estropeaba, se quedaba ajada, no podía morderse la rica fruta de la bullanga ni acerar la voz de alaridos. El altavoz era el Gargantúa de la fiesta, el que daba a la fiesta un aire drolático de antruejo entre parientes, donde la gente bien comida y bien bebida podía desatarse el moño y hacer lo que les viniese en gana.

La noche de fin de año es la noche en que las viejas bailan con los adolescentes y el anís se le atraganta a la jamona, que tose y llena de aspavientos el mundo, mientras que su marido, consumido de carnes, le golpea la espalda, riéndose. Es la noche en que todos los diablillos danzan entusiasmados por los tejados y espantan el sueño de las ratas, trayéndoles la primera inquietud de enero. Es la noche en que alguien —el calaverón de Panchito—, a temprana hora, desafía a beber a un pellejo de vino —el caballero Piorrea— y pierde la apuesta y empieza a trompazos con todo hasta que es reducido y la severa mano de un hombre de paz —Eutiquio, el tabernero— lo silencia de modo contundente. Es la noche en que, para fin de cuentas, dos enemigos hacen la paz y un padre que tenía cierta prevención a un muchacho que enamoraba a su hija bebe con él unas copas de más y siente que le cae simpático y lo trata como a su futuro yerno. Es la noche en que un chófer grandullón y simpático viene con su mujer al callejón y la presenta en sociedad y logra un gran éxito. Es la noche, además, en que Paca aparece y sonríe y los vecinos no se sienten comprometidos por saludarla; porque la vida, en buena filosofía, da muchas vueltas, y ¿quién sabe?... Es la noche, por fin, en que San Silvestre está ojo avizor por si alguien, sacristán o perillán, en vino o ladino, siente que la carne le quema y pretende otra paz que no la pura de la diversión. San Silvestre mira, y los diablos, como perros rabiosos, se escapan a las huertas a esconderse en los montones de estiércol que parecen montones de cadáveres de gorriones.

La noche fue una maravilla. En cuanto sonó la última campanada de las doce, los vecinos del callejón hicieron una excelente demostración de fuerza pulmonar, corriendo la pólvora del entusiasmo hasta el catre de los pecados de Panchito, donde reposaba su borrachera madrugadora. Panchito, despertado por el griterío, se sumó al orfeón y, agotadas sus últimas fuerzas, cayó desplomado. Piorrea andaba desbraguetado y a trompicones, pero no se metía con nadie.

De la calle vinieron gentes al callejón —diría luego el relojero—, gentes que sumaron su alegría a la nuestra, y la fiesta creció de tal forma, que no hubo sitio suficiente para todos. Lo que sí hubo, porque San Silvestre se debió de descuidar, fue algunos patosos que no respetaron la honesta alegría de las vecinas del callejón. El altavoz dio las notas de los mejores chotis y polcas de tiempos pasados, música que era como un riego de lágrimas amarillas en las almas candorosas de los concurrentes a la fiesta, juntamente con las canciones de moda, que eran la baba golosona que al altavoz se le desprendía de su bocaza al gustar tanto y tan bien administrado jaleo. Todos bailaron, y bebieron, y cantaron, y... fueron advertidos de que la honestidad en aquel día era la base. A todos les quedó una gran alegría y un dulzor en la memoria, una fruta seca en la memoria que luego, a través de los años, saborearían siempre.

Lo que se divirtieron los vecinos de Andín y las gentes que se les sumaron es muy difícil de calcular. ¿Mucho? No; mucho es poco, porque se divirtieron como nunca y de un modo especial. Se divirtieron, ¡qué sé yo!, como puede tener sensación de libertad una tenca que la echan de una pecera a un estanque y del estanque al río. Pues esto es lo que les pasó a los vecinos de Andín. Ni más ni menos. En otras fiestas se habían divertido mucho, muchísimo, y tal vez sin restricciones de ninguna clase; pero nunca tuvieron la sensación de tan completa y tan ancha diversión, de tan diversión-río, como esta de la noche de San Silvestre. Hasta el amanecer extendieron la potencia de su fiesta. Ya no hacían gracia a las gentes de las galerías sus alaridos y sus músicas, que no les dejaban dormir y que les impulsaban a levantar alguna que otra protesta, que nadie escuchó ni pudo escuchar. Al amanecer, muchos se retiraron; pero hubo gentes que decidieron conminar a Gorrinito a hacer una gigante sopa de ajo. Y se hizo. Panchito estaba levantado y en forma, y pudo comenzar, de nuevo, a beber. La tarde del día 1 la aprovecharon todos para dormir. Al anochecer, cuando se levantaron, el tiempo había cambiado. Hacía frío, mucho frío, y el invierno decoraba de tristeza las calles con nubes bajas y gordas, nubes carnosas que a veces parecen hinchar el cielo de elefantíasis y lo vuelven torpe y le hacen arrugas de barrigudo. Al cabo de un rato empezó a llover. Las torres se difuminaron. Las campanas daban vueltas, taponadas, y su tañido rasgaba el tímpano porque era como un calambre en el aire, como un ahogado grito de socorro, escalofriante y hecho a berbiquí. El invierno seguía.

Existió un día y una noche de verano dividiendo el invierno: el día y la noche de San Silvestre. Día y noche que aprovecharon los vecinos de Andín para hacer su fiesta. Luego se formalizaron, porque ya tenían comentarios para largo tiempo. Quedaron con Dios, satisfechos y nostálgicos, arregladas todas sus querellas. Quedaron con Dios, ellos, los únicos que gozaron hora por hora, rompiendo la piñata de un día y ganando el más pequeño y alegre —como un duendecillo— verano que jamás tuvo el mundo.

El verano de San Silvestre sirvió para que el callejón tuviera, en adelante, un raro perfume de invernadero donde se pueden atrasar, adelantar y hacer desaparecer las estaciones del año. Sirvió, también, para refrescar el alma de sus habitantes y para que éstos esperaran, resignadamente, que la Providencia les abriera alguna otra vez en la vida un manantial de dicha como el de aquel inolvidable día.

La puerta de la taberna mostró colgados, hasta que el viento y las lluvias los destrozaron, los faroles de verbena, los frutos del veranito, que hacían a los vecinos recordar y contentarse con el pasado cuando salían a la calle. Después, el callejón no olió tan mal.

San Silvestre, que los había tomado a broma, comenzó a preocuparse en serio de proteger al pequeño callejón de Andín e hizo el milagro de enviar a Panchito —el único que por vicio faltó a parte de su fiesta— a la cárcel, donde descansó, se formalizó y fue muy visitado, librando así a los vecinos de molestias consiguientes. San Silvestre, además, realizó el milagro de que el Ayuntamiento colocara un mingitorio cercano, cercano, con lo cual ya no tuvieron disculpa los borrachos que pretendían molestar a los vecinos del callejón de Andín y les llamaban ratas, ratas nauseabundas de cloaca. Cloaca, en verdad, luminosa desde aquel día...

El mercado

I

Hacia el fielato, la carretera solitaria al claror triste, azul sucio, como de huevo incubado, de la hora temprana, aumenta escalofríos en los que vienen caminando desde la lejanía.

Desde la lejanía vienen a recoger la basura de la ciudad cuatro carros tirados por burrillos de patas de alambre, que a cada tranco parece se vayan a quebrar, o por caballos matalones de mirada brumosa. A la ciudad acuden, en el claroscuro del amanecer, por todas las carreteras, los carros basureros.

Subidas en el primer carro, hablan dos mujeres del frío, que las pasma. En una vara, sentado, penduleando las piernas, fuma un hombre, impasible, su colilla de cáncer. Tienen las mujeres los rostros terrosos, surcados rostros de grandes y desorbitados ojos, como de testigos de algo cruel. Aparentan ser muy viejas, abrigadas en trapos y en toquillas negras y agujereadas. La más alta se delata por el habla como todavía joven, y la otra disimula su casi adolescencia en dos pechos enormes y en mucha suciedad. La más alta lleva la greña cubierta por un pañolón negro, atado en corbatín por la sotabarba. La adolescente lleva el pelo marcado de ondas a peine y un rizo sobre la frente, interrogación invertida. El hombre emite de vez en vez voces, acaso de ánimo al borrico, acaso de queja por el frío. El parloteo de las mujeres se centra en problemas familiares.

—Mira, sobrina —dice la mayor—, aunque el caso de El Remedios esté casi resuelto, no debes abandonar al que tienes...

—De eso, nada, tía. Yo no lo dejo. ¿Que el otro sale pronto...? Pues que se conforme; ya habrá pensado que no me iba a estar de bóbilis, sin saber qué iba a pasar, toda una vida. Cuanto más, cuando al que tengo le anda pisando la sombra la mismísima burra de la Inés.

El hombre, que había oído lo de la burra, se sintió en el deber de animar al borrico que tiraba del carro:

—¡La l... que te dieron!...

Y le pegó un varazo que le hizo encoger miedosamente los cuartos traseros y apretar el rabo entre las patas.

La tía insistía, machacona; aconsejaba experiente, demolía los recuerdos de la sobrina.

—Dicen que sale para Navidad. Si no se hubiera significado... Un hombre que tiene mujer ni se debe significar ni nada. Lo que tiene que hacer es trabajar y llevar a casa lo necesario.

La sobrina, a pesar de todo, defendía al ausente.

—¿Y qué quiere usted que hiciera? Si él en la guerra era algo, pues tenía que responder. Y si luego, por eso del espíritu revolucionario, se metió en el tinglado, ¿qué? ¿O usted se cree que le iban a soltar, como a cualquier pelagatos, a los seis meses?

El hombre balanceaba las piernas al cruzar el puente, procurando dar con los talones al borrico. Estaba pensando el hombre en unas cañerías de plomo y en su posible venta. La conversación de las mujeres era para él algo que no tenía sentido. ¿Que El Remedios salía de la cárcel? Pues bueno. ¿Que su sobrina se veía obligada a dejar al marido que tenía ocasionalmente y volver con el antiguo? Pues bien. A él ni le iba ni venía. Sabía que Julita, su sobrina, seguiría trabajando con ellos. Sabía que cualquiera de los dos maridos, en el mejor de los casos, no servían para nada. Servían, eso sí, para gastar dinero en vino, para armar broncas por cualquier tontería, para fingir enfermedad en todo momento y no encontrar trabajo ni por casualidad. La técnica era vieja. El también la puso en práctica hasta que un día en que Dolores, su mujer, la que discutía en el carro, se cansó. Después..., después lo que todo el mundo. Comenzó a trabajar sin ganas, por obligación, y ahora había llegado a cogerle gusto al negocio. Gracias a esto tenían dos cerdos bien cebados y una casa con dos habitaciones, cocina y cuadra. Y si hubieran tenido suerte con los animales, seguro que tendrían algún dinero. Lo malo es que los cerdos, alimentados de desperdicios encontrados en la basura, suelen acabar de golpe y sin aviso, como los chulos de antaño.

Al llegar a la plaza de la Puerta, los carros se separaron. Cada uno fue hacia sus calles. A Dolores y su marido les correspondían tres. No eran de gente de mucha categoría, pero algo se sacaba de lo que dejaban en los cubos y en los cajones.

Las mujeres seguían charlando, haciendo gracias sobre los cubos. Subían juntas a los pisos, y a las puertas de los cuartos susurraban comentarios.

—No parece que éstos se den buena vida. Aquí no hay más que ceniza y hojas de berza.

—Estos comieron ayer chicharros. Y luego, casi seguro, andarán por ahí presumiendo. Gentuza, no son más que gentuza. Mucho presumir, y chicharros...

—¡Anda su madre! Tía, ¿se ha fijado usted en esto? Lata *espiquinglich* o algo así. Estos sí que se deben de dar la gran vida.

Se abrió una puerta del extremo del pasillo, donde ya habían recogido la basura, y un hombre con cara de sueño salió poniéndose el abrigo. Torpemente, metió el llavín en la cerradura. Tía y sobrina hicieron un alto en su labor; levantaron la cabeza. La lengüeta del cerrojo sonó en dos tiempos. El hombre caminó pasillo adelante hasta la puerta del hueco del ascensor. Torció a la derecha. La tía dio su opinión.

—A la oficina. Yo no sé para qué van tan pronto a la oficina. Total para lo que hacen...

—Mujer, tendrá que ir a otro lado, porque los de oficina, hasta las nueve, ni hablar.

—La pánfila de su mujer no se levantará hasta las diez, por lo menos.

La sobrina respondió como un eco, moviendo a compás la cabeza.

Lo menos...

Cuando tía y sobrina terminaron de recoger las basuras de la casa, bajaron a la calle. Subido en el carro, el marido de Dolores ordenaba la mercancía mientras charlaba con un guardia del Ayuntamiento. El guardia, al ver aparecer a las dos mujeres, abandonó el tono campechano en que hablaba y se hinchó de superioridad. Sin despedirse continuó su camino, andando a lentos pasos. Dolores le hizo un gesto entre macabro y curioso a su marido, al contraer los músculos del rostro y enseñar las ruinas de la dentadura.

—¿Qué quería ese zángano, Florencio?

—Nada; charlar, pasar el rato...

Dolores dijo algo inexplicable sobre las relaciones del padre y la madre del guardia. Este se alejaba de los basureros solemne, imponente, más autoridad que nunca. «Lo que son las cosas —filosofaba—; hay gente para todo, y hasta esas mujeres, feas y asquerosas, pueden casarse. Pueden casarse con un tipo como el del carro, naturalmente.» El guardia enarcó las cejas y se dispuso a tomar en una cercana taberna una copa de aguardiente, por cuenta de la casa.

II

Doña Leonor García de Del Cerro, como ella se firmaba, acababa de enviar a la sirvienta por vino. Doña Leonor —Leonorcita para su marido, don Matías Cerro; Leo para sus íntimos, la Leo para un antiguo conocimiento— estaba todavía en lo mejor de su edad, rayando con los cincuenta y la menopausia, engordando a minutos, a pesar de los disimulos de un corsé casi de factura medieval y de un duro, exhaustivo, régimen alimenticio. Doña Leonor García de Del Cerro, traza de elefanta, era de Valladolid, aunque toda su vida había transcurrido en Madrid: primero en barrios bajos, luego en barrios altos y por último en barrios intermedios. De su matrimonio con don Matías, viudo con un hijo, había tenido dos vástagos: Leonorcita, que acababa de cumplir veintiún años, y Pedrolas, que como llegó con retraso, tenía diecisiete de edad física y poco más de nueve de edad mental. Don Matías se dedicaba, después de su excedencia en el Ministerio de Marina, a negocios de pescado. Don Matías, según el tabernero de abajo de su casa, no estaba ya para muchas: había sufrido mucho con la guerra. Y como el tabernero era hombre dado a hacer chistes sin gracia, dejaba unos puntos suspensivos tras de la guerra, que cubría inmediatamente el nombre de doña Leonor.

Doña Leonor, cuando subió la sirvienta con el vino, estaba en la cocina, despeinada y en albornoz, como un Pedro Botero del fogón. La sirvienta fue recibida con ironías.

—No sabía yo, Anuncia, que hubieras tenido que andar tanto para encontrar un sitio donde quisieran despacharte vino.

Anuncia se puso colorada y frunció el ceño.

—Claro es que a una se le va el tiempo en otras cosas, ¿verdad?

Anuncia no contestaba. La voz de doña Leonor fue subiendo de tono, haciéndose fragorosa como una tormenta que se acercara con gran aparato de truenos y relámpagos.

—Como no pensáis más que en los hombres... ¡Idiotas!

Se introducía a codazos en la vida privada de la sirvienta.

—Tú, ¡que te has creído que ese sinvergüenza del tabernero te va a hacer señora! Vas lista, alma cándida; ya puedes prepararte. Y sábetelo, que si algo ocurre, piensa en la Inclusa; que lo que hace cada una, con su pan se lo coma.

La tormenta pasó. Doña Leonor comenzó a enternecerse. La sirvienta intentaba, hipando levemente, borrar con el borde del mandil lágrimas de los ojos, lágrimas teatrales, grandes como nueces. Pensaba Anuncia: «Otra tenía que venir, y ya veríamos.» Doña Leonor dio a su conversación un tono afectuoso, amable, comercial al mismo tiempo.

Sonó repentinamente el timbre de la casa. Doña Leonor se ensimismó en sus pucheros.

—Vete a abrir, Anuncia, que seguramente es la señorita Leonor.

La sirvienta dejó entreabierta la puerta de la cocina y desapareció por el pasillo. A doña Leonor le llegó el ruido de la puerta al cerrarse y una conversación sostenida por Anuncia y una voz masculina.

Doña Leonor gritó:

—Dile que pase.

A los pocos momentos, José María, el hijastro, la saludaba.

—¿Cómo está usted?

—Yo, bien —le dijo desafiante—. ¿Y tú?

—No tan bien. ¿Mi padre viene a comer?

—Naturalmente; ni que fuéramos los *Rochild.* ¿O te crees que aquí entra el dinero a espuertas?

Doña Leonor, en su fuero interno, sospechaba que José María venía con la interesante intención de pedir un préstamo sin devolución.

—Yo no creo nada. He venido a ver si estaba mi padre, porque tengo que hablar con él de negocios.

—Cálmate, hombre; no creo que tarde.

Inmediatamente se corrigió.

—Aunque hoy es mal día, y lo mismo puede venir a la una y media, que a las dos, que a las tres.

Pasó el tiempo. El timbre de la puerta sonó una sola y corta vez.

—No vayas, Anuncia —gritó doña Leonor—, que abro yo.

Doña Leonor, por el pasillo, se fue palmeando el pelo. Dejó el mandil sobre una silla al pasar por la puerta de una habitación. Abrió.

—¡Ah! Eres tú, Leonorcita. ¿Qué tal ha ido la cosa?

—Pschss...

—Pero, chica, ¿no le has planteado el asunto?

—No.

Doña Leonor se enfureció.

—Tú eres medio idiota. ¿No te dije que era cuestión de vida o muerte?

Doña Leonor cambió el gesto.

—Mira, monina. Lo que te digo es que en estas cosas hay que darse prisa; si no, puede estropearse.

Leonorcita, la hija, fue pasillo adelante. La madre gritó:

—En el despacho, niña, está tu hermano José María.

III

Don Matías Cerro, después de comer, llevaba un cuarto de hora escuchando a su mujer. Don Matías apenas entendía algo de lo que estaba diciendo doña Leonor. Era tal la sucesión de embrollos que pretendían explicarle, que se vio obligado a adoptar un aire de recién llegado del extranjero, incapaz de comprender tanta y tan variada metáfora al servicio de una dialéctica de patio vecinal, actitud que sacó de sus quicios y exasperó hasta la violencia a su esposa. Leonorcita, la hija, atendía con displicencia de joven entusiásticamente dada a las películas de hogares destruidos por incompatibilidad de caracteres, en una extraña postura sobre una silla. Pedrolas observaba entretenido el manoteo de su madre. La escena se desarrollaba en el comedor de la casa, lugar de reuniones familiares, teatro de las espectaculares controversias que sobrevenían entre los miembros de la familia Cerro García.

Siempre que doña Leonor se aprestaba para un combate oral y convocaba a su marido e hijos en el comedor, sentía don Matías, hombre con propensiones de humorista, que la familia se caricaturizaba. Sabía que los estallidos verbales de su mujer, lo mismo que la aparentemente imbécil disposición de su hija y la desgraciadamente natural de su hijo, no llevaban ni perseguían otra meta que hacerle la vida un poco menos agradable cada día. Si su buen sentido no le preservara de tomar posiciones definitivas, se hubiera visto impelido a romper con su familia, ausentándose, desterrándose del hogar hacia zonas, o pensiones, u hoteles donde la calma fuese habitual y no esporádica. Pero don Matías tenía bien enraizados en la mente dos deberes que cumplir en este mundo: el primero, seguir sufragando los gastos, disparatados a veces, que le ocasionaba su familia; el segundo, y acaso más importante, concederse el cupo de felicidad al que creía tener derecho, sin reparar en sumas de dinero y en medios de la clase que fuesen. Sus dos deberes los cumplía a rajatabla. El primero, casi sin dificultades, y el segundo, por la noción de felicidad tan rara que poseía, un poco más complicadamente. Esto explica por qué don Matías se dedicaba a negocios oscuros —aparte del mercado— y mantenía una mujer en un apartamento recoleto con todos los adelantos del moderno confort.

Pero en don Matías tampoco cabía, a pesar de su vergonzoso modo de ver la vida, capacidad alguna para el olvido, y sentía en el huequecillo del alma donde alumbra la luz gris de la nostalgia el titilar del recuerdo de su primera mujer, madre de José María. A veces, con José María se propasaba en alardes sentimentales, y el hijo entendía bien que aunque no fueran del todo verdaderos, sí que había sinceridad en ellos. Era tipo común a este respecto, y las escasas ocasiones en que hablaba de su primera mujer, por no salirse de la regla, la calificaba de santa. Don Matías no entendía la laberíntica exposición de hechos y los comentarios al margen que doña Leonor le estaba haciendo. Doña Leonor se disparaba. Doña Leonor quebraba la voz en un jipío cuando llegaba a pasajes que consideraba particularmente importantes. Versaba la disertación sobre la boda de Leonorcita con el hijo de un chatarrero enriquecido en negocios de semejante tipo a los de don Matías. Doña Leonor, entre un fárrago de palabras e imágenes complejas, quería dar a entender que aquel negocio no se podía estropear por obra y gracia de la mentecatez de la niña, Leonorcita, y del apoyo que encontraba su mentecatez en don Matías. Doña Leonor demostró cómo, a su entender, la razón estaba de su parte. La razón estaba normalmente de su parte, y así lo hacía sentir tanto a su marido como a sus hijos, aun teniendo en cuenta el caso de Pedrolas, que estaba fuera de toda razón.

Doña Leonor se afirmó en lo que decía ante el silencio de su auditorio. Increpó:

—Matías, por favor, ¿me quieres hacer caso de una vez y dejar de poner esa cara de filisteo?

Don Matías se sorprendió.

—¿Qué dices, Leonorcita?

—Que si me quieres atender.

—Si ya te atiendo, mujer.

—¡Quién lo diría! Pones una cara de estar en otra parte...

—No, no; sigue, mujer, que ya te atiendo. Ibas por lo de que nuestra hija no parece muy dispuesta a casarse.

—Sí; que esta mema no se da cuenta que la vida sin posibles, y los posibles están en el bolsillo de Antonio, no se puede resistir.

—Bueno, y si la chica no quiere por ahora casarse, no la vas a obligar.

—Claro que la obligaré, y la obligarás tú. Dejarse perder una ocasión así sería una locura. Además, si no le quisiera...; pero como le quiere...

La hija se sintió obligada a intervenir.

—Eso de que le quiera o no, es asunto mío.

Doña Leonor alcanzó cumbres de indignación.

—Tú te callas. Eso es asunto tuyo y nuestro, de tu padre y mío. ¿Entiendes? Claro que le quieres, niña. Estaría bonito que no le quisieras después de los espectáculos del portal. ¿O es que te crees que no me entero? Pues me lo cuentan todo, para que lo sepas.

La hija se mostró altamente despreciativa.

—Alguna de las brujas de la vecindad. Como ellas ya están pasadas, a chismorrear. Vete a saber lo que habrán hecho a mis años.

Don Matías no pudo consentir el tema, que hería su delicada y paterna sensibilidad.

—Cállate, hija. Esas son cosas que no se deben decir.

Leonorcita puso un hociquillo de ofendida a las palabras de don Matías. Doña Leonor se hinchó, en la seguridad de tener a éste de su parte. Pedrolas se mordía las uñas, acentuando su cara de ratón, donde únicamente los ojos no eran de ratón, sino de rana. Doña Leonor expuso:

—Ya ves, descarada. Tu padre también está conforme conmigo.

Don Matías no fue capaz de esclarecer que él no estaba conforme con la tesis de doña Leonor y que lo que acababa de decir Leonorcita nada tenía que ver con la argumentación precedente de la madre. Don Matías se quiso levantar de la silla para marcharse. Se lo impidió su mujer.

—No, Matías; tienes que esperarte a que venga Antonio, porque hoy sube por primera vez al piso. ¿Verdad, Leonorcita?

La hija se apresuró a especificar que Antonio iba a subir porque lo había invitado doña Leonor, pero que el hecho de que subiera muy poco o nada tenía que ver con el proyecto de la boda. Antonio subiría a tomar café como un buen amigo que era. Don Matías no debió exaltarse, pero se exaltó:

—Mira, hija, ha llegado el momento —dijo gritando— en que me estáis fastidiando. Para tu madre, Antonio es tu novio, tu prometido, tu amante o algo así. Para ti es un buen amigo. Y para mí —hizo una pausa—, para mí, como todo esto es un lío estúpido, él no deja de ser un estúpido por hacerte caso a ti, que lo eres en mayor grado, y yo soy otro diota por haceros caso a ti y a tu madre. De modo que me voy.

Se levantó de la silla repentinamente, mas no contaba con doña Leonor. Esta cambió el tono de su voz. Lo transformó.

—Hombre, Matías, no nos vas a dejar colgadas con el invitado. ¿Qué va a decir? Es necesaria tu presencia, date cuenta; yo no sabría de qué hablarle...

Doña Leonor tenía la astucia de un reciario; lo envolvió de pies a cabeza, lo tiró a un suelo metafórico, y allí, gallardamente, le pisoteó la moral.

—¿Cómo vas a faltar, Matías, a la primera entrevista con tu futuro yerno?

Llamaron a la puerta cuando todavía don Matías, hosco, de mal talante, se negaba débilmente a la entrevista. La sirvienta se presentó en el comedor a consultar a doña Leonor.

—Debe ser él —dijo.

La sirvienta se encontraba en el epicentro de todos los jaleos de la casa. Doña Leonor le recomendó:

—Ponte la cofia bien... Así no... Está torcida. Así, mujer... Ahora.

Ante la nueva comedia del uniforme y de la cofia, don Matías quiso reaccionar. Su mujer le explicó sibilante:

—Es necesario...

Era él, Antonio. Entró en el comedor. Don Matías se puso en pie; pudo contemplarlo a su sabor antes de que llegaran a presentárselo. De mediana estatura, bien vestido, aunque no era indicada la corbata colorada sobre el traje azul para la ocasión; moreno, de labios gruesos, con una cortada en el inferior. Don Matías se quedó satisfecho; solamente la corbata, que a él le parecía de tarde de toros. Se lo presentó doña Leonor.

—El padre de Leonorcita, Antonio.

—Tanto gusto, don Matías.

—El gusto es mío, Antonio.

Les sirvieron café en las tazas de los grandes acontecimientos. Tazas de fina porcelana, compradas con ocasión de una brillante operación financiera. Las cucharillas, de plata, todavía tenían el apresto de no haber sido usadas nunca, o muy pocas veces. Copas ventrudas para el coñac *Fundador*; copas como dedales para el anís *Las Cadenas*.

Doña Leonor hizo los melindres que creyó oportunos para demostrar a Antonio que ella era una mujer elegante. Antonio estuvo a la altura de las circunstancias, cogiendo la copa de coñac con toda la mano para que se percatara don Matías que él sabía beber coñac como hay que beberlo.

Daban las cinco de la tarde en el reloj de cuco. Don Matías se levantó con ánimo de marcharse. Antonio le imitó.

—Si a usted no le molesta —le indicó—, puedo acompañarle un rato. Tengo que coger un taxi para ir a resolver un negocio lejos de aquí, en los vertederos de la basura.

—Sí, hombre, no me molesta que me acompañes, aunque yo voy para el centro.

—Yo voy hasta el río. Lo siento. De todas formas, podemos bajar juntos. ¿No le parece?

Antonio se fue despidiendo de la familia. Dio la mano y las gracias a doña Leonor. Prometió a Leonorcita volver a buscarla en cuanto solucionara el negocio. Aplicó una palmada cordial en el flaco cuello de Pedrolas.

Don Matías y Antonio se despidieron en el portal.

—Los negocios son los negocios, pollo —aleccionó don Matías.

—Sí, don Matías; hay que moverse mucho. Fíjese, este asunto me lleva hasta los basureros. Es un *stock* —sajonizó, en gran mercader— de cañerías de plomo. Un buen negocio, ¿sabe?

—Bueno, pues que haya suerte.

—Gracias, don Matías.

Los dos hombres se despidieron. Antonio, dando grandes zancadas, se apartó de don Matías. Este se detuvo un momento, dudoso, en el portal. Al fin, a pasitos, se fue andando.

Antonio Zurita bajó del taxi a la orilla de la carretera. Tenía que continuar a pie unos cuantos metros por un camino de carros. Se dobló el pantalón por las bastillas. Le quedaba poco tiempo para resolver el negocio de las cañerías de plomo. La lejanía azuleaba en la tarde crecida. El taxista le esperaba en la carretera, dando vueltas en torno a su coche, mascullando palabrotas, silbando trozos de canciones.

Las casas se amontonaban en el pueblecillo de los basureros. Colinas de desperdicios las circuían. Colinas que eran una gama de tonos ocres. Cerdos y perros, apaciblemente, rebuscaban de un lado para otro. Antonio preguntó a una mujer dónde podría encontrar a Florencio Ruiz. La mujer se lo indicó.

Florencio, ayudado de Dolores, se dedicaba a prensar un lío de trapos. No se sorprendió de la visita. Antonio entró de lleno en el negocio.

—¿Dónde tienes el plomo, amigo?

—Ahí, disimulado bajo paja. Ya sabrá usted que nos persiguen mucho. De vez en cuando cae por aquí la pareja y hay que estar alerta.

—Bueno, hombre. ¿Vamos a verlo?

Era una buena cantidad. Se pusieron de acuerdo sobre el precio después de una breve discusión. El transporte se haría en cinco tandas, en el mismo carro de la basura. Por la mañana, muy temprano. Les cogía de paso. Apenas se tenían que desviar un poco hacia la Ribera. El pago, contra la entrega del plomo. Antonio volvió por el camino, un poco doloridos los tobillos de andar pegando saltos para evitar charcos, para no meter el pie en los relejes de los carros. Florencio, contento de como habían ido las cosas, gastaba bromas a su mujer; Julita, la sobrina, se quejaba de que Esteban, su marido, se hubiese ausentado por la mañana y todavía no hubiera aparecido. Cuando llegó Antonio a la carretera estaba atardeciendo. Hacía frío y el campo, desolado, ennegrecido, cristalizaba una calma de helada. Partió el taxi hacia la ciudad.

Don Matías encontró en la oficina a su hijo José María. Ironizaba con él paternalmente. José María le celebraba las frases regocijado.

—Luis Candelas, ¿qué tal marcha la operación?

—Bien, padre. Hay que esperar unos días.

—A ver si en el botín salimos perjudicados los pobres.

—No te preocupes.

Padre e hijo se entendían a la perfección. A veces don Matías hacía confidencias a José María sobre asuntos familiares.

—Tu madrastra quiere casar a Leonorcita con un chatarrero. ¿Qué te parece?

Don Matías quedó unos instantes ensimismado. Don Matías se adentraba en las cuevas del recuerdo. José María le escuchaba atento. En la mente del padre estallaba la alegría de otro tiempo en palabras sugeridoras: «Hijo, playa, calor, veraneo, octubre.» En el tiempo pasado, cuando todavía vivía la madre de José María, iban a veranear a Altea, su pueblo, en Alicante. Altea era en el momento un color azul cegador que le obligaba a cerrar los ojos y a apretarlos hasta que manasen los círculos luminosos del espectro. Don Matías repitió como para sí:

—Estos años, José María...

El diminuto mar muerto del tintero de mesa atrajo sus ojos. Se reflejaba la gran bombona colgada del techo, encendida. Don Matías comenzó a hablar de negocios.

—Supongo, hijo, que habrás venido por algo importante.

—No es muy importante. Vengo a ofrecerte una cosa que puede dar mucho dinero: comprar la producción en limpio, sin etiquetas, de una casa de conservas, inventarnos una fábrica, es decir, unas etiquetas, y darle salida por centros oficiales a buen precio. Hay amigos que podrían ayudarnos. ¿Qué tal?

—No sé; habrá que estudiarlo; ya veremos.

—Tú piénsalo. Aquí te dejo los precios. He hecho cálculos, que te he puesto al otro lado del folio. Tú verás.

—Bien.

—Yo ahora me voy a resolver unos asuntos. Iré por casa el miércoles de la semana que viene. Si hay algo del otro negocio antes de ese día, ya te llamaré.

—Bien, bien.

Quedó don Matías solo, apoltronado en su sillón, sin ganas de mirar las hojas que le había dejado José María. No dudó mucho. A los diez minutos de haberse marchado su hijo, salía de la oficina, ligero, dando pasitos cortos. Ya sabía dónde iba a terminar la tarde. Al pasar por una confitería entró a comprar una cajita de lenguas de gato. El sombrero de don Matías se inclinaba un poco hacia un lado, chulapo y burlón.

IV

La lluvia había hecho intransitable el camino hasta el pueblecillo de los basureros. Llovía desde dos días antes de Nochebuena. A veces era aguanieve, a veces pausado orbayeo, otras dura y violenta lluvia en ráfagas.

Por Nochebuena se estropeó la luz eléctrica. Florencio Ruiz y su familia se alumbraron con candiles improvisados. Dieron por terminada la fiesta a hora temprana. Faltaba alegría y había preocupación en la casa. Al día siguiente Julita estuvo esperando. No llegó. Esteban decidió salir. Julita nada dijo. Florencio observaba a su familia. Se sentía incómodo. La tensión hacía que las palabras, los consejos, las recomendaciones, apenas fueran escuchadas.

Florencio decía algo, y viendo que nadie se apercibía de lo que decía, balbuceaba sus ocupaciones y se iba a atender a sus cerdos y sus gallinas.

El paisaje, para Florencio, era lúgubre. La tierra había oscurecido más. En torno de su casa era todo barro negro y fétido. Con la lluvia se descomponían, fermentaban, los montones de basura. Los cerdos, aprovechando los ratos en que escampaba un poco, eran sacados de las pocilgas. Revolucionaban el pueblo con sus gruñidos, con un chapoteo constante y nauseabundo. En los aseladeros las gallinas, prisioneras del tiempo, se agitaban.

Florencio, con un saco en forma de capuchón por la cabeza, daba vueltas, procurando no enlodarse, de un lado a otro. Le llamó un vecino para que juzgase si su caballo tenía estrangoles. Le abrieron penosamente la boca al animal, que intentaba morderles. La opinión de Florencio fue certificar la enfermedad. Después volvió a su casa. Preguntó:

—Dolores, ¿dónde está la botella de anís que descorché ayer?

Su mujer la sacó de una caja-baúl. Bebió Florencio a labio. Se pasó el dorso de una mano por la boca y chasqueó la lengua. Se encontraba en disposición de hablar seriamente:

—¿Tú crees que volverá?

—No sé.

—En la cárcel se entera uno de todo lo de fuera. No comprendo cómo se las arreglan, pero así es.

—Seguramente está enterado.

—Lo mejor que podía hacer era no asomar la jeta por aquí. ¿Tú crees que se conformará?

—No se conformará.

—Entonces habrá lío gordo.

—Puede.

—Esteban es plantado para estas cosas.

—También él. Depende de nuestra sobrina.

Luego, Dolores recomendó a su marido:

—No te metas en nada. Son cosas de ellos, pues que las resuelvan ellos.

Los dos hicieron un silencio. Florencio volvió a beber.

—¿Tienes bien guardado el dinero de las cañerías?

—Sí. No hay peligro de que lo encuentren.

Florencio respiró hondo.

—Eso es lo principal. Hay que toparse con negocios así, Dolores, poco trabajo y mucho rendimiento. Puesto de acuerdo con el señor Zurita, se puede hacer mucho dinero.

—¿Y si te pescan?

—Habiendo dinero no hay miedo. Siempre hay alguien dispuesto a hacerse el longuis.

La sobrina entró en la habitación y se sentó de golpe sobre una butaca de mimbre. Su tía la interrogó:

—¿Estás preocupada?

—Esto no lo puedo aguantar. Estoy que no puedo más. Esperándole tres días y sin aparecer.

—Igual no le han soltado todavía.

—No le han de soltar... Dicen para Navidad y suele ser antes de Nochebuena, para que la pasen con la familia.

—Puede que haya hecho algo y no lo suelten.

—Quiá. Está en la calle. Prepara lo que yo me figuro. Tía...

—¿Qué, Julita?

—No puedo resistirlo.

Se abrazó a Dolores entre hipos y llantos. Esta la cobijaba maternal y hacía gestos a su marido entre de indiferencia y misericordia.

—Cálmate, mujer; todo se arreglará.

Se fue serenando la sobrina.

—En mala hora...

Florencio la cortó:

—La cebada al rabo. Ya se te advirtió. ¿Qué has sacado con éste? Nada, lo mismo que con el otro. Y, además, ¿cómo se resuelve el asunto?

Volvió la sobrina a sus hipos y lágrimas.

—No seas bestia, Florencio —dijo su mujer—; déjala en paz. Lo hecho, hecho está.

Desesperado e incomprendido, Florencio salió a la calle. Llovía débilmente. Se quedó contemplando las ondas en los charcos. Se le acercó un vecino.

—¿Qué? ¿Viene o no viene?

—Por ahora...

—Y ¿qué vais a hacer?

—¡Ah! Yo no sé nada.

—Y Esteban, ¿qué dice?

—Esteban se ha marchado. Debe estar engolfado por ahí.

—Vaya.

Florencio necesitaba alguien con quien explayarse y descansar.

—Las mujeres son todas iguales, te lo digo yo. Lo mismo mi sobrina, que mi mujer, que la tuya, que la de quien sea. Todas necesitan un tío que las quiera y que las arree de vez en cuando. Y, claro, cada una se lo busca de la forma que puede. Mi sobrina se ha metido en un buen fregao, ahora ya verás. Los que pagan el pato son ellos.

El vecino se rascaba debajo de la camisa y, muy solemne, aducía:

—Es que todas son como animales, como perras, un decir de ejemplo.

—Pues si se encuentran Esteban y el otro se va a armar la de Dios —seguía con su cantilena Florencio—. Esteban es duro y el otro, que tiene la peor sangre de España... No sé, no sé...

En la taberna de Justo Sarmiento, alias Lucena, a la misma orilla de la carretera, alguien entró preguntando por Esteban. En la taberna de Sarmiento —un mostrador, cuatro banquetas en torno a una mesa y una peña de partida de subastado— nadie respondió al recién llegado. Éste se aproximó al mostrador y pidió un vaso de vino. Los jugadores no le quitaban ojo, y el tabernero le sirvió, mirándole fijamente, sin reparar en que el vaso se sobraba.

—¿Es que ya no me conocéis? —dijo el intruso.

Justo Sarmiento le aclaró:

—No eres tan fácil de olvidar.

—¿Y no me preguntáis qué tal me ha ido?

En la partida el que barajaba el naipe lo hacía de forma embarullada. El que acababa de entrar insistió:

—Cada uno tiene bastante con lo suyo, pero podría contaros bastantes cosas... Hace, ¿cuántos años hace que no nos vemos, Lucena? —bromeó.

—Tú lo sabrás mejor —fue la respuesta.

Bebió el vaso de un trago.

—Ponme otro —hizo una pausa—. De modo que Esteban no ha aparecido por aquí. Tendré que ir hasta casa para encontrarle.

Se espesó el silencio en torno suyo. De pronto dijo:

—¿Cuánto es? ¿Has subido el vino?

—Está pagado.

—¡Gracias! Me tendrás de cliente si las cosas van bien. Hasta luego.

Todos murmuraron la despedida. Salió el hombre. Se quedó un momento contemplando el cartelón torpemente escrito, pegado a la casita: «Jardín.» Pensó en las noches de verano en que había venido con su mujer a cenar allí. De esto hacía ya mucho tiempo. Luego caminó por la carretera.

Florencio escupió.

—Dolores, en esta casa es imposible vivir tranquilo. ¿Queréis dejar de hablar?

—¡Qué nervios! —exclamó la mujer—. En cuanto hay un poco de apuro te entra canguelo.

—¿A mí? ¡Bastante me importa!... Lo que no se puede resistir es oiros chismorrear y darle vueltas al asunto. Vendrá cuando quiera, ¿entendéis?, o no vendrá.

Estaba atardeciendo. Florencio giró la llave del interruptor. Se encendió una bombilla sucia y moteada de excrementos de moscas. La habitación con aquella amarillenta luz se entenebreció. Los ojos de Julita brillaban acuosos.

—¿Cuándo se le ocurrirá aparecer al maldito?

Florencio afirmó:

—Esteban me va a oír. Tomar soleta cuando la cosa está como está. ¡A quién se le ocurre!

Una sospecha se le fijó en la mente.

—Dolores, ¿está bien guardado el dinero?

—Sí, hombre, está bien guardado. Lo tengo ahí, bajo el almirez. ¿Quién te lo va a robar?

Las palabras de su mujer le tranquilizaron.

—Voy a darme una vuelta a ver lo que se cuenta.

—Pero, ¿no eres tú el que no se quería enterar de lo que dicen los vecinos?

Dio un portazo.

Julita y su tía principiaron a estudiar otra faceta del problema.

—Tú lo que debías hacer —decía Dolores— era plantar a los dos.

—Eso es fácil de decir.

—Así se arreglaba, mujer. Además que no se atreverían a tocarte un pelo, para eso estoy yo aquí y como me ponga de uñas se les va la bravuconería a la m...

—Buen par de chulos son. De eso nada, tía. Yo quiero a Esteban, y el otro que se busque acomodo por ahí. Para lo que trabajan lo mismo me daría dejarlos a los dos, porque una se mata en el tajo y ellos sin hincarla. Pero a Esteban le quiero, te digo mi verdad.

Cuando llamaron a la puerta, Julita se levantó a abrir en la creencia de que era alguien de la vecindad. Al principio no pudo reconocerle. La última luz de la tarde velaba su rostro. Luego gritó. La tía saltó en tensión de su asiento.

—¿Es él?

No tuvo necesidad de salir hasta la puerta. El Remedios entró pausadamente en la casa llevando cogida con fuerza por un brazo a Julita, que lloraba resignada y en silencio, con la cabeza baja.

—Sí; yo soy.

—¿Cómo estás...? Siéntate... en seguida vendrá Florencio... ten calma..., ten calma.

El Remedios sonreía, dueño de la situación.

—¿Y el pelmazo ese? ¿Dónde se ha metido?

—No está.

—Vaya, vaya, qué recibimiento. ¿Me esperabas, Julita?

Cambió el tono y se creció.

—De modo que mientras yo estaba de hotel tú te decidiste a cambiar, ¿eh? Lo supe en seguida, pedazo de...

Intervino Dolores:

—Ten calma, hombre. Estas cosas son para discutirlas.

—Usted se calla. Usted habrá sido la que ha metido en baile a ésta.

Reaccionó la tía valerosamente.

—¿Sabes que has venido muy chulo? ¿Sabes que te quiero oír cantar cuando vengan los otros gallos? ¿Sabes que como no te domines sales de esta casa y no vuelves a poner los pies en ella?

Decreció la violencia del hombre, aunque mantenía el tipo.

—Menos, menos.

Paró la mirada en la mano de Dolores, que apretaba una tijera.

—Siéntate y deja a la chica... Ahora se verán las cosas.

Florencio entró en la casa rápido y demudado.

—Ya estás aquí, ¿eh?

—Sí, aunque no por mucho tiempo. He venido a arreglar el asunto.

Se derretía Florencio en recomendaciones de serenidad.

—No lo tomes tan a pecho, hombre. ¿Qué iba a hacer la chica si tú faltabas? Tú, que no tenías por qué haber faltado.

—Bueno, eso es otra cosa.

—Porque, hablando sin alborotarnos, ¿qué iba a hacer ella? Tú ya la conoces.

La furia del comienzo había decrecido en el Remedios y ya estaba dispuesto a comerciar, a avenirse a toda clase de arreglos con tal que se le indemnizase debidamente.

—Porque yo ahora ¿qué? —preguntaba—. Porque si a mí no me hubiese inutilizado lo que me pasó yo ahora tendría un oficio, un algo. Me echan a la calle del hierro y ahora ¿qué?

Julita le miraba con los ojos húmedos. Descubría en el Remedios hermosuras ocultas. Lo comparaba con Esteban y, a pesar de que se consideraba enamorada de éste, veía en el Remedios un hombre muy hombre, una especie de producto perfecto del medio en que ella había nacido y vivido.

Florencio insinuó a Dolores que mostrase algún dinero. Florencio sabía que los billetes de Banco, aireados convenientemente, producen un extraño encantamiento, al que se doblegan las voluntades más recias, los ánimos más templados. Su mujer fue hacia el almirez, lo alzó levemente, pasó la mano por debajo y empalideció.

—¿Qué ha pasado, Dolores? —casi gritó Florencio.

—Que aquí faltan... que falta dinero.

Florencio abrió la boca. Su expresión era cómica. Dijo:

—Esteban; ha sido Esteban.

—Se ha llevado uno de los grandes y varios pequeños. El muy ladrón, el hijo de...

—Menos mal que no se lo ha llevado todo.

Contaba los billetes ávidamente. Florencio se derrumbó sobre una silla.

—Ya ves, sobrina, a lo que nos llevan tus líos.

—Entérate —decía la tía— de quién era el gachó. Y ahora quiérele mucho, idiota. Te debías haber marchado con él de una vez.

El Remedios, los papeles invertidos, aconsejaba tranquilidad a los tíos y consolaba a Julita, en pleno ataque de llanto histérico.

—Mire usted bien, Florencio; se han podido volar.

—Sí, volar, con el pájaro.

—Tenga calma, puede que los haya cogido para algún negocio que tendrá entre manos.

Esteban bailaba con una muchachita en una sala, primer piso de una casa del paseo de Atocha. Esteban, labia sutil de timos y desplantes golfos, la entontecía entre foxes y vermúts. Con el brazo se acariciaba disimuladamente la cartera. Pensaba que ya era momento de abandonar aquella cuadra del pueblecito de los basureros. Ahora tendría que ingeniárselas para vivir. Si las cosas le salían mal ya tenía estudiada la solución: sentar plaza en el Tercio. Si los asuntos marchaban, a ganar dinero y divertirse. No pensó un solo instante en el Remedios. Para él aquello era agua pasada. Que cada uno se las arreglara como pudiera. No se había llevado todo el dinero, aunque tentado estuvo, pensando en Julita.

Florencio cortó el coro de lamentaciones después de dos horas largas de darle vueltas y hacer cábalas sobre el robo.

—Ya no hay remedio. Pero el día que me lo encuentre me las paga.

Cenaron. Después de cenar, los ánimos estaban lo suficientemente calmados para que se hicieran conjeturas sobre la forma en que pudo enterarse Esteban del lugar donde se guardaba el dinero.

El Remedios, silencioso, atendía, muy interesado, a la conversación. Julita le miraba de vez en vez. Julita seguía descubriendo bellezas inéditas en el Remedios: las patillas en punta, bigote más largo, su forma de mover la cabeza a uno y otro lado.

Se retiraron Florencio y Dolores a su dormitorio. Al día siguiente había que madrugar. Julita y el Remedios estuvieron cabeceando, sin quererse mirar, un buen rato. Sus miradas acabaron por encontrarse. Julita dijo de pronto:

—Reme, ¿cambio las sábanas?

La respuesta fue:

—¿Para qué? Da igual.

V

Ante el gran armario de luna volvió a evolucionar doña Leonor. Una vuelta, otra, de frente, de perfil, de espaldas. Se pasó las manos por las caderas y el vientre. El nuevo vestido le seguía haciendo una arruga. Maldijo para su adentros a la modista. Intentó otra vez corregir el defecto. Inutil. La arruga no desaparecía. Se miró fijamente en el espejo. Como compensación, se encontró muy guapa. Dejó la habitación y regresó a dar órdenes desde la puerta de la cocina. ,

Doña Leonor tenía cocinera por un día, cocinera de alquiler para santos y festejos. Se sabía conocedora de los secretos del cocinar. Gustaba de hacer ella las comidas y de hacer pedagogía culinaria con la sufrida, torpe y reaccionaria Anuncia, la sirvienta. Pero doña Leonor, por mucho que se esforzase, no podía llegar al alto grado de presentación de los platos de una cocinera profesional.

La presentación era un argumento indestructible para ella, unas veces empleado en sentido favorable y otras como cortapisa al buen deseo de don Matías de llevar a la familia, de vez en vez, a cenar a un restaurante.

—¿Qué dan en un restaurante —decía doña Leonor— que yo no pueda poneros en casa? Claro es que tiene más presentación, pero por eso no saben mejor las cosas. Con el dinero que nos íbamos a gastar en cenar fuera podías comprarme cualquier cosa, que bien necesitada estoy de ropa.

Sin embargo, para la comida del día de Navidad, había traído cocinera. Dijo: «Desde luego, yo puedo hacerlo tan bien como una cocinera, pero la presentación..., eso es lo que importa, la presentación.»

Doña Leonor aleccionaba a Anuncia, interrogaba a la cocinera; volvía locas a las dos.

—Anuncia, ni por casualidad te perfumes. Ese perfume que te das es peor que el amoníaco.

La sirvienta se molestó mucho, porque el perfume a que se refería doña Leonor se lo había regalado un buen amigo el día de su cumpleaños, dentro de un bonito y diminuto teléfono de pasta, mientras que en la casa nadie tuvo un detalle —siempre recalcaba la palabra detalle— con ella, excepto don Matías, que la felicitó a la hora del desayuno.

—Oiga, Lucía, ¿por qué no hace más fritos?

—Porque ya son bastantes; si no les van a quitar las ganas de seguir comiendo.

José María había llegado hacía poco tiempo. Estaba en la salita recién desempolvada hablando con Pedrolas.

—¿Qué haces ahora, chico?

—Me van a llevar a un colegio particular para ver si pueden sacar algo de mí.

—¿Quién ha dicho eso?

—Mamá.

Indignaba a José María el trato estúpido que doña Leonor daba a Pedrolas. Después preguntó:

—¿Y estás contento?

—No sé.

La risa de Pedrolas era como un raspar de uñas ratoniles, aguda, penetrante y fría. José María se calló. El hermanastro empezó a hacerle preguntas:

—¿Tú tienes novia?

—Por ahora no.

—Y ¿por qué?

—Qué se yo.

—A mí me gustaría tener novia. ¿Has besado a alguna chica?

Se avergonzó José María.

—Oye, Pedrolas, vamos a hablar de otra cosa.

Pedrolas insistía, riéndose:

—¿Por qué no me lo cuentas?

—Vamos a hablar de otra cosa. Si quieres cualquier día te vengo a buscar y nos vamos al cine, ¿te parece?

—Sí. Y luego nos vamos por ahí.

Doña Leonor entró, sonriente, en la salita.

—¿Qué hacéis aquí como dos pasmados?

—Charlábamos —respondió José María.

—Veniros para el comedor.

Doña Leonor estiró los guardabrazos de una butaca. Estaba muy sonriente.

—Hoy, José María, van a venir el novio de Leonorcita y su padre. Va a ser casi una petición de mano.

Anuncia no se encontraba a gusto con su uniforme. Se lo había advertido a doña Leonor en un tono de irritada suavidad.

—Señora, me aprieta por aquí. No podré servir bien. Además huele a esas bolas que pone usted en el arca.

—Pues, hija, no sé de qué te quejas. Si lo tuvieras que llevar todos los días...

En el cerebro de Anuncia se fraguaba la idea de sabotear la comida. Leonorcita y Antonio llegaron muy contentos. Leonorcita comunicó a su madre:

—Papá y don Antonio están en el bar de abajo. Han dicho que en seguida subirán.

Doña Leonor hizo un gesto instantáneo de repulsa. Se dulcificó con los saludos.

—¿Qué tal, Antonio? ¿Os habéis divertido? Para vosotros es la vida. ¡Ay, la juventud!... Pasad, pasad a la salita. ¿Queréis que os sirva algún aperitivo?

Antonio se sentó en una butaca, subiéndose delicadamente los pantalones, de raya perfecta.

—Es mejor aguardar, ¿no? —dijo Leonorcita.

Don Matías y don Antonio se trataban como dos viejos camaradas. Hablaban de negocios.

—Lo fácil se va a acabar, don Antonio.

—No lo crea usted. Todavía queda mucho que hacer, don Matías.

—Ojalá.

—No hay que preocuparse.

Subieron al piso.

Doña Leonor, en el comedor, ordenaba:

—Usted se sienta aquí, don Antonio, ¿le parece?

—Muy bien, doña Leonor.

—Tú aquí, Leonorcita, y a tu lado Antonio. Tú, Matías, allá. A tu derecha, José María. Pedrolas, junto a mí.

Se sentaron todos. Desdoblaron las servilletas de hilo, tiesas, duras. Entró Anuncia. Doña Leonor la dirigía con un juego de ojos y cejas entre sonrisas y frases distributivas a sus invitados. De la cocina llegaba el olor, imposible de disimular, de la comida.

—Como en su casa —invitó doña Leonor—. Háganse la cuenta. Con confianza.

Transcurrió la comida en un clima de ramplona finura. Todos se sintieron incómodos. José María tuvo una mala intervención:

—Y ¿para cuándo?

—¿El qué para cuándo? —preguntó doña Leonor, un poco airada.

Don Antonio la cortó:

—Cuando ellos digan; ellos son los que tienen que decidir.

... ...

Don Antonio llegó pasadas las diez y media a su casa. Antonio le estaba esperando para cenar, luego de haber pasado la tarde con su novia en una sala de fiestas.

—¿Qué tal ha ido eso, muchacho?

—Viento en popa.

—A ver si os decidís pronto. La situación se está haciendo inaguantable. Ahí hay dinero. No mucho, pero sí el suficiente para sacarnos del aprieto. Nuestro negocio, como pegue otro bandazo, se va a pique.

—Si no hubieras jugado tanto...

—Pues sí que es solución hablar ahora del juego. Lo hecho, hecho está. Aparte de que no es ni la cuarta parte de lo que tú te piensas o ha llegado a tus oídos. Ahora lo importante es salir del atolladero. Necesitamos ese dinero. Nos vendrá como las propias rosas.

—Pero, ¿tan mal está el negocio?

—Peor que mal. Estoy al descubierto por bastantes billetes. Las pequeñas operaciones, por muy bien que se den, no resuelven nada. Con la dote de la chica, sea en especies, valga un piso, por ejemplo, o en metálico, podemos ir arreglando los desperfectos. Tú verás. O eso o tener que volver al puesto para sacarte la vida y nada más. No pienses en lujos.

... ...

Don Matías cambiaba impresiones con su mujer en el lecho conyugal.

—Tipo decidido este don Antonio. Creo que tiene mucho dinero. Habrá que hacer un sacrificio con nuestra hija para no quedar mal.

—No va a haber más remedio. Leonorcita, desde luego, llevará buena vida con Antonio. La quiere y con el capital que tienen nunca le faltará nada.

—Eso opino yo.

Doña Leonor dio un giro a la conversación.

—Matías, cada vez me preocupa más nuestro hijo Pedro. Hay que llevarle a que le mire algún doctor famoso para que nos diga si tiene arreglo o se puede mejorar algo.

—Ese chico, ese chico... No sé qué se puede hacer con él.

—Eso es lo que hay que ver. Tenemos que pensarlo muy seriamente.

Don Matías apagó la luz y se volvió del lado derecho en la cama. La cuestión de la postura en la cama, se dijo, es que no sufra el corazón.

Doña Leonor estuvo mucho rato con los ojos abiertos, pensando. Después, cuando la respiración de su marido se hizo fuerte y regular, ella se volvió de espaldas, apoyándose en el lado izquierdo. No tenía teorías tan sanas como las de don Matías acerca del arte de dormir en la cama. Doña Leonor tuvo pesadillas durante la noche. Pesadillas que en un momento determinado la hicieron gritar.

VI

El Remedios andaba inquieto. Julia ya le había dicho dos o tres veces: «Tú tienes una espina por dentro, y hasta que no te la saquen no vas a estar tranquilo.» El Remedios tenía una espina: Esteban. Esteban estaba haciendo durar el dinero robado. No invitaba a nadie, pero armaba las grandes polcas —eran palabras de él— en las tabernas del río y de la carretera. Contaron a el Remedios algunas de las expresiones y algunos de los comentarios que empleaba y hacía a su respecto. El Remedios callaba y, cuando salía hasta casa de Lucena, el mal humor le impedía hablar con la gente. Odiaba a todos: a Esteban por hijo de mala madre y a los demás por cerdos. Que Esteban había nacido de mil padres combinados, lo sostenía a todas horas delante de la admirada Julita y de los temerosos Florencio y Dolores. Florencio le decía a su mujer:

—Yo no sé lo que va a pasar aquí, pero me parece que alguna desgracia nos ronda.

Dolores asentía con la cabeza y no despegaba los labios.

Andaba el Remedios con un tic extraño. Cada poco se cateaba los bolsillos, como si le faltase algo. A veces se metía las manos en ellos, como temiendo haber perdido algo importante. Cuando palpaba el objeto de su nerviosismo se tranquilizaba de inmediato.

La insconsciencia de Julita era para sus tíos el peor de los males. No se atrevían a decirle nada, porque ella, refugiada en el Remedios, se lo contaba en seguida y luego venían las explicaciones, que éste pedía, que resultaban, además de embarazosas, peligrosas. Florencia y Dolores no se encontraban tranquilos en la casa más que en los ratos que el Remedios se iba a la carretera. Cuando esto sucedía, la sobrina preguntaba constantemente por él:

—Tía, ¿dónde se habrá ido el Reme?

—¿Y yo qué sé? Estará batiendo el moco en la carretera.

—¡Cómo es usted, tía! No le quiere, está visto que no le quiere.

—Pues sí que es para quererle. Estamos todos con los nervios como las cuerdas de un guitarrillo y sales con ésas: que no le quiero. Si tú eres tonta, chica. ¡Cuando yo te lo digo!...

El Remedios había llegado una noche con la solapa de la garbadina desgarrada hasta cerca del cinturón. Nadie le preguntó nada. Después de cenar, en la cama, le explicó a Julita que había sido por defenderla, porque no dijeran, porque Esteban andaba contando por las tabernas, a todo el que le quería oír, sus intimidades. Acabó afirmando:

—A ése me lo cargo yo. Te lo juro por mi santa madre, y me caiga muerto si antes de una semana no lo he hecho.

Julita le abrazó muy fuerte.

—No te pierdas, Reme; no te busques la ruina.

Pero el Remedios acababa de decir su última palabra. El Remedios la besó en la boca, se dió media vuelta en la cama y se durmió tranquilamente. Acababa de encontrar la paz que le faltaba.

Estaba el día desapacible. Ni llovía, ni nevaba, pero la temperatura era baja y la humedad del campo se hacía notar. Solamente en algún surco, en algún ribazo, entre algunas raíces a flor de tierra, había un poco de nieve, casi barro. La carretera brillaba hasta la lejanía incierta.

Julita ayudó a el Remedios a ponerse la gabardina. Casi era una caricia aquella suavidad que empleaba en la ayuda. Antes de despedirse, Julita le pidió:

—Júrame, Reme, que te has de cuidar.

—Te lo juro...

—Júramelo por tu madre.

—Por mi madre.

—Ahora dame un beso muy fuerte.

Se besaron brutal, omnímodamente.

El Remedios salió de la casa silbando un aire de fox lento. Julita le vio partir, mirándole alejarse, oyéndole alejarse con la melodía. Después de algunos minutos dio un suspiro y se echó a llorar, mientras corría en busca de su tía. Encontró a Dolores en la cuadra, entre los cerdos.

—¿Qué te pasa, Julita?

Julita se abrazó a ella.

—No lo sé.

El Remedios entró en la taberna de Lucena.

—¿Qué vas a tomar?

—Nada. Vengo a preguntar.

—Tú dirás.

—¿Sabes dónde está Esteban?

—No. No le veo desde..., desde que tú saliste.

—Pues me han dicho que estuvo por aquí últimamente.

—¿Y quién ha sido el c... que te ha dicho eso? Te han engañado. Aquí, te doy mi palabra de honor, no ha pisado.

—Bueno, hombre. Hasta la vista.

—Suerte.

Lucena se quitó el mandil que se ponía para trabajar y entró en la cocina.

—Catalina, ven acá. Hazte cargo del mostrador hasta que yo vuelva.

—¿Dónde vas?

—¿A ti que te importa? Tráeme la chaqueta y el impermeable.

Lucena esperó un rato hasta que calculó que el Remedios estaba bajando la cuesta. Salió de su taberna. La mujer se encogió de hombros y comenzó a lavar unas frascas de vino.

El Remedios recorrió todas las tabernas del barrio de la orilla derecha del río. No encontraba a Esteban por ninguna parte. Empezó a sospechar que Lucena, no sabía por qué, le había engañado y había avisado a Esteban. El Remedios no cejó en su empeño. Pero en cada taberna que entraba se tomaba un vasito. Empezó por tomarlo con limón y acabó tomándolo solo. A las nueve de la noche no se sentía muy firme sobre sus piernas. Decidió volver a casa.

Cantando y dando bandazos por la carretera, llegó el Remedios a la taberna de Lucena. Entró dando un gran empujón en la puerta. Se agarró al mostrador y pidió un vaso de vino. Lucena se lo sirvió muy serio. El Remedios había olvidado enteramente a Esteban, pero Esteban no le había olvidado a él. De improviso oyó su voz.

—Qué, Reme, celebrándolo...

El Remedios se volvió espantado. Tartajeó:

—Sí..., ce...le...brán...do...lo... Quie...ro... ha...blar... con...ti...go... dos...pa...la...bras...

Esteban se dirigió a todos los clientes de la taberna:

—De modo que quiere hablar conmigo dos palabras. Pero si no puedes, Reme.

El Remedios intentó sacar algo del bolsillo y abalanzarse sobre Esteban. Este se apartó, y el Remedios cayó al suelo. Esteban pisó su mano y le quitó la navaja. Luego le levantó y le abofeteó. El Remedios estaba entontecido. No se podía defender. Esteban le decía con la cara casi pegada a la de él:

—Sí, cornudo; con la Julita he hecho lo que me ha dado la gana.

Y empezó a explicar en alta voz, silbantes las palabras, lo que había hecho. Después lo fue llevando hasta la puerta, y allí, de una patada, lo tiró al suelo.

Las puertas de la taberna se cerraron. El Remedios estuvo un gran rato caído, sin poderse mover. Después, lentamente, se levantó, se palpó el cuerpo. Volvió a caerse. Sangraba de la nariz, de la boca, de una ceja. Estaba manchado de barro. Juró en voz alta:

—Mañana te mato.

De la taberna salían amortiguadas, como aplastadas, unas carcajadas. El Remedios echó a andar cuesta abajo, hacia el barrio del río. En su inconsciencia sentía todavía un remusgo de vergüenza. El era un hombre; no se presentaría así delante de Julita.

La noche tenía un alto cielo de estrellas. Estaba helando. Un camión pasó por la carretera y estuvo a punto de atropellar a el Remedios. Nunca supo éste, cuando alguien se lo preguntó, dónde había pasado la noche. Algunos vecinos que le conocían afirmaron que le habían visto rondar, vacilante, las orillas del Manzanares. El agua bajaba tumultuosa, y podía haber sido una tentación. Al día siguiente Esteban se apuntó en el Banderín de enganche de La Legión, como había proyectado. Al día siguiente Lucena quiso explicar a el Remedios lo que había pasado, pero fue inútil. Lucena tuvo que guardar cama, con fiebre alta, durante dos días. El Remedios no volvió a pisar su taberna.

VII

Doña Leonor García de Del Cerro terminó de hacer el nudo de la corbata de su hijo Pedrolas. Doña Leonor se apartó para contemplar su obra. «No es un nudo muy allá —pensó—, pero puede pasar.» Avanzó sobre Pedrolas y apretó el nudo.

—Mamá, me ahogas —balbuceó el muchacho.

—Si supieras hacer el nudo como todos los chicos de tu edad, no te tendrías que quejar.

Doña Leonor sacudió a su hijo como si fuera un maniquí, le metió la camisa por los pantalones de una manera brutal. Pedrolas quedó inclinado hacia adelante porque le tiraba la camisa. Doña Leonor volvió a la carga:

—Estírate, hombre, que pareces un viejo.

El chico se estiró con esfuerzo. Doña Leonor volvió a apartarse. Con las manos cruzadas sobre la tripa, lo contempló. Se acercó y le dio un manotazo en la chaqueta.

—Yo no sé si eres tú o es el sastre, pero parece que vas vestido de prestado. Intenta ser más airoso, hijo mío.

Doña Leonor y su hijo fueron a ver al médico. La tarde transcurrió lenta, gris, amarga. A la hora de cenar don Matías y su mujer hablaron de Pedrolas y de su casi imposible curación.

A las once y cuarto de la noche llegó Leonorcita. Estaba ojerosa y despeinada. Le sirvieron la cena. Mientras cenaba, doña Leonor y don Matías no le quitaban ojo. Leonorcita interrogó:

—¿Por qué me miráis así?

Doña Leonor frunció el entrecejo.

—Que te lo explique tu padre.

Se levantó de la mesa, y con paso digno y mesurado salió del comedor. Don Matías dijo:

—¿Dónde has estado, hija? ¿No sabías que era muy tarde y que nos dabas un disgusto?

—No es tan tarde, papá. He estado por ahí.

—¿Cómo que no es muy tarde? En estos momentos —consultó su reloj—, las once y veinte. ¿Y no te parece tarde? O tú estás loca o nos crees idiotas. ¿En qué casa —bramó— sabes tú que las hijas se presentan a cenar a estas horas? Mira, niña, es, entiéndelo bien, el primero y último día que te presentas aquí después de las nueve y media. Sí, sí, sí..., puedes decir que somos unos anticuados, que estamos rancios o apolillados o lo que quieras, pero a las nueve y media aquí.

—Pero, papá. He estado en casa de unos amigos, un guateque, y claro, se me ha pasado el tiempo. Luego, venir desde tan lejos...

—Pues tenéis los guateques por la mañana, de siete a una, y se acabó. Y no hay más que hablar.

Don Matías, asombrado de su energía, se zambulló en el periódico. Leonorcita terminó de cenar en silencio. Dio las buenas noches y se fue hacia su habitación. En la habitación entró silbando, pero se le cortó el silbido al ver a su madre esperándola. La primera precaución de doña Leonor fue cerrar la puerta. Después cogió un pellizco en el brazo de Leonorcita.

—Me vas a decir, so perdida, dónde has andado. Te habrás dado cuenta de que me he marchado del comedor por no dar un disgusto a tu padre.

Leonorcita, al principio, se mordía los labios de dolor, luego dio unos ayes, y acabó llorando.

Doña Leonor la instaba:

—No hagas la Magdalena. Dímelo todo, que no sé lo que va a ser de ti, golfanta. ¿Ha ocurrido lo peor?

—No, mamá —hipó Leonorcita.

—Mira —doña Leonor echaba el aire por la nariz como un potro después de una carrera —que no voy a tener compasión. Mira que te pongo en la escalera y aquí no vuelves a entrar.

Leonorcita hizo un esfuerzo y se desprendió de su madre.

—Pues si te pones así, me voy.

—¿Que te vas? ¡Estaría bueno! Lo que va a ocurrir es que no vuelves a pisar la calle en los días de tu vida. ¿Qué has hecho, desgraciada?

No le respondía Leonorcita.

—Dímelo, por caridad, para ver si todavía hay arreglo.

Se volvió de espaldas la hija. Doña Leonor no pudo resistir más y le golpeó la cabeza, le tiró del pelo. Leonorcita se echó, llorando torrencialmente, sobre la cama. Doña Leonor se fue calmando. Su figura, vista con el rabillo del ojo por Leonorcita en una pausa del llanto, se agigantaba, se hacía imponente.

—Anda, Leonorcita, díselo a tu madre. A una madre se le cuenta todo, por muy malo que sea.

Leonorcita se estremeció. Cambió el llanto. Ahora ya no era de rabia, humillación y dolor; ahora tenía inflexiones de amor filial y esperanza.

—¡Ay, mamá, mamaíta!

—Cuéntamelo todo, como si fuera tu amiga más íntima.

—Me ha prometido que nos casaremos en seguida.

—Que lo tenga por seguro. Mañana mismo voy a hablar con él.

—No, mamá, que lo puedes estropear.

—¿Me vas a enseñar tú a mí mis obligaciones? Ahora, duérmete tranquila. Todo se arreglará.

Doña Leonor besó a su hija. Cerró la puerta con cuidado al salir, como si su niña estuviera dormida, y se encaminó a su dormitorio. Don Matías se rascaba, sentado en la cama, las espaldas. Todavía tenía cercano a sus manos el periódico.

—¿Cómo has tardado tanto? ¿Qué le has dicho a la chica?

—Nada, hombre.

—Ya le he explicado yo que como venga otro día tan tarde duerme en la escalera.

—No volverá tarde nunca más, no te preocupes. La he cantado las cuarenta.

—Con los hijos no hay que ser tan duro, Leonorcita; le había dicho yo bastante en el comedor.

—Con los hijos, puede; pero con las hijas...

Doña Leonor se puso el camisón. Don Matías preguntó:

—¿Apago la luz?

—Cuando tú quieras.

—Buenas noches.

—Buenas noches.

Doña Leonor, según dijo Anuncia, amaneció con las del Beri. Se levantó temprano y tocó diana para todos gritando energuménicamente. Don Matías no pensaba haber bajado al Mercado, porque no se sentía bien; pero al ver el cariz que iban tomando las cosas, optó por marcharse de casa. Doña Leonor llamó fuertemente con los nudillos en la puerta de la habitación de Leonorcita. Después entró.

—Arriba, gandula, que ya es tarde.

Leonorcita fingió un despertar repentino, con restregón de ojos y arreglo de cabello. Humildemente preguntó:

—¿Qué, mamá?

—Que te levantes, que tenemos que ir a ver a ese guarro.

Leonorcita saltó de la cama y comenzó a desarrollar una actividad tan inusitada como inútil. Pedrolas acababa de dejar el baño.

—Mamá, ¿yo qué hago?

—Desayuna y te pones a estudiar algo.

—Pero, mamá, si no me gusta.

—Pues te pones a estudiar, y no marees.

Doña Leonor y Leonorcita salieron a las diez y media de la mañana, muy arregladas, rumbo al almacén de chatarra de Antonio Zurita. Doña Leonor hacía recomendaciones a su hija por el camino:

—Tú, ni despegar los labios; la que tiene que hablar soy yo. Te limitas a afirmar lo que yo diga cuando te lo pregunte.

Luego siguió en tono amenazante:

—¡Me va a oír! Hacerte eso a ti.

Don Matías, en el Mercado, estaba medio dormido. Su encargado le hacía preguntas, que eran contestadas con vaguedades.

—Don Matías, están decomisando unas cajas de pescadilla por estar en malas condiciones.

—Hum.

—¿Vemos de untarle al guardia?

—Hum.

El encargado se encogía de hombros y se marchaba. A poco volvía.

—¿Cuánto hielo cogemos hoy?

Doña Leonor y su hija encontraron a Antoñito acompañado de su padre. Antoñito puso mala cara al verlas entrar. Don Antonio sonrió ampliamente.

—Buenos días, doña Leonor y Leonorcita —dijo—. ¿A qué debemos su agradable visita?

—¿Se puede hablar en un sitio reservado? —respondió doña Leonor.

—Sí, pasen, pasen a la oficina.

Leonorcita quería hacer un gesto de explicación a Antoñito, pero estaba vigilada por su madre y no se atrevía. Doña Leonor la hizo pasar delante de ella.

—Siéntense ustedes. Ustedes disculparán que esté todo un poco…, como si dijéramos, descuidado. Ya sabe usted, doña Leonor, lo que son estos negocios.

—Sí, don Antonio.

Hubo una pausa grande, que rompió don Antonio con cierta alegre inconsciencia.

—Pues ustedes dirán.

—Vengo —la voz de doña Leonor estaba templada como una hoja de espada— a hablar de la boda de nuestros hijos.

—¡Ah, sí! Pero, ¿qué prisa hay?

—Mucha; han ocurrido cosas entre Leonorcita y su hijo que la hacen inminente.

—Pero habrá que escuchar a los interesados, ¿no le parece?

—A una ya no hay que escucharla. El otro dirá.

Antoñito fue a hablar, pero su padre le atajó:

—El caso es, doña Leonor..., ¿cómo se lo diría yo a usted?..., que el negocio nuestro pasa por un mal momento...; y, claro, usted se dará cuenta que a estas alturas un fuerte desembolso, que sería necesario..., pues no sé si lo voy a poder hacer...

Doña Leonor enarcó las cejas y tomó aire. Tenía los labios tan apretados, que al comenzar a hablar se le vieron los dentales manchados del *rouge*.

—De eso no se preocupe —casi silabeó—; a Dios gracias, aunque no somos ricos, podemos cumplir con dignidad.

—Muy bien, doña Leonor... Yo quisiera...; de todas formas, lograré un crédito...

—Mañana saldremos a arreglar los papeles. Ustedes ya los pueden ir preparando. La boda será dentro de un mes. ¿Conformes?

—Conformes.

Se levantó doña Leonor y salió, seguida de su hija. Don Antonio Zurita le extendió la mano al despedirse, pero doña Leonor hizo como si no se hubiera percatado del gesto.

VIII

Florencio Ruiz tiritaba de fiebre cuando dejó de trabajar en el vertedero. Le dolían las espaldas y sentía en el cuello como un agarrotamiento que le impedía volver la cabeza a uno y otro lado. Florencio Ruiz tiró el bieldo sobre el montón de basura, y con las manos apoyadas sobre los riñones entró en su casa. Su mujer le preguntó qué le pasaba. Florencio le respondió:

—Un baldamiento de la humedad y tortícolis.

—¿Te doy friegas?

—¡Me das leche! —contestó, de mal humor.

—Peor para tí, digo yo.

—¿No ves que no puedo ni moverme? Prepara dos botellas de agua caliente, que me voy al catre.

Dolores puso inmediatamente una olla con agua a hervir. Desde hacía mucho tiempo no encontraba a su marido de un genio tan áspero. Dolores se interesó por los males de Florencio.

—¿Te duele el pecho?

—Me duele todo.

—¿Y de qué crees que será? Porque otras veces has trabajado lloviendo, y tan campante.

—Será que me hago viejo. Además, tengo metido el tufo de la pringue en los bofes, y me da asco hasta tragar saliva.

—¿Quieres que ponga unas hojas de eucaliptos?

—Quiero que me dejes tranquilo.

—Estás que no hay quien te aguante.

—Pues no me pongas peor de lo que estoy.

Dolores sabía que cuando Florencio se quejaba y el genio se le alborotaba, algo andaba muy mal. Rememoraba el tifus de Florencio como una enfermedad que comenzó en una paliza. Recordaba la viruela de Florencio con un principio de rotura de objetos y pérdida de un diente de su mandíbula superior. A Florencio enfermo había que llevarle la corriente. Se enfadaba porque se sentía mal y le fastidiaba que los demás se interesasen por él y le hicieran preguntas. Dolores se limitaba a observarle. Florencio se cambió de calzoncillos para meterse en la cama, lo que hizo pensar a su mujer que se avecinaban días de enfermedad y de preocupaciones. En cuanto el agua hirvió, Dolores se apresuró a llenar con ella dos canecos de ginebra, que llevó a su marido. Se los envolvió en trapos, para que no le quemasen. Florencio estaba en plena tiritona.

—¿Te hago algo caliente para tomar?

Los dientes le castañeteaban al responder.

—Búscame la bacinilla, que vomito.

El Remedios y Julita se habían ido al cine. Por la carretera, cogidos del brazo, se zureaban como dos novios. La película les había emocionado. El protagonista volvía de la guerra y encontraba a su mujer vacilante ante un nuevo amor. El protagonista recuperaba a su mujer a fuerza de tesón, hombría y cariño. La cinta estaba muy cortada, y y delante de sus butacas, una mujer que llevó a su criatura al espectáculo, cuando ésta lloraba, le daba el pecho y la repetía de un modo monótono y molesto: «Hija mía, hija mía, hija mía... Aaá..., aaá...» El Remedios quiso protestar, pero Julita no le dejó. Julita le dijo:

—Tiene derecho la mujer a traerse su crío.

—Sí; pero no nos enteramos de nada.

—¡Y qué más da!

Julita le había cogido la mano con mucha fuerza y amor.

La tía los recibió en la puerta de la casa. El gesto sibilino, la voz conspirativa, los ojos fulgurantes.

—Al tío no le digáis nada. Está en la cama, rehilando como un moribundo. Le ha pillado un frío. Ya sabes, Julita, que cuando anda mal de salud se pone rabioso. Si os dice alguna intemperancia, no le hagáis caso.

Julita y el Remedios pasaron a ver a Florencio.

—¿Qué tal va eso? —preguntó el Remedios.

—Molido.

—Péguese un lingotazo de coñac. Mañana, como nuevo.

—¡Que te crees tú eso! Esto va para largo. Vas a tener que acompañar a las mujeres en la recogida.

—Muy bien.

—He querido hablarte estos días del asunto. Podías ir a un tercio con nosotros. Ya sabes que no se gana mal. A última hora es mejor trabajar en la basura que no trabajar.

—Muy bien; cuando se ponga bueno, ya hablaremos.

Florencio Ruiz estaba todavía boca abajo. Sus brazos, delgados y velludos, en torno a la almohada. Una babilla le había humedecido la funda de la almohada, donde pegaba la boca.

—Te tienes que cuidar, Florencio. Estás muy delgado. Tú no te has visto...

—Ya me cuidaré cuando tenga tiempo.

—Allá tú. Contigo todo es inútil. Siempre haces lo que quieres...

—Eso es un decir.

Dolores se frotaba las manos. Luego se quitó el vestido. Se quedó en combinación. Una combinación de color negro, repasada por muchos sitios. Así se metió en la cama.

No había amanecido y ya estaba el Remedios trabajando. Poco después se levantó Julita. El Remedios estaba ojeroso y demacrado. Julita le preguntó:

—¿Qué te pasa, hombre? ¿Te sentó mal el madrugón?

—La falta de costumbre. Estoy amañanado.

—Toma una copa de aguardiente.

—Después. Ahora voy a sacar el carro y enganchar la bestia.

Dolores, Julita y el Remedios se desayunaron con aguardiente y bizcochos duros, que la tía mojaba en su copa y luego se comía.

—Echame otra copa, Julita, que ésta se la ha tomado el bizcocho.

La misma gracia era repetida todas las mañanas por Dolores antes de salir al trabajo.

Por la cuesta bajaban los carros basureros. En el primero, sentado sobre una vara, iba el Remedios canturreando. A sus espaldas, Julita y su tía charlaban. El Remedios se sentía más hombre que nunca. Dijo:

—A las mujeres las debían cortar la lengua en el bautismo.

—Vaya, hombre. Y a vosotros, ¿qué os debían cortar?

El Remedios no respondió. Dio un palo a la burra y siguió canturreando. Tía y sobrina se miraron. Dolores bisbiseó:

—Igualito a tu tío.

—Pues hay suerte.

Al pasar el puente el Remedios escupió al Manzanares. Al pasar por el gran mercado se sorprendió de aquella actividad de hormiguero, de aquel continuo ir y venir, tropezando entre gritos, palabrotas, denuestos. Se dio cuenta de que trabajar no era un mérito, que había gente, mucha gente, que estaba en pie antes que él para sacarse el jornal.

En el ánimo de el Remedios daba sus últimas boqueadas el sapo sochantre que canta para los holgazanes. Le entusiasmaba saberse un trabajador, un obrero que gana su pan saliendo todas las mañanas al trabajo. El carro se cruzaba con las gentes que iban a sus ocupaciones. Creía advertir en las miradas de algunos un como saludo de bienvenida. «Bien venido, Remedios», le decían aquellos ojos. «Ya eres uno más.» El Remedios tendría de aquí en adelante argumentos que emplear en las tabernas de la orilla del río, en los debates de mostrador. Argumentos que él imaginaba que podían empezar así: «Uno, que es un productor, o como quieras llamarle; uno, que sale todas las mañanas, haga frío o calor, truene o diluvie, a ganarse el jornal...» El Remedios azuzaba a la burra sin cesar, porque era un novel en la recogida de la basura. Dolores le tuvo que advertir:

—Déjala, hombre; no la angusties, que ella va a su paso.

La lección no la tomó a mal. Espació los golpes a la burra y se puso a cantar un tango, viejo y arrumbado en su memoria: «Sola, fané y descangallada, la vi esta madrugada...» Detuvieron el carro en una calle alta. Dolores le indicó que esperara allí hasta que ellas bajaran con la basura. El Remedios, solo, se sentía inquieto. Le hubiera gustado hablar con los transeúntes. A uno que se quedó mirando un rato la burra no pudo menos de decirle, a guisa de saludo:

—Frío, ¿eh?

El transeúnte hizo un gesto con la cabeza y siguió adelante. El Remedios lió un cigarrillo y, sentado en la vara, moviendo las piernas, fumaba tranquilamente, dando grandes chupadas y contemplando el humo que lanzaba de la boca. Un guardia municipal se acercaba a pasos cortos, el rostro mostrando su aburrimiento. Al llegar a su altura, le dijo:

—Buena vida.

—Vaya.

—Este, ¿no es el carro de Florencio Ruiz?

—Del mismo. Yo soy su sobrino.

—¿Y qué le pasa a él para no venir?

—Un enfrío.

El guardia siguió caminando. El Remedios tiró la colilla al suelo. Luego se bajo del carro y la pisó. Se frotó las manos y sopló en ellas. Dolores y su sobrina aparecieron con los sacos rebosantes.

IX

Don Matías Cerro, después de dos semanas de intensos debates familiares, no se sentía con suficiente fuerza moral para discutir detalles de la boda de Leonorcita. Había entrado en conocimiento de los antecedentes gracias a la habilidad oratoria de su hija, que zigzagueaba entre los denuestos maternos, culpando de todo a doña Leonor. Don

Matías fue un testigo imparcial, porque tanto le dolía la reprobable conducta de la madre como la culpable inconsciencia de la hija. Pero don Matías no llegó a ser jurado porque nadie le pidió su opinión y tampoco alcanzó los laureles del heroísmo más abnegado porque huyó siempre que pudo del campo de batalla. Mas don Matías estuvo durante las dos semanas al borde del mareo, de la náusea y de la deserción definitiva de sus deberes de padre de familia, mal avenida, pero familia al fin. A don Matías Cerro el sastre acabó de marearlo y confundirlo. Doña Leonor le había comunicado que a la boda asistiría de chaquet. Don Matías no hizo la menor tentativa de rebelión. Pensó que si su mujer había dicho chaquet, iría de chaquet. No entendía de tales pompas y vanidades. Sospechaba su aire carnavalesco. Escribió una carta a José María, ausente desde hacía una temporada por cuestiones de negocios, en un tono que, queriendo ser alegre y despreocupado, resultaba de amargo y desesperado humorismo. «Voy a ir de chaquet —decía—. Si me ordenan que de monosabio, pues de monosabio, con tal que me dejen en paz... Tras de lo que ha ocurrido y hemos propalado a través de tabiques y patios de vecindad con estúpidas discusiones, no creo que sea lo más a propósito, pero las mujeres de esta casa son así.»

El sastre de don Matías no era un sastre de la antigua usanza. Más bien se encontraba con que la Providencia le había concedido un alma de artista sensible y pundonorosa. Don Matías prefería un sencillo sastre, que de vez en vez se equivocaba y le hacía el bolsillo superior de la chaqueta debajo de la axila, a aquel verdugo, para quien él no era otra cosa que un motivo para la creación y, también, una brizna sin importancia, que a un soplido, una voz, giraba y adoptaba posiciones raras.

—Gire usted, don Matías, a la derecha...; un poco..., un poco más...; ahora a la izquierda...; menos, hombre. Aquí... Alce el brazo; téngalo bien levantado.

Luego de tres minutos en posición de saludo, don Matías decía:

—Oiga, que me canso.

A don Matías el sastre le parecía un clown, y cuando se veía en el triple espejo con el chaquet sin una manga, los faldones informes todavía, tenía la impresión de que a tal clown correspondía él como un augusto. Las payasadas del sastre y su propio aspecto estrafalario le trasladaban a una sesión de circo, donde él mismo era público espectador desde el espejo. «Las payasadas —pensó— irán sumándose hasta que acabe todo este asunto de la boda y Leonorcita se entregue a la nostalgia y a la contemplación de fotografías del acontecimiento.»

Doña Leonor derrochaba un auténtico caudal de energías preparando la boda. Ya había olvidado en parte el mal paso de Leonorcita. Unicamente le preocupaba que la ceremonia resultase muy vistosa y que los asistentes quedasen deslumbrados y aun más que deslumbrados: tiritantes de envidia. Doña Leonor montó el estado mayor en el comedor de la casa. La familia comía en la cocina desde hacía cinco días. Todo se podía manchar, todo se podía quebrar. El comedor, en cuanto salía de él doña Leonor, era cerrado con llave. En el comedor había un maremágnum de papeles de seda, de bandeja de plata y metal imitando plata, de cajas con cubiertas, de lámparas barrocas, de lámparas con luces de adulterio. La imaginación de los invitados a la boda culminaba en una caja de cigarrillos con música.

Doña Leonor era avara de tanto tesoro. Pensaba exponerlos, cada uno con la tarjeta de la persona que había hecho el regalo. La hija tenía casi vedada la entrada. A don Matías no le era permitido más que asomarse a la puerta. A Pedrolas ni se le permitía andar por el pasillo, por miedo a que las vibraciones de sus pasos ocasionaran alguna catástrofe.

—Tú, Pedrolas —ordenó doña Leonor—, te estarás sentado en la cocina hablando con Anuncia o en tu cuarto estudiando. No quiero verte rondar el comedor. Con esas patazas...

—Ni que fuera a jugar al fútbol con los regalos —intervenía don Matías.

—Yo ya sé lo que me digo.

Pedrolas y su padre salían a pasear juntos.

—Si quieres, hijo, nos tomamos una cerveza por ahí.

—Yo, un vermut.

—Bueno, tú un vermut.

Callaba un momento el padre. Luego le recomendaba:

—No le hagas caso a tu madre cuando te riña. Con esto de la boda está desatada.

—¿También Leonorcita?

—También, hijo.

La víspera de la boda, doña Leonor riñó con su hija. Cuando llegó don Matías de la calle, salió a abrirle Pedrolas. Este le anunció medio riéndose:

—Papá, ya puedes estar tranquilo. No hay boda.

—¿Qué dices?

—Que mamá y Leonorcita han reñido y ya no hay boda.

Don Matías no se intranquilizó; pasó frente a la puerta del comedor, vislumbró a su hija empaquetando de forma aparatosa y violenta los regalos; siguió adelante. En la cocina preguntó a Anuncia:

—¿Y la señora?

—En la habitación de ustedes.

—Gracias.

Pedrolas le seguía regocijado, esperando ver lo que pasaba. Don Matías llamó a la puerta:

—¿Se puede, Leonorcita?

La contestación llegó entre hipidos. Don Matías empujó a Pedrolas hacia el pasillo, mientras le susurraba:

—Vete, luego te lo cuento.

—¿Todo, papá?

—Todo.

Entró don Matías en la habitación y se quedó de pie, sin saber qué hacer, con las manos en los bolsillos.

—¿Qué ha pasado, Leonorcita?

—Esa hija, ese monstruo, que ni es hija ni es nada.

Doña Leonor lloraba como una actriz de teatro antiguo, dando grandes gritos, alzando los brazos al cielo.

—Cálmate, mujer.

—Ya no hay remedio. No hay boda.

—¿Y quién ha decidido eso?

Se quedó perpleja. Cesó en el llanto.

—Yo, no, por supuesto.

—Entonces, espérate un momento.

Don Matías salió de la habitación. Pedrolas no tuvo tiempo de apartarse discretamente de la puerta y corrió delante de don Matías por el pasillo.

Don Matías entró en el comedor aparentando una gran tranquilidad.

—¿Qué haces, hija?

Leonorcita dejaba que le corriesen las lágrimas por sus mejillas. No le contestó. Don Matías dio a su voz matices de mucho amor.

—Sois las dos unas chiquillas. ¿A que sé por qué habéis reñido? ¿A que alguna ha roto alguna de esas baratijas y habéis armado el conflicto culpándoos la una a la otra? Anda, mujer, no te preocupes; todo está arreglado.

Leonorcita se abrazó a su padre y lo llenó de besos, de lágrimas y de maquillaje.

—¡Qué bueno eres, papá!

—Anda, ve donde tu madre y la pides perdón. Te está esperando.

Al salir del comedor, Leonorcita apartó a Pedrolas. Este preguntó a su padre:

—¿Hay o no hay boda?

—Claro que la hay.

—Pues vaya fastidio, ¿verdad?

—Sí; vaya fastidio.

Al poco tiempo oyó don Matías desde la cocina, donde estaba con Pedrolas intentando jugar a las damas, un nuevo altercado. Se presentó en seguida.

—¿Qué es lo que os pasa ahora?

—Mamá —comenzó a decir muy de prisa Leonorcita—, que me quiere coger un volante en el traje de novia.

Doña Leonor se desgañito:

—Se lo quiero coger porque así, como está, queda hecho un verdadero mamarracho.

La madre y la hija se enzarzaron en una discusión de tonos tremendos y acres. Antes de que acabaran insultándose y haciendo escenas, intervino don Matías:

—¡Silencio!

Las dos callaron y quedaron a la expectativa.

—Estáis muy nerviosas, lo comprendo; pero no es para que llevéis las cosas a esos extremos. Tú, mujer, tienes que tener en cuenta que la novia es ella, y lo lógico es que vaya vestida a su gusto. Si crees que ese volante la sienta mejor que... que lo que sea, pues se lo recomiendas, pero no se lo impongas; y en cuanto a ti, hija, tienes que tener más respeto a tu madre. Aparte de que estáis enterando a toda la vecindad de lo que aquí ocurre; se os oye desde el portal. Y ahora dejáis esto y os venís a cenar.

Durante la cena, madre e hija se pusieron de acuerdo en que la boda iba a ser deslumbrante.

—Desde luego —dijo doña Leonor— en este barrio no han visto cosa igual.

Leonorcita recapituló:

—Papá, ¿a qué hora va a venir el coche?

—Le he dicho que esté aquí a las once y media.

—¿Es grande?

—Sí; un «haiga» tremendo. Oye, ¿y a qué hora os pensáis marchar?

—No sé. Antonio se ha encargado de todo eso. Pregúntaselo a él mañana.

Doña Leonor y su hija, acabada la cena, se fueron en amigable compañía a contemplar el traje de novia.

—Es un sol —afirmó Leonorcita.

—¡Quién lo hubiera tenido en su momento! Tu padre y yo nos casamos de paisano.

Don Matías, metido en la cama, leía el periódico. Le interesaba, aparte de la política internacional, las multas de la Fiscalía de Tasas. Pedrolas dormía ya.

Tarde, muy tarde, después de despedirse con un sonoro par de besos, se retiraron doña Leonor y su hija. Doña Leonor, antes de apagar la luz, dijo a su marido en duermevela.

—Leonorcita va a estar mañana hecha una reina.

—Duerme, que mañana nos espera buena —fue la respuesta de don Matías.

Tras de la ceremonia de la boda, en la que doña Leonor lloró tradicionalmente y asombró a don Matías por su discreción, los invitados acudieron a un restaurante de estimable renombre en esta clase de festejos. La recién desposada destrozó un ramo de flores entre las jóvenes asistentes en estado de merecer. Antonio palmeó las espaldas de todos sus amigos e hizo chistes incongruentes sobre el matrimonio.

—A ver cuándo te suicidas tú —le dijo a uno—. Esto es como sentar plaza de santo —afirmó a otro.

Y a uno que tenía el proyecto de casarse mediada la primavera le soltó:

—Tú casi estás ya dentro del gremio.

Los invitados se comportaron como invitados. El lunch —cuando doña Leonor decía el lunch, decía algo menos, muy poco menos, que las bodas de Canaán— fue una hermosa batalla..

Antonio partió con Leonorcita, no sin cantar desde la puerta, como una despedida: «Adiós muchachos, compañeros de mi vida...» La partida y la canción tuvo un colofón de aplausos desesperados y de inarticulados gritos de algazara.

Entrada la tarde, don Matías, doña Leonor y Pedrolas volvieron a casa. Don Matías se encontraba triste y cansado. Doña Leonor le preguntó a su marido si se había enterado de dónde iban a ir los novios de viaje.

—Antonio me ha dicho —respondió don Matías— que primero iban a Aranjuez y después a Andalucía.

Don Matías se sentó en su habitual butaca del comedor, entre los tenderetes de la exposición de regalos. Anuncia comentaba con doña Leonor:

—La señorita iba preciosísima.

—Ha sido algo inolvidable.

—Si hubiera visto usted, señora, las caras de las vecinas que fueron a hociconear.

—Me las imagino. Doña Sonsoles, la del tercero, habrá quedado bien fastidiada. ¡Pues qué se creía! Los demás lo sabemos hacer tan bien como ella, y sin dárnoslas tanto de que nuestro padre fue así o asá.

Pedrolas se quitó los zapatos porque le apretaban demasiado, y estuvo andando por la casa descalzo hasta que estornudó y doña Leonor se dio cuenta.

—¡Pedrolas, ponte las zapatillas!

—No sé dónde están.

—Pues ponte las de tu padre.

Don Matías repasaba la ceremonia de la boda. La plática del sacerdote le había gustado mucho, pero creía que todo aquello de ayudarse el uno al otro no rezaba con Antonio. Le amargaba pensar en Antonio. Un tipo tan banal como él, seguro que no haría un hogar feliz. Leonorcita necesitaba mano dura, era todavía una niña, y lo que resultaba peor, una niña consentida. Si a Leonorcita se la descuidaba, no sabía lo que llegaría a pasar.

Pedrolas interrumpió la meditación de don Matías:

—Papá, ahora que nos quedamos solos, me llevarás mucho por ahí.

—Si estudias y eres bueno, sí.

—Pero si a mí no me gusta estudiar. Y bueno..., fíjate si lo soy.

Don Matías cerró los ojos. Pedrolas era demasiado bueno.

—Papá, este verano quiero aprender a montar en bicicleta.

—Bueno.

—¿Me comprarás una de manillar de carreras?

—Ya veremos.

Don Matías se acercó al radiador de la calefacción. Sentía el cuerpo frío. Los pies le dolían.

—Dile a tu madre que me haga una taza de manzanilla.

—¿Te duele la tripa?

—No.

—Entonces, ¿qué te duele?

—Anda. Anda, díselo.

Pedrolas entró en la cocina.

—Dice papá que le hagáis una taza de manzanilla.

—Ahora mismo.

Doña Lenor y Anuncia seguían haciendo comentarios de la boda. En el comedor, don Matías oía el runruneo de la conversación. Pensó: «Ya tenemos boda para rato.»

—Estoy deseando que traigan las fotografías —dijo doña Leonor—. Hemos debido salir muy bien.

—La señora estaba guapísima de madrina. Hay que ver aquella mantilla lo bien que le sentaba.

—¿Sí?

—Sí, señora. Lo que le digo, guapísima.

Pedrolas charlaba de nuevo con su padre:

—¿Tienes pena de que se haya marchado Leonorcita?

—Algún día tenía que ser.

—Pues no tengas pena. Yo me quedo, y te prometo que me quedaré siempre.

—¿Qué decías, hijo?

—No decía nada, papá.

Pedrolas continuó jugando a hincar su cortaplumas en el suelo, hasta que entró doña Leonor. Entonces don Matías pidió el periódico.

Exodo rural a la gran ciudad

Solar del Paraíso

I

Entre el puente de hierro y el puente nuevo el río corre apretado, tumultuoso, amenazante, en esta primavera. Ha llovido mucho. Las aguas hacen remolinos que aparecen y desaparecen en una danza loca. Las aguas se pulimentan en la represa; se estrían, nerviosas, a veces; se aterciopelan otras; gustaría acariciarlas como se acarician las ancas de una yegua preñada. Después, el río golpea las paredes del canal saltando para alcanzar la superficie verde que hay desde el cauce hasta el murete de contención de las grandes crecidas. Los saltos son continuados e inútiles, saltos de muchacho por coger algo demasiado alto.

Entre el puente de hierro y el puente nuevo, cuando pasen unos días y en el cauce nazcan isletas de cieno y juncos, cantarán las ranas desde el atardecer hasta que salga el sol. El río se amansará, se hará arroyo y, por fin, regato. Si los calores se echan de pronto habrá agua estancada, de un color verdinegro, que en la noche brillará mágica con las luces de los faroles de las dos orillas. Los chicos, en pleno día, serán los exploradores meticulosos que, con los pantalones remangados, descubran la carroña de un gato pelado, varada en el barro o el puchero agujereado que sirva para extasiarse llenándolo de agua, viendo sus humildes surtidores. Los perros vagabundos, en la noche avanzada, ladrarán miedosos y trotarán inquietamente, tal que rabiados, por las orillas buscando su sustento pardo, repulsivo y las más de las veces venenoso.

En esta primavera, con las acacias y los castaños esponjados en su rápido florecimiento, el paseo de la orilla izquierda del río se monotoniza de los cantos de los pájaros. Está el suelo cubierto de una débil capa vegetal, amarilla, verde y siena. En los alcorques crece la mala hierba en derredor de los troncos de los árboles. Las hormigas construyen volcancitos de cuyos cráteres surgen en ininterrumpido torrente de lava viva. Alguna lagartija ensaya su primera caza por el pretil del río. Un desagüe da mal olor, que mezclado al de la naturaleza acaba por ser un aroma fuerte, de sustancia fecunda que no molesta demasiado.

Paralela al paseo la calzada de la carretera, hecha túnel por las ramas de los árboles, se alarga comida, tatuada, de los relejes de los carros. Del otro lado de la carretera hay una acerilla de árboles jóvenes y distanciados. Luego se alzan las casas.

Existe un ritmo extraño en la construcción de las casas entre el puente de hierro y el puente nuevo. Los edificios están separados por solares. No hay dos seguidos apoyándose y ayudándose mutuamente. Es como un tartamudeo urbanístico: casa, solar, casa hasta el final del paseo donde está trazado un esquema de jardín, triste y agobiante.

Las fachadas de los edificios no dan al río. Las fachadas miran a la calle de la estación, sombría, sucia del humo de las locomotoras, ruidosa de pitidos de trenes, de circulación tranviaria, del pasar de pesados camiones que vienen a la ciudad o marchan de ella por la carretera del Norte. Las casas tienen algo de moneda gastada por el lado de la estación y algo de reluciente moneda, recién acuñada, por el que corresponde al río, al paseo de las acacias y los castaños y al sol.

Los solares están a cubierto de las miradas del transeúnte, en la calle, por tapias de débil pero eficaz fábrica. En el paseo se abren sin tapujo alguno recreando al observador con su vegetación modesta de hierbajos salpicados de amapolas, de cardos lecheros, de grupos pequeños de menta, de malvas y de algún que otro arbolillo.

En un solar, donde las vecinas de las casas contiguas ponen a tender la ropa, crece un almendro, en esta primavera, florido, del que hay colgado un rudimentario columpio.

Desde la calle al paseo el desnivel representa dos plantas de edificio, de tal forma que los brotes más altos de los árboles están, sobre poco, a la altura de las ventanas del segundo piso, cuarto de la orilla del río. Los solares nacen del paseo en ribazo hacia las tapias, con alguna depresión u hoya hecha de extraer arena para las construcciones que se anega con las lluvias, y de la que se filtra el agua que mantiene hasta muy avanzado el calor el verde puro de la vegetal y misericordiosa cobertura. Porque los solares son de sucia arena y tierra de aluvión de la primitiva campa que fue la orilla del río.

Entre dos casas, cercanas a la estación, numeradas treinta y siete y cuarenta y uno, hay un solar que no es como los demás. Hay un solar, un hermoso solar, llamado de bromas por todos los que en la vecindad lo conocen, el Paraíso. En él viven gentes de pobreza absoluta de medios económicos y de absoluta riqueza de medios para ser felices. Esto es: son millonarios de resignación y alegría. A este solar y paraíso se entra por una puerta chiquitina, estrecha como el ojo de la aguja bíblica, por donde es seguro que no cabe el opulento y bien nutrido cuerpo de su propietario: don Amadeo García.

II

Sí, el Paraíso limita al este con la casa número treinta y siete, y al oeste, con la número cuarenta y uno; al norte con la calle de la estación y los ruidos de los tranvías, camiones y trenes, y al sur, con las acacias, los castaños, el río, las ranas, los perros, los niños aventureros, el sol y el aroma deleitoso de la nueva primavera.

Inventariando el solar, desde un punto de vista meramente paisajístico, se llega a comprender cómo nada le falta y todo en él es armónico.

Hay un árbol achaparrado, que da una sombra apretada, vagamente aprovechable donde el perro y los gatos de los inquilinos del Paraíso se tratan y conocen hasta haber logrado una perdurable amistad. Es árbol de campo alto y nadie imagina el cómo y el medio de su traída a la ciudad, a uno de los barrios trillados por la guerra. Es árbol para horizontes amplios y aquí yace encajonado, empatiado, como si fuera un naranjo o un limonero, guardando pájaros urbanos y dando el nimio sombrajo que necesita una liebre para descansar; la liebre, que, si se hubiese cumplido su destino rural, hubiera ido a refugiarse de la dura agostada castellana bajo sus ramas.

En el ribazo, los habitantes han construido plataformas escalonadas, bancales, que admiten cultivo. De la puertecilla hasta el chamizo levantando con material de derribo, una tosca escalinata de grandes losas está dispuesta en garabato. Estacas unidas con alambre hacen las veces de baranda. De escalón a escalón hay, indistintamente, un salto o un deslizamiento. Es preferible dar la vuelta por el extremo de la calle y entrar en el Paraíso por la puerta grande del paseo donde nada impide la entrada y todo se ve y se admira a simple vista. Esta puerta, que da a la calle, sirve para la gente joven del solar, que lleva prisa, que tiene agilidad y no teme la probable costalada de cualquier día.

Los bancales son cultivados con cariño. Dan patatas, cebollas, lechugas, berzas, puerros... en cantidades que por lo pequeñas serían ridículas si no fueran tan esperadas y celebradas por sus hortelanos. Las lechugas, principalmente, son de una gran calidad; regadas con agua de la inmediata fuente pública se desarrollan frescas, pimpantes, tiernas. Son lechugas —según uno de sus esmerados cuidadores— de exposición o de museo, ni se sabe. Y este «ni se sabe» dice tanto como «acabóse» en calidad de lechugas.

El chamizo completa el paisaje. Es también punto y aparte en cuestiones de construcción. Su estilo es complejo; se adivina por un lado —tres muestras visibles, porque el cuarto hace medianería con la casa del Este— un alarde de primitivismo tan apreciable, tan artístico en su estudiada factura, tan en juego con la pared, con la tapia de la calle, que hace sonreír. Pero este lado del chamizo es fuerte y seguro, aunque denote un estado de pureza artística en el «arquitecto» o en el albañil que lo imaginó, construyó y levantó, muy rara vez existente. Este es el lado del Norte. A la casa se entra por el Oeste, por la puerta del Oeste. Aquí se observan extrañas influencias, vagos rumores de influencias. A una parte, la fachada, con su ventana, tiende a lo ciclópeo en colosales losas hermanas de las de la escalinata; después se volatiliza el titanismo y pasa el ladrillo a ocupar, graciosamente, su lugar para alcanzar la decadencia a unos decímetros del tejado con groseros bloques de cemento. De la otra parte, de la otra ventana del lado derecho de la puerta, sería acaso mejor no hablar, tal es la confusión de materias y procedimientos: el adobe está espléndidamente representado, el azulejo desportillado expone su decorativa presencia bajo el alféizar, la cantería tiene un ilustre embajador solitario, y un mármol medio sepulcral, medio de mostrador de carnicero, recorta la esquina doctamente en sierra. El Sur da al chamizo vitola de fuerte, y en él se abre una aspillera como de ventilación, como de defensa. En las ventanas la verde uña de gato y el amor de hombre florecen en latas y en viejos pucheros. En un reluciente bote que contuvo pimientos, patriotea la bandera española en amapolas y jaramagos.

Junto a la puerta un pedrusco sirve de asiento para tomar el aire o el sol, según el tiempo. Sobre este pedrusco cae el agua del canalón cuando llueve. El agua ha hecho en él una oquedad, que los niños de la familia limpian de polvo distraídamente con el dedo índice, las tardes de verano, después de ser azotados por cualquier falta, entre hipos y lloros. Porque este pedrusco invita a pensar, por lo socorrido que es para estos trances, en que rebuscando con calma y paciencia su procedencia se llegaría al célebre muro de las lamentaciones.

III

Pío, hoy día veintisiete de abril, ha cumplido cincuenta y nueve años. Pío está lamentablemente preocupado por su cumpleaños. Son las diez y media de la mañana y ha decidido irse a la barbería. Lo menos que debe hacer un hombre cuando acaba de cumplir los cincuenta y nueve es afeitarse, adecentarse un poco para poder decir a los amigos, limpio y reluciente como una patena, al llegar a la taberna: «Hoy convido yo.» Y cuando ellos pongan gesto de extrañeza o gasten alguna broma al respecto, pasarse la mano callosa por la mejilla añadiendo suficientemente: «Que hoy son cincuenta y nueve». Luego, es cuestión de esperar las felicitaciones sonriendo con bonachonería.

Pío se sienta en el pedrusco de los llantos acariciándose su barba de días, de muchos días, con el pulgar y el índice de la mano derecha. Es un hondo gesto de meditación el que aparece en su frente, ya que si Pío se afeita no podrá invitar a los amigos, y si no se afeita los amigos juzgarán, con mucha razón, que un hombre que no va a la barbería el importante día en que hace los cincuenta y nueve y convida, no es un hombre como Dios manda (y no es un decir). De pronto Pío se pone de pie y grita. Pío es bajo de estatura, combado de piernas, ancho de caderas y espaldas, largo de cuello y cabezón. El cuello, que debiera ser corto, por ser largo y sostener el inmenso volumen de su cabeza, le da un aspecto grotesco que hace gracia a todo el mundo. A todo el mundo que no ha mirado a Pío cara a cara y que se hubiera sentido vencido al percatarse de su mirada, apostólica y socarrona, de perro perdiguero y de loro guasón, lo mismo capaz de conquistar un amigo que de poner en guardia de burla o de sentimiento al más pintado. Mas Pío se ha puesto de pie y grita.

—María, María.

María es su mujer. Aquí, remangada, se encuentra frente a él. Es demasiado poca cosa; tan pequeña y gastada, tan dulce y a un mismo tiempo tan amarga como un fruto silvestre, da la impresión de haber sufrido mucho. Es una mujer sin características personales. Existen millones igual que ella. Es una mujer que no debiera tener ni nombre para ser del todo anónima. Pío la llama a voces sin saber por qué, grita acaso de preocupación y de contento.

—María, hoy es mi cumpleaños.

—¿Pues qué es hoy?

—Veintisiete de abril, mujer, mi cumpleaños. Me tengo que afeitar. Me tengo que dar un paseo sano. Me tengo que tomar algunas copas con los amigos.

Pío corta su discurso. Hace una pausa. Al cabo susurra tenuemente.

—¿Hay dinero, María?

—No, no hay dinero. Luego vendrá Ramón, que hoy cobra; hoy es sábado.

—¡Ah! —se asombra Pío.

A María le importa que sea sábado; a Pío que sea veintisiete de abril. A María no le interesan más que los sábados; a Pío las fechas festivas y hace cálculos mentales: veintisiete de abril, fiesta..., veintiocho de abril, domingo..., tal día, fiesta nacional. Fiesta es vino con los amigos, comentarios con los amigos, alegría con los amigos que santifican todas las fiestas, en reunión, con seriedad y honestidad, ya sean religiosas, ya paganas.

Pío se decide por la barbería.

—Puede que Ramón venga antes de la una, ¿verdad?

—Puede.

—¿No se le ocurrirá retrasarse?

—No sé.

—Es que así me iba a afeitar y luego tú le pedías un pequeño préstamo y me lo dabas.

—¿Y para qué quieres tú dinero?

—Hoy es mi cumpleaños. Hay que convidar a los amigos.

—Para convidar a esos vagos no necesitas dinero. ¡Que se conviden solos...!

Pío se indigna porque cree saber perfectamente sus derechos y obligaciones.

—Tú a callar. Le pides a Ramón...

María corta la orden.

—Yo no le pido nada. Si tú quieres dinero, se lo pides tú.

Pío cambia el tono, suplica, se hace meloso.

—Pero tú ya sabes que uno debe corresponder. No hace mucho tiempo me invitó Pascual porque se casó su hija. Tú ya sabes que uno tiene que alternar.

María se ríe de su marido.

—Uno lo que tiene es que trabajar. Y cuando no trabaja y no tiene perras, uno se aguanta. Eso es lo que uno tiene que hacer.

Pío, descorazonado, se aúpa los pantalones y camina hacia la plataforma de las lechugas. Su mujer le mira fijamente, intentando sorprender la maniobra. El hace como que olvida la discusión en infantil estratagema.

—Oye, María, estas lechugas ya están buenas y las vamos a tener que arrancar si no queremos que crezcan.

—Ten paciencia.

—¿Has visto qué bien está este cuadro?

—Sí, lo he visto.

Pío calla y vuelve lentamente a la puerta de la casa. María observa la marcha de su marido.

—Me voy a ir al barbero.

—Bien.

—Si tú quieres y ves que Ramón está de buenas, le pides cuatro pesetas para mí; le dices que se las devolveré mañana, ¿eh?

—Bueno, tal vez se las pida. Pero luego tú te entiendes con él. No vaya yo a cargar con el muerto.

Pío sonríe triunfalmente. Un remusgo de alegría le recorre el cuerpo.

—Sí, sí, no te preocupes. Le dices que para mí, que ya se las devolveré.

—Se las devolverás como sea, pero se las devolverás. Aquí no entra más que un jornal y hay que defenderlo.

Pío cierra herméticamente sus oídos y tarareando se marcha camino de la barbería.

IV

—Abuela, abuela.

—¿Qué quieres, tú?

—Emilio se ha bajado al río y está pescando ranas con la Casi.

—Diles que suban inmediatamente.

—Ya se lo he dicho. Es que no quieren.

—Diles que ahora voy yo para allá.

María entra en el chamizo y comienza a revolver con un cazo, que descuelga de una tosca espetera, en el puchero que está en el fogón. El fogón, situado a ras del suelo, tiene encima una campana de humos hecha con hojalata, debida al ingenio artesano de Pío. El niño se queda en la puerta un poco asustado por la denuncia que acaba de hacer de las aventuras de sus hermanos. Se apoya en la pared buscando con los dedos una juntura de la que desprender arenilla y termina por, angustiado, echarse a llorar. María sale a consolarle.

—¿Qué te pasa ahora, Mariano?

El niño aumenta su llanto y corre a refugiarse entre las faldas.

—No llores, hombre, no tienes que llorar.

Como si no fuera suficiente el tono empleado en su lagrimeo, lo aumenta. Sus dos hermanos regresan del río. Emilio con los pantalones remangados y la Casi descalza, llevando las alpargatas de la mano. Emilio enseña triunfante la cabeza de una enorme rana asomando de un sucio pañuelo hecho un hatillo.

—Mira, abuela, lo que hemos cogido.

Mariano, llevado de su curiosidad, deja de llorar, y con lágrimas y mucosidades corriéndole libremente, contempla la presa. La abuela regaña débilmente.

—No os he dicho que no os metáis en el río. ¿Cuántas veces tendré que repetíroslo? Desde luego ya os arreglará vuestra madre.

Mariano se siente más culpable que nunca y recomienza su penitencia.

Emilio se dirige a la abuela mientras la Casi insulta, molesta, define, por lo bajo, a su hermano.

—Pero, abuela, si la hemos cogido desde la orilla.

—¿Y esas alpargatas de Casi?

—Es que se ha estado lavando los pies.

La Casi pellizca a Mariano, que grita como si le estuvieran dando tormento.

—Chivato, asqueroso. Vas a ver tú.

La abuela, enfadada, defiende al pequeño.

—Déjale en paz, so bruja, chicazo. Metiéndose la muy... —No sabe qué apropiado calificativo aplicarle, y duda—. La muy... perdida, que eso eres.

La Casi enfurruña el gesto y vase a sentar, enfadada y altiva, bajo el árbol chaparro. Emilio se le acerca.

—Ya verá ése la que se va a llevar.

Al poco rato Emilio y la Casi juegan con la rana. Sentado en la piedra de los llantos el pequeño Mariano les mira con envidia. Por fin, tímidamente, con cuidado, caminando casi de puntillas, llega hasta sus hermanos. Les clava sus ojos azules y peticionarios. Se decide.

—¿Me dejáis jugar?

La Casi contesta con un «no» rotundo, y Mariano se queda allí triste, arrepentido y un poco iracundo. Pero ya suenan las sirenas de las fábricas. Ya son las doce.

V

Ramón baja la escalinata silbando. Lleva el mono desabrochado de cintura para arriba. Muestra un tórax moreno y velloso. Es un hombre fuerte, bien musculado, de pelo castaño y rizo, de la forma y el color de la escarola pasada. Se ha dejado un bigote pardo muy perfilado, que, juntamente con las patillas cortadas en punta, lo achulan, lo acanallan, lo enfoscan. Contará algunos, pocos, años más de treinta. En los brazos remangados luce tatuajes absurdos: una monstruosa cabeza de mujer, un lagarto, que es su orgullo, y un emblema del Tercio. El lagarto parece correr cuando él juega sus músculos.

Ramón llama a su madre abuela y a su padre, viejo. María y Pío depositan en él una admiración rayana en la adoración. Su palabra es ley. Si él llega enfadado y dice que la comida está mal, la comida está mal y no hay que darle más vueltas. María se lleva un disgusto. Pío siente apoderarse de él el miedo y procura escapar. Agustina, su mujer, se hace la desentendida riñendo a sus chicos, que se llevan —porque de alguna forma tiene que descargar los nervios— unos azotes injustos, ruidosos, espectaculares. Ramón tiene mal vino y por eso se cuida sabiendo las consecuencias. Bebe tres, cuatro vasos y a casa. En casa se está mejor que en cualquier sitio. Los atardeceres de verano, si no hay alguna chapucilla a la vista para arreglar el jornal, él se entretiene con el perro Chal, quitándole las garrapatas o llevándolo al río a remojarse. Los niños son entonces felices: Chal ladra, corcovea, muerde el aire. Los niños aplauden, le tiran de las orejas, le hacen revolcarse. Ramón coge en brazos al pequeño Mariano, que, desde este trono, se siente superior a sus hermanos e imparte órdenes, que se cumplen a rajatabla.

Ramón, hoy sábado, baja la escalinata silbando. El primero que se apercibe de su llegada es Mariano, y corre hacia él.

—Padre, padre.

Emilio y la Casi levantaban la cabeza. Ha llegado el momento difícil: si Mariano, con espíritu de venganza, habla del río, las cosas pueden complicarse. Mariano no dice nada, no se venga, pide dinero.

—Dame diez, padre. Dame diez, anda. Dame diez...

Y modula toda una escala para arrancar diez céntimos, que va desde la brusca voz de mando a un tono mendicante, persuasivo y vicioso.

El padre inquiere.

—¿Dónde está tu madre?

—Ha salido. Dame diez, hombre, dame diez.

—Ya te lo voy a dar. ¿Y dónde ha ido?

—No sé, la abuela sabe.

Emilio y la Casi, sin hablar, extienden las manos esperando el reparto. Mariano se pone delante, empuja a sus hermanos, no deja andar a su padre. El le vio primero y es muy justo que él reciba los primeros diez céntimos. Ramón saca del bolsillo una moneda de dos reales y se la ofrece a Emilio.

Los administras tú. No te quedes con todo, que hay leña.

—Bien, padre.

Mariano aprieta los labios y a punto está de hacer la delación al sentirse herido y menospreciado. La Casi, le coge de la mano.

—Vamos, Mariano.

Suben los niños por la escalinata como gigantescos y simpáticos saltamontes. María, desde la puerta del chamizo, contempla la escena. Ramón saluda.

—¿Qué hay, abuela? ¿Dónde se ha ido Agustina?

—Fue a una casa, que le han llamado para la limpieza.

—Ya —chasca la lengua—, ya... Si me lo dijo ayer. Y el viejo, ¿qué?

—Ha ido a la barbería. Hoy es su cumpleaños. Me ha encargado que te pida cuatro pesetas, que quiere convidar a sus amigos.

—¿Y por qué no me las pide él?

—Es que le da azaro.

—De otras cosas le debiera dar. Hoy se va a llevar un disgusto. Le he hablado al capataz para ver si le encontraba algo, y me ha dicho que desde el lunes se puede presentar a trabajar. Once pesetas. No está nada mal.

—Vaya, por fin.

Madre e hijo quedan callados. El perro Chal, que ha debido andar vagabundeando por la orilla del río, sube desde el paseo moviendo rítmicamente la cola y los cuartos traseros, agachando la cabeza, husmeante y mimoso. Ramón le palmea el lomo. María pregunta a su hijo.

—¿Te vas a lavar?

—Sí.

En una palangana desportillada Ramón se asea. Así le sorprende su mujer cuando llega. Agustina es aún hermosa, aunque le cuelgue el pecho mantecoso y las caderas se le hayan ensanchado en demasía y las piernas hayan perdido con el trabajo su prístina forma delicada, haciendo aparecer rotundos los músculos. En el rostro de Agustina hay algo de fruta no madurada normalmente. Un algo indefinible como si hubiera pasado de un lozano y fresco verdor a un reblandecido y enfermizo color de sazonamiento apresurado; algo que se relaciona íntimamente con el hospital, la alcoba mal ventilada y la atmósfera irrespirable de un invernadero. Agustina se sienta rendida en la piedra de la puerta y el agua de la palangana que Ramón arroja de golpe se filtra y deja la sucia espuma del jabón flotando sobre la tierra en burbujas.

—Estoy rota —dice Agustina, y sus ojos se paran en el suelo del umbral de la casa, se le hinca la mirada como queriendo dejar la cabeza sin paisaje, sin luz, también sin preocupaciones.

—Estoy rendida —repite Agustina y suspira.

Ramón se seca con una toalla diminuta y recosida que le ha ofrecido su madre, y con tal sordina sobre el rostro le habla.

—Déjalo si no puedes. Pasaremos con lo que sea. Siempre habrá algo que comer.

Siempre hay algo que comer en el solar y la madre de Ramón lo anuncia.

—A ver si tu padre viene pronto, que ya es hora.

Y ya es hora para que un obrero que entra a trabajar a las dos de la tarde coma. Los niños bajan descascarillando simientes de girasol las escalinatas.

—Abuela, ha dicho el abuelo que comamos, que él llegará un poco más tarde.

—Abuela, el abuelo está con sus amigos en casa de Floro.

—Abuela, el abuelito nos ha dicho...

María desde el interior del chamizo anuncia.

—Vamos a comer. Dejadle, que hoy es su cumpleaños.

Pío celebra entre tanto el veintisiete de abril con sus buenos amigos.

VI

Entre tanto, Pío, con dos de sus amigos, bebe de una botella con caña a pequeños tragos y charla a retazos. Casa de Floro es una taberna desamparada con un mostradorcillo, una anaquelería de botellas vacías y un banco que corre toda la pared, pintada al temple. Floro es amigo hasta cierto punto de Pío. El punto donde la amistad necesita pasaporte es el de las consumiciones. Sin pasaporte no hay amistad. No hay consumiciones y hay o puede haber altercado. Floro es así y ¡qué se le va a hacer! Pero Pío tiene sus trucos.

Trucos de pasamelrío se llaman los que emplea Pío. Se llega sonriente a la taberna y pide vino. Floro lo examina a conciencia. Continúa la sonrisa inocente de Pío y frotándose las manos, como no dándole importancia, viene a decir: «Hoy estoy contento. Acabo de hacer un trabajillo y le he quitado dos durejos.» Inmediatamente añade, porque luego será ella si esos dos dichos durejos no aparecen: «Esta tarde tengo que pasar a cobrarlos, así que sácame medio litro a cuenta hasta luego.» Floro refunfuña, pero ya no hay caso. El punto fronterizo está pasado. Pío gana terreno al tabernero. Pío ha pasado el río, sin mojarse siquiera las suelas de su dignidad.

Ahora Pío charla con sus amigos, y Floro, con los codos apoyados en el mostrador y la cabeza sostenida entre las manos escucha atentamente, casi con unción. Pío, como lo tenía estudiado, corre sus dedos pulgar e índice de la mano derecha por las mejillas recién afeitadas.

—Pues sí, uno cumple hoy cincuenta y nueve..., uno va ya para Villavieja... Si uno fuera más joven, quién sabe lo que haría uno.

El tono impersonal gusta tanto a Pío, cuando se siente escuchado, que parece desprenderse de sí, o irse a distancia, hacerse tertulia y aun celebrarse.

—Hoy me dije, Pío, digo ¿a que no sabes lo que haría en tu caso para festejar tu cumpleaños? Iría a casa de Floro, convidaría a una botella a los amigos, que bien se lo merecen porque son amigos de verdad. Amigos de los que se encuentran pocos, y después, a comer. ¿Qué tal una ensalada para empezar? Pues una ensaladita con sus cosas, y, en fin, su aliño como está mandado. Y luego a trajelar un guisado de cordero. Pan, vino, fruta, y a vivir.

Los amigos de Pío asienten, segregando ácidos. Floro se pone en trance. Pío continúa.

—Y para terminar, un cafetito, una copita, y, si se tercia, pues, dos o tres o las que hagan falta, un purito y ancha es Castilla.

Pío enmudece repentinamente. Hay una pausa terrible. Los pensamientos de todos se refugian en el menú tan soberanamente descrito. Un tentáculo de tristeza les aprieta por la cintura. El orador se palmea primeramente los muslos para luego apoderarse de la botella de vino. Echa un trago, se pasa el dorso de la mano por los labios, y, a continuación, se duele aquí del tiempo que le ha tocado vivir.

—Eso cuesta un trigal —mueve la cabeza—. Hace falta ser ministro. Hoy por hoy se tiene uno que contentar con la ensalada sin demasiadas cosas y su cocidito. Y que no falte.

Ceremoniosamente los amigos colocan su amén a la brillante oración.

—Y que no falte.

La conversación va a coger otros derroteros. Se va a hablar de trabajo.

Antes se podía hablar de toros, pero hace ya tanto tiempo que ellos no pisan una plaza, que hablar por lo que dicen los periódicos —todo es propaganda y nada más que propaganda— es tonto, absurdo. Y en tal caso preferible es charlar de trabajo.

Para hablar de trabajo hay que fumar. Uno de los amigos saca un sobre azul, con el membrete de una oficina del Estado. En el sobre diversas especies de tabaco intercambian aromas.

—¿Un cigarrito?

—Bienvenido sea. Estoy sin echar humo toda la mañana.

Floro no desea fumar. Es un fumador delicado y el tabaco del sobre azul no le causa ninguna buena impresión. Se abstiene.

—¿Tú, Floro?

—Ahora no. Muchas gracias.

—Es bueno, hombre, aquí hay de todo.

—No, muchas gracias.

Pío y sus amigos no son precisamente unos cochinos escrupulosos. Saben que muchos señoritos de esos que compran el tabaco manufacturado en los cafés fuman lo que ellos, y para fumar lo que ellos, sabiendo prepararlo, es preferible fumar del que uno se apaña. Pío y sus amigos elaboran los cigarrillos con una sombra de taciturnidad por los ojos, porque hacer un pitillo es como resolver una cuenta: necesita seriedad, meditación y saliva.

Las primeras bocanadas suelen transportar a Pío lejos de donde se encuentra. Su lenguaje, aunque no muy escogido, sí es expresivo, porque dice:

—Tras un trago, un pitillo, teta pura.

Y se pasa la lengua por los labios y vuelve el inferior, dejando al descubierto las pocas piezas dentales —piezas dentales o simplemente huesos las llama él, que es un hombre a ratos instruido, según sus amigos— que le quedan en la mandíbula inferior. Dientes altos, solitarios, musgueados como monolitos.

La conversación estalla en un galimatías debido a la inexorable dialéctica de Pío.

—Se debe trabajar. Uno debe trabajar porque la vida es eso y no otra cosa. Y el que no trabaja, no come, ni puede vivir. Porque el que no trabaja no tiene derecho a la vida.

Y proclama con un cinismo arrebatador.

—Si uno no trabajara, ¿qué sería de uno? ¿Que se anda mal de trabajo? Esto es otro cantar. Esto no quiere decir nada. Se busca, que para eso son los hombres. Uno se busca la vida porque es su derecho, y el que tiene su derecho puede ir con la frente muy alta, porque es muy hombre y muy honrado.

A Floro no le interesaba demasiado la disertación sobre los valores espirituales y de toda índole que el trabajo aumenta en el hombre.

Floro prefería la conversación intrascendente, amable y distraída.

Los amigos de Pío y aun el mismo Pío parecían ser de su misma opinión, por lo que el tema trabajo dio paso rápidamente al más interesante tema meteorológico. Ya uno de los amigos había dicho la frase que arrojaría, al hacerse espada llameante, a Pío y su familia del solar donde sus tres nietecitos, en este momento, han descuartizado de común acuerdo la rana.

La frase fue: «Creo que van a comenzar a construir por este barrio.» Luego alguien susurró: «A cincuenta kilómetros de aquí, en los saltos de la Cañada, he oído que están pagando jornales muy altos y además dan casa.»

El susurro se introdujo en el pabellón auditivo derecho de Pío como un mosquito y le empezó a molestar y a profundizarle, tal que un berbiquí, hasta el cerebro.

Hablaron del bochorno, de las tormentas, de cosechas arrasadas, de cosechas grandes y maravillosas.

El día 27 de abril, cumpleaños cincuenta y nueve de Pío, una frase, al parecer sin importancia, y un susurro sin duda ninguna diabólico, sirvió de fermento para la decisión exodista de los habitantes del Paraíso.

VII

—¡Felicidades!
—Gracias, Ramón.
—¿Cuántos caen?
—Cincuenta y nueve.
—Vaya, vaya, con que cincuenta y nueve, ¿eh?

Los gatos del solar duermen refugiados entre las patas de Chal, tumbado bajo el árbol. Los gatos son dos, madre e hijo; otros dos fueron arrojados al río para facilitar el desarrollo del superviviente. Son pardos, de largas patas y agilidad y valor reconocidos. Junto a ellos unas moscas gordas inspeccionan los restos de la rana. El sol, dando de lleno, endurece los largos calzoncillos de Pío puestos a secar.

—¿Qué hay de comer?
—Como siempre.
—¿Habéis comido?
—A ti te íbamos a estar esperando.
—Bueno, mujer, bueno.

Emilio, la Casi y Mariano, en oficios de mecánicos, trabajaban fatigosamente en un cochecillo desvencijado de jugar a muñecas. Emilio, la Casi y Mariano pretenden arreglarlo para, pilotándolo, lanzarse con él por la cuesta. Emilio saca la lengua, resuella y golpea los débiles ejes con un pedrusco. La Casi transmite a Mariano las órdenes: «Trae agua, busca un clavo muy largo, acerca esa hojalata, pide un cuchillo.» Mariano se rasca la cabeza pelada y no se mueve.

—Agustina, tenemos que convencer a Ramón.
—¿De qué dice usted?
—Que tenemos que convencer a Ramón. Me han dicho que en las obras de la Cañada dan buen jornal, casa y muchas cosas.
—Pregúntele qué le parece.
—Es que éste es muy poco decidido. Tú debes animarle.

Ramón, con la boina sobre los ojos, sentado en la piedra de la puerta, estirando las piernas, dormita y sueña. Un gorrión pía en las ramas del arbolillo y Chal alza la cabeza sonámbula. Los gatos parpadean. El gorrión vuela. Desde el pozo de la siesta, con lentitud, habla Ramón:

—Mire, déjese usted de aventuras. Aquí estamos bien. Coma y calle.
—No se trata de dejar esto.

Pío se interrumpe cuando su mujer le saca una silla para que se siente. Después le trae un plato con comida, el pan, la cuchara y el botijo de agua.

—¿Tú ves, María?

—Tiene razón, Ramón.

—¿Tú también?

—Mira, ahora que te ha encontrado trabajo es una locura marcharnos.

—¡Ah!, me ha encontrado trabajo.

—Sí.

—¿Y dónde me ha encontrado trabajo?

—En su obra. Este solar es un buen hallazgo.

—Pero María, si no se trata, como os decía de dejar esto. Vosotros os quedáis con los chicos, pongo por ejemplo; nosotros vamos a la Cañada. ¿Que van bien las cosas? Os venís. ¿Que no? Pues de vuelta.

—Sí, sí, tú todo lo ves fácil. Estando todos juntos apenas nos llega y vamos a tener para estar separados. Además, con tu jornal...

—Sí, claro.

Ramón se despereza aparatosamente. Se rasca debajo de la boina. Bosteza.

Está en pie.

—Viejo, desde el lunes puede ir a mi obra a trabajar. Son once pesetas. No necesita ningún papel. Usted trabaja y listo.

—¿Desde el lunes?

—Sí, hombre, no se asuste.

—Bueno, bueno.

—No tiene que pensarlo.

Con pereza lleva la cuchara a sus labios Pío. Con pereza la abandona en el plato. Con pereza saborea el condumío.

—Bueno, bueno, pero lo de la Cañada hay que pensarlo.

En un cubo de agua Agustina friega los platos.

—Oye, Agustina —dice Ramón—, ¿quieres ir a esperarme esta tarde?

—Como tú digas.

—Pues estate a las seis en punto en la esquina, junto al estanco.

—Allí estaré.

Ramón saca de un bolsillo una libreta de tapas de hule vieja y manoseada. La abre y coge cuatro billetes de peseta, sucios y planchados.

—Tome —se las ofrece a su padre—. Con éstas me debe nueve.

—Ocho, hijo.

—Bien, ocho, y a ver cuándo se explica.

Ramón se encamina a la escalinata.

—Hasta luego. Adiós, chicos.

Emilio y la Casi levantan la cabeza. Mariano corre hacia su padre.

—Adiós.

Ha terminado de comer Pío. Limpia sus labios con un pañuelo. El cielo se va cubriendo de una pesada, blanca y opaca neblina. El bochorno aumenta. Las moscas retardan el vuelo; se pegan a la tierra, a las paredes, a las hojas de las plantas. Pío medita haciendo la digestión. De vez en vez se espanta algo de la frente. Su mujer y Agustina comentan el estado del tiempo.

—Hay tormenta.

—Sí, este calorazo es de eso.

Chal se levanta. Los gatos ovillados siguen durmiendo. El perro se acerca a los niños. Los huele. Se sienta a contemplarlos. Se rasca furiosamente detrás de las orejas o se vuelve a morderse el nacimiento del rabo.

La Casi hace un gesto de asco.

Hay que bañarlo, está lleno de bichos.

Llaman las sirenas al trabajo. Son las dos de la tarde. Pío suda sentado en la silla junto a la puerta, incapaz de movimiento. La cabeza se le derrumba sobre el pecho. El cielo está completamente cubierto de nubes altas y blancas. Pita un tren en la estación y un tranvía fragoroso rueda por la calle. Pío vocifera.

—Emilio, no armes tanto ruido, o ¿es que no queréis dejar dormir al abuelito?

Los chicos se asustan, pero al verle tan ocupado en lograr el sueño siguen golpeando los ejes del cochecillo. Pío ha hecho un esfuerzo considerable, tiene seca y amarga la boca del vino de la mañana. Quiere dar consignas y no puede. Mueve los labios...

María y Agustina, dentro del chamizo, con los brazos cruzados sobre la mesa, charlan en voz baja de sus cosas.

—Me han dicho que en el Camino Alto hay una tienda que hace liquidación a nada de precio.

Pío ronca como un bendito.

VIII

Deben ser las siete de la tarde. Por el horizonte adelanta su negro testuz el toro de la tormenta. Se agitan las hojas de los árboles en un afán de huida a impulsos de un aire cocido en el horno de la llanada. En el río alborotan las ranas. Chal está inquieto. Los gatos se han refugiado en el chamizo. María coloca sus macetas, sus plantas en medio del solar para que la lluvia esperada las refresque.

Los redondos ruidos de la tronada retumban lejanos. Se desenrolla la alfombra de las sombras, suave, mullidamente. Y de pronto todo es oscuridad. Chal abre sus fauces negras y ladra. olando en flecha buscan amparo dos urracas en las copas de los árboles. Empieza a llover.

Caen gotas gruesas y calientes, como de sudor. Se hunden en el polvo formando un hoyuelo. Se deslizan por las hojas de las lechugas hasta las diminutas cisternas del tallo. Se quedan en equilibrio pendientes del ápice en las de los árboles. La lluvia crece, toma carrera. Al principio su ritmo era lento, perezoso: uno, calma y dos. Ahora es vertiginoso. Arrecia.

Por las escalinatas un verdadero torrente se derrama. Todo el ribazo está surcado de canalillos. Sobre la piedra de los llantos el agua del tejado brinca y se introduce por el umbral de la casa donde María extiende inútilmente serrín. Los niños salen a la intemperie bajo un saco. Gozan unos momentos del placer de mojarse riéndose y celebrándolo y entran de nuevo.

María riñe.

—Aquí, demonio, aquí. Que os vais a constipar, que vais a coger lo que no tenéis.

Están solamente en el solar la abuela y los tres nietos. Pío se marchó no se sabe donde. Agustina ha ido a esperar a Ramón.

Un rayo furioso seguido de un titánico trueno asusta a los niños.

Mariano llora. Emilio y la Casi se miran estupefactos. Esto no es un juego.

Chal, con el rabo entre las piernas, se mete bajo un catre. Bufan los gatos con los pelos erizados. Las moscas se pegan a las paredes.

—Hay que rezar a Santa Bárbara —dice María.

—Santa Bárbara bendita, que en el cielo estás escrita —contesta la Casi.

—Hay que rezarle. Vosotros contestáis.

Y la abuela comienza.

Las goteras menudean. No hay cacharros suficientes para recoger tanta agua. El umbral es un pantano. Cuando María se asoma una cortina de lluvia le ciega la vista. Vuelve la cara con el ralo cabello pegado a las sienes, chorreante, lacio. El rostro de María anuncia desgracia.

Algo ha crujido; ha debido ser una de las débiles vigas. La pared de adobes puede fallar. Las tejas se separan. Y no hay remedio. Procuran la abuela y los niños cubrir como pueden sus enseres más íntimos y queridos. Y no hay remedio. La fuerza de la tormenta aumenta. Otro rayo más cegador. Un trueno que apisona, que machaca el valor. El chamizo es una charca. Chal ha salido de su escondrijo y fija sus ojos húmedos, temblantes, en la abuela. No hay remedio. María decide.

—Emilio, coge una manta. Y tú, Casi, otra. Envolveos. Echad una mano a los gatos y apretad a correr para el paseo. Por la escalinata no, que no podréis subir. Meteos en el garaje.

Los dos niños chapotean por el solar. Emilio resbala. Vuelven la esquina.

Chal les ha seguido miedoso, inhábil en la fuga. Los gatos maullan lastimeramente clavando sus uñas en la ropa de los que los llevan.

Dobla la abuela una manta. Tapa con un viejo abrigo a Mariano. Cubre su cabeza con un saco en oficios de capucho. Lo levanta en brazos, aprieta la manta en la ropa de los que los llevan.

En el garaje los mecánicos, desde una prudencial distancia de la entrada, contemplan la tormenta. Han dejado de trabajar porque falta el flúido eléctrico. No hay más luz que la del patio de vecindad, mustia, gris, filtrada por una claraboya plana, limpia por el agua de cáscaras de frutas, de hilos y trocitos de percales, de polvo y colillas.

Cuando María entra los mecánicos le abren paso.

—Pase, abuela, pase.

—¡Uf!

—Ahí están los chicos. De ésta se quedan ustedes sin huerta.

—Si sólo fuera eso.

María se acerca a sus nietos, que se han descalzado y están sentados en una rueda tumbada, con los pies puestos sobre la parte no mojada de una manta. Pasa Emilio un pañuelo por su cabeza. La Casi, con alguna coquetería, arregla su pelo.

—¿Qué tal?

—Bien, abuela.

—Siéntate con tus hermanos, Mariano.

Mariano acaricia un gato en el regazo de la Casi. El otro se aplasta en los muslos de Emilio. Chal dialoga olfateando con el perro del garaje, mortal enemigo antaño. Chal se sacude a conciencia. Al deslizársele una gota por la nariz hasta el labio, Emilio sopla y espurrea a la Casi de bromas.

—Estate quieto.

Vuelve a soplar. La niña finge un gesto de molestia, preocupada de su arreglo.

—Estáte quieto, hombre.

Emilio insiste, divertido y agresivo.

—Abuela, mira a Emilio.

María desde la entrada ve correr el agua por la calzada. Al sentirse llamada vuelve la cabeza. Advierte al nieto en plural.

—Estaos quietos si podéis.

—Pero si es ésta.

Un gran estruendo alerta la atención de los mecánicos. María pregunta:

—¿Qué ha sido eso?

Alguien le responde:

—No sé. Parece que aquí, del solar.

—¿Del solar?

Diez, quince minutos. Escampa poco a poco. Suenan lejanos los truenos. La lluvia todavía es densa, pero su fuerza disminuye. La lluvia se separa en hilos, se desfleca. Nace un comentario en la penumbra.

—Vaya, se va pasando.

Van pasando las nubes negras, bajas, rotas, dispersas. En el hondo cielo otras nubes pálidas cubren el azul. Los mecánicos salen seguidos de María, caminan hacia el solar. La tormenta se pierde con los últimos truenos. La tierra huele a primavera. El río baja crecido. Es casi de noche. Vuelve la luz eléctrica. Ya deben ser las ocho y media.

IX

Nadie levanta la cabeza cuando el runrunear de los motores anuncia la constelación viajera de un avión en la noche. Los siete y el perro están aquí, firmes, en la acera del paseo, con los ojos en el desastre. No hablan. No suspiran. No lloran.

Ramón echa a andar. Los demás le siguen; llegan al final del paseo. Ramón se para; se paran. Suben a la calle de la estación.

Floro los ve entrar en su taberna. Se alinean en el mostrador. Floro los ve entrar hipnotizados, sin alma; coloca siete vasos.

—Ya me he enterado —dice.

Floro sirve de la botella de orujo: cuatro vasos rebosantes, tres mediados.

Beben.

—¿Qué es?

—Nada.

—Gracias.

Todos dan las gracias. Ramón, distraído; Pío, agradecido; María, en voz baja; Agustina, sin fuerza, Emilio, temeroso; la Casi, titubeante; Mariano, con la voz cambiada por la sordina del vaso vacío en que mete la lengua.

Floro se atreve, por fin, a hacer la proposición meditada a Pío:

—Oye, Pío, los amigos estamos para echarnos una mano, ¿no es así? Esta noche os podéis quedar aquí. Se tienden unos colchones..., digo, si no tenéis otra cosa por ahí.

Luego añade con cautela.

—No lo vayáis a tomar a mal. Si se repite, que no os pille en la calle.

—Muchas gracias, Floro —contestó Ramón.

El pequeño Mariano se hace eco de su padre y también da las gracias sin saber por qué.

—A los niños los vamos a llevar a casa de la madre de Agustina.

Ramón se dirige a su madre.

—Usted, abuela, y Agustina se quedan allá. Usted —señala a Pío— y yo nos estamos en el solar, no sea que a alguno, que siempre los hay le dé por llevarse lo que queda. De modo que andando. Adiós y gracias, Floro.

—No hay de qué, hombre. Adiós.

—Adiós.

Por la calle adelante desaparecen los siete. Frente a la puertecilla de entrada al solar forman grupo.

—Bueno, mañana antes de las ocho aquí. Vienen las dos, usted, abuela, y tú. Los críos que se queden allá hasta las once. Luego vas tú, Agustina, y te los traes. Y de paso, con ellos algo de comer. Y agradezcamos que es domingo y no hay que ir a trabajar.

—Bueno, pues hasta mañana.

Agustina, desde unos pasos de distancia, llama a sus hijos:

—Vamos, Mariano, Emilio, Casi.

Los tres niños besan por turno a Ramón y Pío.

—Hasta mañana, padre. Hasta mañana, abuelo...

—Hasta mañana, Casi, Mariano, Emilio. Adiós, vosotras.

—Adiós.

Se alarga la despedida.

Los dos hombres los ven alejarse, pararse de pronto, correr hacia ellos a Emilio con un bulto.

—Las mantas, padre. Que ha dicho madre que allí ya hay.

—Bueno, adiós.

—Adiós.

Los dos hombres, seguidos de Chal, vuelven las espaldas.

—¿Qué? —pregunta Ramón—, ¿otro trago?

—Como quieras, hijo.

—Perra suerte... Ahora que íbamos marchando.

—Todo se arreglará. No hay que desesperarse.

—Perra suerte...

Floro los observa con cierto espíritu crítico cuando los dos entran en la taberna. Duda si adelantarse a la petición. Y es Ramón el que ordena con cierta violencia:

—Ponnos dos y sírvete tú otro.

—¿Orujo?

—¡Orujo!

El silencio se hace hostil. El tabernero intenta entablar conversación.

—Desde lo menos, ¿qué hará? —se pregunta— ¿unos cinco años tal vez?... no había caído otra parecida... Aquélla fue de órdago... Con decir que el río se salió...

—Pues ésta bien nos ha amolado —corta Ramón.

—Sí.

Y el sí de Floro es largo, tímido, consecuente. Luego alarga el comento.

—Sí, ésta también lo ha hecho a modo.

Padre e hijo lían un cigarrillo que les ha ofrecido el tabernero.

—Y la noche se ha quedado buena —aclara Pío.

Fuman. Beben sus vasos a sorbitos. Floro les indica:

—Si viene otra, no lo quiera Dios, aunque no sería extraño por lo revuelto que anda el tiempo, que os abra el portal el sereno. Yo se lo diré. ¿De acuerdo?

—Bien, Floro.

Arroja Ramón tres pesetas sobre el mostrador. Llama a Chal. Se despiden.

La calle de la estación está reluciente, hermosa. Los tranvías pasan atestados de gentes que van a sus casas. Tras de los altos tinglados de almacenamiento crece una blanca, algodonosa, columna de humo. Un taxi con la luz verde encendida para frente a ellos. El perro husmea una rueda.

—Aquí, Chal. Vámonos, viejo.

La puertecilla del solar está abierta. Bajan los dos. Los gatos maullan acariciadores.

—Mira éstos, Ramón.

—Ya..., ya.

Ramón calcula de golpe el desastre.

—Hay que levantar toda esta pared. A ver si logro unos ladrillos. Con dos viguetas se sostiene el tejado. Ahora hay que buscar algo donde sentarse. Mañana lo veremos bien.

Un resplandor de luces urbanas se cuela por cima de la tapia. Los gatos y Chal penetran en las ruinas bajo la parte de tejado no hundida.

—Los animales ya han encontrado acomodo.

Ramón apoya un pie en la piedra de los llantos.

—Viejo, hoy habrá que aguantar...

—No te preocupes por mí.

Silba una locomotora y el olor del carbón quemado llega hasta el solar, donde se pierde en el aroma fuerte que dan las acacias del paseo. Se oye el ruido de los motores de un avión. La constelación pasa guiñando sus luceros: verde, rojo, verde. Pío y Ramón miran al cielo. Pío pregunta ingenuamente:

—Y ¿adónde irá? Igual va para Cuba o para París. Vete a saber.

El río está salpicado de reflejos. Lejana una radio da música pegajosa, zumbona, tropical.

X

Está amaneciendo. El cielo perlino abunda en pájaros. Trina suavemente un canario de la vecindad. Pasan los primeros tranvías. Pío, envuelto en su manta, tirita. Ramón tose entre cabezada y cabezada. El cielo, a medida que el sol crece, cambia sus tonos: azul grisáceo, azul blanco de pescado marino, azul con reflejos dorados en las nubecillas que, en rebaño, amodorradas, marchan de oriente a occidente... Y los lentos carros de la basura pasan tirados por burros viejos y matalones. Un carrero canta por lo bajo una copla flamenca. Está amaneciendo.

Ahora abrirá Floro su establecimiento para servir el aguardiente madrugón. Alguien lo pedirá con guindas o con cáscara de limón o con hierba medicinal. El aguardiente mata el gusanillo verde que zascandilea en el estómago y al primer pitillo o al primer carraspeo responde con una carrerilla por el esófago que se traduce en náusea. El aguardiente del sol naciente es el primer triunfo contra el estómago estragado en malas comidas o en excesos.

Como ayer fue sábado puede que en algún banco del paseo esté tumbado, húmedo y medio enfermo, cualquier borrachín. Con el día se levantará torpe, vacilante y comenzará a andar sin rumbo esperando las horas discretas de la mañana para presentarse en su casa. Como hoy es fiesta, con las postreras cosquillas del sueño en los ojos se acercarán a la estación hombres de extraños atuendos con cestas colgadas en bandolera y cañas de pescar en las manos, que se saludarán entre sí y hablarán del pasado domingo, de las hazañas ficticias de hace una semana: «Yo cogí uno de más de un kilo», dirá el fanfarrón de siempre; y otro, asustado de su mentir, le responderá: «Yo traje cinco kilos y medio entre grandes y pequeños.» Luego se mirarán hoscamente.

Floro, sin camisa, con el cuello de una americana deteriorada subido, en pantalón de pana y enchancletado, levanta ya las trampas de la taberna. Acaba de saltar de la cama y sin hacer sus abluciones, soñoliento y apagado, comienza el trabajo. Aquí están todos: el de la basura, que entra de prisa y de prisa bebe su copa de alcohol mientras el carro continúa lento la marcha; el borracho que se durmió en el banco y que da traspiés y es molesto; los pescadores que degustan el aguardiente; el sereno que se sabe convidado y se va a dormir, y Pío y su hijo Ramón.

Dentro de una hora Floro echará el cierre y se volverá al lecho hasta pasadas las diez.

Ramón tiene el pelo revuelto y la cara de pocos amigos; le vienen ganas de descargar los nervios con cualquiera. Un pescador le ha pisado y él ha arrugado la frente. El pescador se ha vuelto para excusarse. Ramón, a sus espaldas, hace un gesto al tabernero con significados bárbaros.

La taberna se vacía. A Ramón se le va disipando la acritud de la mala noche. Pregunta:

—¿Qué hora será?

—Sobre las siete y media.

—Pues vamos para el solar, que dentro de poco vendrá Agustina. Hasta luego, Floro.

—¿No os hace otra?

—No, que hay mucho que trabajar.

Pío y Ramón están en el solar. Floro se sirve una copa. La bebe a zurrapas. En la calle respira hondo; baja las trampas. Floro se consulta: «Todavía tres horitas de cama, no está mal.»

Pío y Ramón, en la puerta de entrada al solar, charlan sobre los arreglos de la casa. Por oriente el cielo es una espada de luz.

XI

El cántaro roto con el que juegan los niños transforma la voz. Mariano grita en su boca y teme. El cántaro roto guarda en su fondo una cucharada de luz solar y la sombra, al moverlo, la devora, la circunda, la aprieta y la hace flotar. El agujero de la luz no es demasiado grande, mas la cera no la tapa y una maderita envuelta en trapo deja filtrar el agua.

Es mejor que el cántaro, sin asa y con la boca dentada, sirva para entretenimiento de los chicos. Así lo ha decidido María.

El cántaro roto no tiene ningún interés; está bajando un hombre desconocido por la escalinata.

—Papá, papá, un señor —grita la Casi.

(¡Qué acontecimiento! Sal, Ramón, que algo pasa. Sal, que este hombre, ni alto ni bajo, ni serio ni alegre, ni bueno ni malo, te va a decir algo; algo importante, naturalmente.)

—¿Ramón Oliva?

—Servidor de usted.

—Soy un representante de don Amadeo.

—¡Ah! ¿Sí? Tanto gusto. Y ¿qué... se le ofrece?

Ramón se limpia las manos en el pantalón. Le rodea la familia.

—¿Podría hablar un momento con usted? —dice el representante.

—Niños, largo de aquí. Agustina, abuelita, viejo, dejadnos solos.

El representante titubea, no sabe cómo comenzar.

—Bueno..., el caso es...; mire usted, es que..., como hoy es domingo, he aprovechado...

(No siga. ¿Para qué? Hay que dejar esto. Abandonar el solar. Marcharse con la música a otra parte. Pues bien, ¿qué más da? Nos vamos; por favor, no continúe. Ya lo sé. Le digo que ya lo sé. No se preocupe.)

—... Mire usted, dentro de dos semanas se empieza a trabajar aquí...

(¿De modo que una casa? Seis, siete u ocho pisos. Es justo que nos marchemos. A don Amadeo no le importará adónde. Pues si he decirle la verdad, estoy tan cansado que a mí tampoco me importa.)

—... Don Amadeo les ofrece a ustedes trabajo...

(No. Muchas gracias. Ya estoy colocado. Mi padre y yo trabajamos con una empresa. Usted la tiene que conocer. Nos iremos. No faltaba más.)

—... Don Amadeo dice que puesto que ustedes llevan en este lugar algún tiempo, él tiene mucho gusto en darles esto...

(Quinientas pesetas. Seguro que eran más, pero tú te las has guardado. Nos conocemos. Habrás pensado que para esta gente es como la lotería. Sí, una lotería que nos pone en la calle.)

—... Don Amadeo les ruega que abandonen el solar antes de una semana. Ya sabe usted, por si los inspectores... Se dan cuenta, ¿verdad?

(Claro que me doy cuenta. Además, nos ahorra reedificar la casa. La tormenta. ¿Sabe usted que ayer hubo tormenta? Pues sí, ayer hubo tormenta y se lo llevó todo.)

—... Bueno. ¿Qué dice usted...?

—Muchas gracias, señor.

El cántaro roto con el que juegan los niños rueda hacia el paseo. ¡Qué descuido! Tropieza en una piedra y se hace añicos. Ya no hay sombra dentro de él. Hay un lago, un inmenso lago de miel de luz.

XII

—Usted se debe enterar bien de esto. Usted pregunte al que sea, porque nos tenemos que ir y en la ciudad encontrar cosa como ésta nos va a ser difícil, y de casa, como Dios manda, ni hablar por ahora.

Así ha dicho Ramón. María y Agustina miran, todavía fijamente, el suelo, con los brazos cruzados sobre el regazo. Pío es de otra manera, más sentimental, más débil si se quiere. Ha dejado que se le escurrieran dos lágrimas, dos tan sólo, por las aradas mejillas, y está triste, demasiado triste. Las obras de la Cañada, con buen jornal, casa y aire puro, no le convencen. Quiere quedarse aquí, junto a los tranvías, la estación, el río y la taberna de Floro. Su hijo no le entiende.

—Mire, padre —hace mucho tiempo que no le llama padre—. No es para tomarlo tan por la tremenda. Trabajando se come en todas partes, y, además, usted se debiera de alegrar de que nos fuéramos, de que nos vayamos donde ha dicho usted.

—Sí, hijo, sí...

Esta tarde de domingo en que pasa la gente junto a la tapia camino de los merenderos y de los bailes de la orilla del río es particularmente acre. Fuera del solar: jolgorio de soldados en grupos y de sirvientas en bandas, requiebros feroces, alegría estruendosa, alguna bronca con su quite, porque es temprano. En el solar: el futuro amenazador, la falta de rumbo, la espera del momento de principiar el éxodo hacia otro paraíso, tal vez inalcanzable. Esta tarde de domingo, Ramón medita los planes del futuro.

Por lo pronto hay que regalar los animales. Los gatos a Floro, si los quiere... Chal puede venir con nosotros.

Y como hablan de Chal, Chal atiende sentado sobre sus patas traseras, con la lengua fuera, un poco jadeante, mirando de hito en hito a sus dueños. Claro que él puede ir con ellos, él es familia, él no conoce a otra gente. Acabaría haciéndose un vagabundo de la orilla del río sin más fin en su vida que perderla cualquier día de crecida o acabarla en la cámara de la Policía Urbana, donde llevan los laceros a los perros sin amo. Chal roza dulcemente con su hocico la encogida mano de Ramón.

—Sí, Chal puede venir con nosotros.

La tarde crepita en los bailes donde el tamboril marca el ritmo. La polvareda se levanta en espiral, se achata luego y se extiende sobre las casas y los árboles. La tarde en el solar habita cada rincón con una luz huérfana de alegría. Ayer hubo tormenta y la tierra se encharcó. Hoy el calor ha secado todo y el solar es solar, arrasado, triste, lleno de fealdad hasta en el arbolillo achaparrado.

De entre los escombros Ramón y Pío sacan los objetos que quedan. Salvar de este naufragio lo que queda es operación desgraciada. Ya se han secado los colchones y las ropas al sol duro de esta primavera. Ahora lo más inesperado aflora: junto a una bacinilla los frascos de viejos y pasados linimentos que antaño sirvieron para mitigar un reúma; al lado de una percha descornada, el misterioso, decimonónico, rural lavabo de espejo móvil y de jofaina rajada, hace tiempo en desuso; emparejados, el brasero sin posible arreglo y la mesa de la pata coja; más tarde, un baúl con las cerraduras saltadas, arreglado y reforzado en las esquinas con hojalata. Todo va apareciendo fantasmal y familiar. Todo se va colocando con cuidado desde la escalinata al paseo. Todo tiene su historia, su aprecio y menosprecio; su cantar de otro tiempo.

Ramón y Pío se cargan los colchones al hombro. María recomienda cosas de primera necesidad.

—Lleva esta bolsa, que dentro van las cazuelas, la badila, los cubiertos.

—En el próximo, abuela.

Y salen al paseo, donde se cruzan con un señor acompañado de su señora que ha salido a dar una vuelta y a gozar del atardecer; donde se cruzan con una pareja de novios que no los miran. Donde unos graciosos les gritan que hoy es domingo y no hay que trabajar.

En el solar los niños repasan los descubrimientos. Orientan el lavabo al sol y juegan con su reflejo. Los niños se entretienen con los frascos de viejos linimentos, en cada uno de los cuales un diablillo encerrado —el duende de la vida pasada— sonríe.

XIII

Mañana hará un mes que Pío cumplió cincuenta y nueve años. A mediodía ha llegado una carta a su nombre con matasellos de la Cañada. Pío la ha cogido con las dos manos, ha lanzado una mirada angustiosa a la familia, sentada a la mesa, y ha sentido un escalofrío. Ramón le ha tenido que decir.

—¡Abrala, hombre!

Pío la ha abierto. Pío ha balbuceado, se ha enredado en las fórmulas de saludo. Ramón le ha quitado la carta y la ha leído de un tirón.

La familia está muy atareada. Mañana por la mañana, en el primer tren, irán Pío y Ramón. Llevarán con ellos lo más necesario. A la tarde, la abuela y Emilio. Pasado mañana, si todo está en orden convenientemente facturado, marcharán Agustina y los dos pequeños.

Pío no está contento. Abandonar la ciudad no le parece un acierto. Aquí hay de todo, se arreglan bastante bien. Dos jornales son dos jornales. En la Cañada está la casa, que es lo importante, y otros dos jornales, pero los amigos no están allá para beber y charlar con ellos. Floro no estará, el tráfago de la capital será sólo un vago recuerdo. No; si fuera por él no se irían. Bien es verdad que él fue el que dio la idea, mas una cosa es decir —porque decir, decir, ¡hombre!, se dicen muchas cosas— y otra es llevar a cabo lo dicho.

Agustina lo revuelve todo, hace paquetes, fardos pequeños. María pregunta sin cesar por cosas que no aparecen. La madre de Agustina contempla a sus huéspedes ensimismada porque ella bien quisiera..., pero tienen que comprender que así es mejor..., que la casa es pequeña y que apenas cabe con sus dos hijas y el sobrino, para que le venga todavía más gente.

Emilio, la Casi y Mariano sí que gozan con este impulso que han dado a sus vidas sus padres al decidirse a marchar. Emilio, la Casi y Mariano sienten dentro de sus cuerpecillos una pila descargando constantemente: allá se va una mano para aprehender un objeto no interesante, mas en estos instantes importante; ahora toca correr por el pasillo entre gritos, empujones, carcajadas.

—¡Nos vamos, nos vamos!

Aún más fuerte. Mariano da palmadas de júbilo. Emilio tira a la Casi de las orejas y ésta ni se enfada, porque por su cuenta ha encontrado el mejor medio de lanzar su alegría como una cometa arrojando al aire los huesos de albérchigo coleccionados con tanta paciencia y devoción por sus hermanos. Por el pasillo, por las pequeñas habitaciones, en la cocina y casi dentro de los armarios, la alegría llena, invade, rebosa la casa y salta por las ventanas al patio y a la calle.

—¡Nos vamos, nos vamos!

Unicamente Pío calla y fija sus ojos en las paredes, en los objetos, con insistencia, como queriendo grabarlos bien para el recuerdo.

XIV

Ayer hizo un mes que Pío describió, en la taberna de Floro, a sus amigotes un magnífico menú. Hoy acaba de serle entregada la parte del barracón donde se aposentará con su familia: tres habitaciones, cocina y una especie de recibidor. Los retretes están fuera, lo mismo que las duchas, y son comunes. Pío no ha hablado aún con ninguno de sus compañeros de trabajo: esto sí, los ha observado. Pío ha visto y oído que en su mayoría son andaluces del campo, gente no muy fuerte, de rostros tostados y enjutos y perfiles aquilinos. Pío prefiere la gente de la ciudad. Explica a María, su mujer, que lleva tres horas ordenando los pocos cacharros que han traído.

—Mira, María, son gente que se dicen los unos a los otros «cucha», «cucha» y no se entienden entre ellos. Uno no comprende a estos andaluces. Uno lo que debiera haber hecho era no venir aquí.

—Pero, ¡hombre de Dios!, ten calma. Estos son los primeros días; luego, ya verás, todo será coser y cantar.

Pío no se conforma con la teoría de su mujer. A él, que le gustaba venir a la Cañada en la taberna, le gustaría volver a la taberna en la Cañada. Tamaña paradoja radica en que el bueno de Pío amenazaba con la marcha a sus amigos, con el afán de sentirse admirado de ellos, tan inmóviles, tan sedentarios, tan incapaces de la mínima aventura extraurbana. Pío quiere, desea fervientemente volver: ¡volver!, ¡ay, si pudiera!, a su paraíso del solar; volver a la taberna de sus discursos, de sus exageraciones, de sus triunfos; volver a las calles donde todo es un rumor y las conversaciones no se distinguen porque las gentes que circulan son como un río, con música, con himno propio. Aquí en la Cañada siente la soledad, el silencio del campo y sufre. Porque él sabe que en el primer Paraíso, que gozó el hombre, no hubo ni soledad ni silencio; sabe que soledad y silencio, al fin hombre de la ciudad, son dolor, tristeza, desgarramiento. Su paraíso, su solar, sin soledad y sin silencio era, sin embargo, un apartado, en el que no cabía el medio conturbador que le rodeaba.

—Sí, María, son gente con la que uno no se entiende. ¡Ay, qué bien vivíamos allí!

—Ten paciencia, Pío. Aquí viviremos mejor. Ya lo verás.

Pero en el allí de Pío hay tantas sensaciones, dichas y alegrías encerradas, que aquello, y solamente aquello, podrá devolverle su diminuta felicidad. Pío perdió el paraíso, interpolado entre dos altas casas. Pío fue avisado por una tormenta y arrojado por la ira sin límites del negocio. Fue expulsado sin culpa, sin reconocer el árbol de la culpa en el triste arbolillo estepario que crecía en medio de su paraíso. Y Pío, como debió sentir el primer hombre, siente que de él se apodera la nostalgia que le otoña el corazón y le borra la mirada. Y Pío, como el primer hombre, necesita soñar que algún día ha de volver.

María ha salido del barracón a las voces de Emilio. Sí, aquí está Agustina con los dos pequeños. Agustina, sonriente, con sus dos hijos extasiados que todo lo miran, que todo lo ven, con ojos de asombro y que se dejan conducir por Emilio, conocedor ya, como ninguno, de los secretos del campo y de las obras, de aquí para allá, del regato a la colina, del castaño partido al tocón podrido.

—Esto, Casi, es una dragadora para ese canalillo en el que hay peces. Yo he cogido antes uno —miente.

—¿Y dónde está?

—Lo volví al agua porque era pequeño —y señala una distancia con sus índices de absoluta exageración.

María, en la casa, enseña febrilmente las habitaciones a Agustina.

—Esta nos podría servir para los chicos. Esta para vosotros. Esta para Pío y yo. Comeremos en el recibidor, ¿qué te parece?

Y sin dejarla contestar continúa.

—El water está ahí fuera. Ven, ven y verás. Tenemos ducha. Sólo agua fría. La cocina es muy buena; he encendido fuego.

Las dos entran en la cocina. Agustina hace gestos de aprobación por todo. Luego salen del barracón. Debajo de un árbol está sentado en una silla Pío, conversando con Ramón. Ellas se acercan. Ramón pregunta a su mujer:

—¿Qué te parece esto?

—Esto es un paraíso, chico, un verdadero paraíso.

Pío se levanta, encoge los hombros, mete las manos en los bolsillos y echa a andar. El sol último de la tarde exprime en el horizonte sus rojos colores. El campo huele a espliego. El rumor de las taladradoras que adelantan los barrenos de mañana, llega difuminado en el sonido del viento, en los árboles del bosquecillo cercano. Vuela algún pájaro, negra estrella en la altura.

Pío, el sentimental y dulce Pío, contempla el crepúsculo, los montes donde se oculta el sol, tras los que está la ciudad y en la que se yergue clavado el mástil de su nostalgia: su paraíso. Su paraíso que ya no es suyo, que es la casa en construcción número treinta y nueve de la calle de la Estación, propiedad de don Amadeo García, para quien y por quien se ha ensanchado la estrecha y pequeña puerta de antaño recubierta de mármoles y de dorados. Y Pío llora suave, silenciosamente. Y Pío sueña, y sueña, y sueña...

Los niños

Con el Martín pescador...

Con el Martín pescador recorriendo, investigando, reconociendo el río, el primer chaparrón de la primavera hizo nacer el arco iris. Con el Martín pescador revoloteando sobre el agua ocre, violenta y arremolinada de los deshielos en las montañas, la orilla tornó su verde apagado y triste del invierno por un verde vivo y hortícola.

A la tierra negra de los sembrados comenzaba tímidamente a brotarle un bozo de trigo. A la tierra azul y lejana de los montes del término de la llanada se la adivinaba surcada de carrerillas de agua titubeante.

Al humilde Sebastián Zafra le ocurría lo que al Martín pescador, al arco iris, a la tierra y al río: recorría, investigaba, reconocía, sentía un chaparrón de alegría y un arco de colores en el pecho, titubeaba como el agua de los regatos, andaba violento y enmadejado como el agua cachorra del río; era tímido para ver como el trigo para brotar, y había cambiado el tono apagado y triste del verde de sus ojos por un verde nuevo y afilado. Al humilde Sebastián Zafra le ocurría, simplemente, que acababa de cumplir siete años de edad y se daba cuenta.

Cuando en el arco del puente que servía de cobijo a la familia apareció una de las tías de Sebastián, éste, en cuclillas, horadaba una montaña de barro, ensimismado en su labor y pendiente de los desprendimientos. Al sentirse observado volvió la cabeza. Le colgaba de la nariz una mucosidad de estoicismo y la sonrisa modelaba una pícara inocencia de que allí no pasaba nada. La tía le llamó.

—Sebas, cochino, aquí.

Sebastián arrugó el hociquillo y fue hacia ella. La tía no tendría anchas las caderas, ni veintitrés años cumplidos, ni una llamativa belleza, pero tenía marido y había sido madre cuatro veces: la primera sin fortuna; la segunda con el tiempo en contra, por lo que la criatura se enfrió, cogió moquillo y murió como un gatito; a la tercera tuvo a su Prudencio, un año menor que Sebastián, y a la cuarta nació su Virtudes, más guapa que un sol, aunque con el peso poco serio y exacto de dos libras y algunas onzas, que la pesó uno que vendía pesca, telas y chucherías por los pueblos, con una romana antigua y caprichosa —según quien fuese el comprador— colgada de un pañolón, hecha un hato.

Sebastián fue sacudido como un manzano frutado. Sebastián sacudió sus manos, con la cabeza baja, salpicando de barro la falda de su tía. Luego pasó, bajo la manta de caballo que cubría el vaciado del arco del puente, al interior. Un humo salino le picaba en la garganta y de los ojos se le saltaron, mecánicamente, las lágrimas como diminutas ranas. Sebastián se sentó en un colchón enrollado y esperó. La tía dijo:

—¿Dónde están Pruden y Virtudes?

—Se fueron.

—¿Adónde?

—No sé. Al monte.

La tía comenzó a hacer reflexiones y a quejarse.

—Estos hijos le quitan la vida a una. Ya verán la que les espera cuando vuelvan. Ese Pruden no se salva de la que le tengo prometida.

Después se serenó y se agachó a recoger algo del suelo.

—Bueno, en el monte están bien. Y tú quítate de ahí, que es el colchón de tu padre, que luego no puede dormir si está aplastado.

Sebastián se levantó y se apartó con temor del colchón. La tía le alargó un cacharro.

—Trae agua y te lavas, que vamos a la ciudad en cuanto venga tu tío.

Sebastián se lavó la cara de un modo muy extraño: recortándose la frente en sol y sombra, dejándose el cuello en las inexpugnables tinieblas de una suciedad de meses. Acabó su tía por peinarle con saliva, porque el pelo hay que cuidarlo y le sienta mal el agua, que lo pudre y lo desvirtúa, según sabia sentencia.

Llegó Pedro Corrales, padre de Prudencio y de Virtudes, con el ojo triste de no haber hecho nada.

—¿Qué?

—Nada.

—¿Cómo que nada?

—Nada te he dicho.

—Pues beber has bebido; se te nota el albán.

—¿Y qué?

Quedó Pedro Corrales cavilando sentado en un cajón. Se dedicaba a oficios diversos. Era muy respetado en su familia cuando se trataba de predecir el tiempo. Se le apreciaba unas buenas dotes de tratante si había de qué. Algo se las arreglaba como lañador; también como chatarrero. No se solía equivocar siempre que hubiera que echar cuentas y tenía, para colmo, una firma de complicada rúbrica que hacía decir a su mujer, cuando en los ratos libres la ensayaba en bordes de periódicos con un lapicero de tinta convenientemente ensalivado: Parece un secretario.

Era Pedro Corrales de buena condición, alma libre, parco en el comer y acaso una miseria inclinado al mal, porque —la vida es así— si bebía mucho pegaba a su mujer un poco; nada más que un poco.

Sebastián quería a su tío, por eso le pidió:

—Tío, salgo a cortar una rama de fresno y me haces un silbo.

Se plantó la tía.

—Para eso estamos ahora, en el momento en que tenemos que ir a casa de la señora Luisa.

A Pedro Corrales le pareció que aquello era meterse en su jurisdicción y así fueron sus palabras de malsonantes; luego añadió, quitando importancia a lo dicho:

—Deja al chico, mujer; si quiere un pito lo tendrá.

La tía se resignó.

—¿Y comer?

—Ya hay tiempo. ¿Y Virtudes y Pruden?

Sebastián salió y a poco estuvo de vuelta con una ramita de fresno.

—Es demasiado delgada —dijo Pedro.

La tía se enfureció.

—Pues luego se lo haces. Vamos, Sebas, que hay que trajinar la comida.

Pedro siguió sentado en el cajón. Vio correr una araña. Antes de desaparecer, Sebastián y su tía le oyeron decir:

—Seguro que hoy llueve.

En casa de la señora Luisa, los llamados gitanos de los puentes toman café con leche. La señora Luisa, esposa de un industrial de la ciudad, es pequeña, gorda, bondadosa. La señora Luisa compra el racionamiento a los llamados gitanos de los puentes; les ragala pantalones y chaquetas viejas, vestidos pasados de moda, botellas vacías, sobrantes de comida, pan duro, les da a arreglar las cazuelas, los paraguas no, porque los compone un afilador marido de una antigua asistenta de la casa, y una vez les obsequió con un botellón de orujo con guindas, que sabía a aguarrás, y del que tuvieron que devolver el casco, porque era muy hermoso. En los corazones de los llamados gitanos de los puentes hay un sitio chiquitín para la señora Luisa.

La tía de Sebastián llamó suavemente con los nudillos en la puerta. Salió a abrir una criadita, que volvía la cabeza nada más verlos y gritó al interior de la casa:

—Señorita, los gitanos.

La respuesta llegó inmediatamente:

—Que pasen con cuidado a la cocina.

Sebastián y su tía pasaron a la cocina. Sebastián era la primera vez que iba a casa de la señora Luisa y tuvo tiempo de asombrarse de lo que vio por el pasillo: un arca como una barca de grande, en la que cabían los tres, Prudencio, Virtudes y él; unos cuadros con santos u hombres que se lo parecían; un perchero que a él se le ocurrió un árbol joven recién podado... Entró la señora Luisa.

—¿Qué hay, Benita?

—Ya ve usted, señora, igual que siempre.

—¿Tenéis frío por allí?

—¡Cómo no hemos de tenerlo!

—¿Y tú te encuentras bien?

La señora Luisa conocía a Benita desde mozuela.

—Pues no, señora. Tengo una cosa que ya ve usted en lo que me está dejando. Una cosa que no me deja dormir y me trae fuegos a los ojos por la noche y a veces siento tal que un hierro rusiente, así como si me andaran con él en las entrañas.

—¿Y por qué no vas al médico?

—¡Qué he de ir! ¡Qué he de ir!...

La señora Luisa se interesaba por todos y Benita lo agradecía.

—Y tu marido, ¿trabaja?, ¿te trata bien?

—Más que a sus ojos, señora.

—¿Y éste quién es? Porque éste no es tuyo.

—No, señora; éste es el hijo de mi hermano Fulgencio, ¿se acuerda?, el que se casó con la Monina.

Sebastián se encogió todo lo que pudo; sentía miedo. Aquella señora le miraba de una forma tan rara.

—Se parece mucho a su padre —dijo.

—Es su espejo.

Sebastián se acobardó más. Sebastián era como un pájaro sin refugio perseguido por el azor.

La señora Luisa dejó de preocuparse de Sebastián.

—¿Y qué te trae?

—Venía a preguntarle si quería usted el aceite del racionamiento.

—Muy bien.

—Pero es que como no tenemos dinero.

—Yo te lo doy, pero no me hagas algo que se vea.

La señora Luisa se dirigió a la sirvienta.

—Tráeme el bolso —hizo una pausa—, y tú dime cuánto necesitas.

—Unas cien pesetas.

La conversación se desvió en un regateo de precios. Por fin quedaron conformes. La señora Luisa recomendó:

—No me hagas algo que se vea, que vosotras en cuanto tenéis dinero os olvidáis de todo.

Benita respondía:

—Pero, señora, cómo le voy a hacer eso a usted que es tan buena, a la que queremos tanto. Fíjese que me acuerdo siempre.

—Sí, sí, pero vente con el racionamiento.

A Benita se le ocurrió un trato.

—Para que vea que vuelvo pronto aquí le dejo el chico.

La señora Luisa se echó a reír.

—Y si no vuelves, ¿qué hago con él?

—Cómo no he de volver, señora.

Sebastián se agarró a las faldas de su tía, trémulo, con los ojos rebosantes de lágrimas.

—Anda, Sebas, no seas tonto, que no tardo nada.

Sebastián se agarraba desesperadamente. Benita se desasió. Cerró la puerta. La señora Luisa ordenó a Sebastián:

—Siéntate.

Sebastián se sentó y comenzó a no saber qué hacer con las manos; determinó pillárselas entre las piernas.

—No te asustes, hombre, ¿quieres café con leche?

A Sebastián le hubiera gustado tomar café con leche, mas la cabeza se le movió a un lado y a otro sin poderla dominar. Fue interpretado como una negación.

Comenzó a llover. Benita se retrasaba. Pasaron treinta minutos.

A Sebastián le recorría el cuerpo un enjambre de avispas. Si la puerta de la calle estuviera cerca, pensaba, de un salto la hubiera abierto y echádose a correr escaleras abajo. Llamaron al timbre. Se le apretó el corazón. Era el señor de la casa. La señora Luisa, sonriente, lo hizo pasar a la cocina.

—Mira a quién tenemos aquí.

El señor, alto, delgado, alegre, se fijó en Sebastián.

—Está asustado.

—Es sobrino de Benita, la gitana.

—Ya me figuraba que sería uno de ellos.

Las tripas le hacían ruiditos a Sebastián, que se empequeñecía ante la estatura de aquel señor.

—¿Quieres comer?

La cabeza se volvió a mover de un lado a otro. Sonó tenuemente un golpe de nudillos en la puerta. La criadita salió a abrir. Se le oyó decir:

—Otra vez llamas al timbre, que para eso está.

Entró Benita.

—Aquí le traigo esto, señora.

Al ver al marido de la señora Luisa se desató en un torrente de halagos.

—¡Qué guapo está usted, don Luciano, parece que tiene treinta años! Por usted...

Don Luciano se escapó de las mentiras de Benita, que se quedó comentando su garbo con la señora Luisa. Sebastián tenía en los ojos una alegría de liberación.

—Qué guapo está su marido. Qué pareja, parecen novios. He tardado tanto porque comenzó a llover. Ya me lo dijo mi Pedro.

La señora Luisa ofreció un vaso grande de café con leche a Benita. Esta, cuando lo tenía mediado, se lo pasó a Sebastián, que bebió un sorbito. A él se le habían pasado las ganas de tomarlo.

Cuando volvían por la carretera, el arco iris brillaba al fondo del paisaje. Sebastián estaba contento. Pensó en el pasillo lleno de misterio de aquella casa, con su arca grande como una barca para los tres: Prudencio, Virtudes y él; en los santos de las paredes, en el perchero como un árbol podado. Se acordó de la mirada de la señora Luisa y se dio cuenta de que aquél había sido su primer gran susto, también su primera gran aventura.

Al llegar al puente vio Sebastián, el niño humilde Sebastián Zafra, al Martín pescador recorriendo, investigando, reconociendo el río.

Por la senda de los raposos...

Por la senda de los raposos, cruzando el monte, pelado, caminaban los tres: Sebastián, Prudencio y Virtudes. Por la senda de los raposos, bajo la sombra de una nube, llegaron al ribazo donde el verano anterior encontraron un nido de codorniz con dos pollitos rubios de color de la manteca. Desde el ribazo hasta el manantial seco de la vaguada, rodeado de plantas de arándanos, quedaban cinco tiros de piedra y algunos pasos.

Sebastián se paró a ajustarse los calzones con el trozo de cuerda de atar haces, que se le había aflojado. Prudencio se rascó un desconchado de roña de la tripa. Virtudes se sentó, palpó las deshilachadas suelas de sus alpargatas y cuidadosamente extrajo de una de ellas la agujilla de cardo que le molestaba. Luego los tres contemplaron la nube viajera y siguieron andando.

Rodaba la nube lejana y el sol les calentaba las costillas. Brillaba el rastrojo de los campos de trigo en la lontananza y una flaca columna de humo se alzaba al fondo del paisaje, que dolía mirar de luminoso. Cantó un pardillo. El campo estaba adormecido. Sebastián entretuvo sus pies en un hormiguero, destruyendo el camino de los insectos entre dos trincheras de cascarilla cereal. Voló de pronto una picaza; Prudencio irguió la cabeza. Sobre una mata de espliego se posaron dos abejas; Virtudes las oxeó con la falda. Le gustaba verlas en vuelo. Sebastián y sus dos primos eran como tres zorrillos buscando la aventura, y como los zorrillos, conocían el monte y esperaban lo inesperado. Y ¿qué otra cosa es lo inesperado, que una culebra a la que machacar a pedradas, unas flores con las que hacer un ramillete, un lagarto al que atar una cuerda para pasearlo por la carretera como a un perro? ¿O tal vez —con mucha suerte— un erizo o un nido de algo o algunas arañas gordas y amarillas, de las que en el abdomen parecen llevar dibujada una calavera? Lo demás, ¿qué importaba?

Llegaron al manantial seco y comenzaron a recoger su cosecha de arándanos; la cosecha de las tierras sin labrar, que pertenece por igual a las cabras, a los zagalillos y a los niños de bajo los puentes. Nadie fuera de ellos la aprovecha, porque la gente tiene sentido de la propiedad y no es viajera de a pie a través del monte. Los arándanos maduros se les deshacían entre los dedos. En la camisa de Sebastián se iba formando una gran bolsa y los frutos dejaban en la piel una mancha morada y verde de pulpa agridulce.

La pasada primavera Sebastián Zafra había cumplido once años y su tía Benita le contó muchas cosas. Le contó que su madre fue una criatura inocente que murió a los diecisiete años, de parirlo, gordo, guapo y lustroso; que la enterraron un Viernes Santo en un cementerio enano de un pueblo clavado arriba de un cerro, pardo el pueblo como el pelo de los gatos sin amo; que fue la mejor mujer de todas las que formaban la familia; que la llamaban Monina porque tenía cara de Virgen y cuerpo de reina, y que Fulgencio la quiso más que a su vida. Cuando Sebastián se enteró de todo se le figuró que el corazón se lo estrujaban como un racimo de uvas y que el cuerpo se le quedaba como una plaza vacía en un atardecer de tormenta.

Virtudes se pasaba la mano por la boca para quitarse las manchas de los arándanos. Virtudes crecía agria y pequeña como un limón. Tenía el gesto hosco y la mirada esquiva. Nunca cantaba, nunca reía. A veces miraba a su madre y parecía querer decirle algo. Prudencio era distinto.

No era muy alegre porque no se puede ser muy alegre a los diez años viviendo a salto de mata, pero sabía sonreír sabiamente ante un puchero de caldo y ante una tajada de tocino extendida sobre un pedazo de pan.

Virtudes se pasaba la mano por la boca.

—Sebas, he visto un zarrapo.

Sebastián y Prudencio abandonaron los arándanos por la aventura. Virtudes siempre hacía los grandes descubrimientos.

—¿Dónde?

Se organizaron inmediatamente.

—Tú quédate ahí. Tú empuja con un palo aquí.

Virtudes señalaba con el dedo una forma que se movía buscando cobijo en el interior de un matorral.

—Míralo.

Sebastián dijo con voz llena de desengaño.

—No es un zarrapo. Es una rana de San Cayetano.

La rana de San Cayetano desapareció y todos los posteriores intentos de localizarla fueron inútiles.

Sebastián, Prudencio y Virtudes abandonaron la vaguada. Bajaban por el camino comiendo arándanos. Sebastián lanzaba los huesecillos apretando los labios. Virtudes saltaba a la pata coja las piedras grandes.

Cruzaron el pueblo.

Al llegar a los puentes Pedro Corrales, apoyado en una vara de avellano, hablaba con un hombre.

—Se lo llevaron por nada. Es que no nos dejan vivir.

—Lo tendrían fichado de otra vez.

—¡Quiá! Desde una que armó en Cenicero, hará dos años, se estaba quieto. Es que nos tienen mala sangre.

El tío de Sebastián se doblaba de holgazanería. En la oreja derecha le blanqueaba un cigarrillo.

—La vieja ha puesto el grito en el cielo. Hoy vamos de visita.

Pedro Corrales se fijó en los tres cuando se entretenían en endurecer las suelas de las alpargatas en el asfalto derretido.

—Chicos —les gritó.

—Hola, tío...

—Hola, padre...

—¿Dónde os habéis metido?

—Hemos estado cogiendo arándanos.

—Y ¿no sabíais que íbamos a ver a tu padre?

Sebastián abrió los ojos.

—Yo no lo sabía.

—Bueno, pues bajad a ver lo que dicen las mujeres.

Las mujeres eran tres: la vieja, que hacía unos días acababa de llegar de Miranda de Ebro de pasar una temporada con otros hijos, Benita y Carmela, que estaba recién casada y con un embarazo espectacular. Carmela se quejaba de los riñones. Benita le decía:

—Tú te puedes quedar aquí con la abuela.

La abuela levantó la cabeza.

—Yo no me quedo aquí. Yo voy a ver cómo está.

Benita contemporizó.

—Bueno, madre. Usted se viene con nosotros y que Carmela se quede con mi Virtudes por si le ocurre algo.

La abuela exprimió su sabiduría. La abuela tenía mucho nervio y no demasiados años, pero, ¡ay!, eran años de hambre, de frío que quema la sangre, de calor que afloja la carne y abre las varices. Años de perros perseguidos, largos y monótonos.

—¿Qué le va a ocurrir? Le pasará lo que a todas cuando nos hemos metido en esos pasos. Si su hombre estuviera donde debe estar, otra cosa sería.

La embarazada se quejó.

—Es que él tiene que buscarse la vida.

—En las tabernas nadie se busca la vida. Es igual que todos. Nosotras a deshacernos trabajando y ellos de juerga. Es preferible reventar de una vez.

Pedro Corrales había bajado de la carretera.

—¡Qué dice usted, abuela! Su marido no era mejor que otros.

A la vieja le temblaban en los ojos las luces del recuerdo.

—Aquél era más hombre. A mí nunca me faltó qué comer.

—Ni aquí le falta a nadie.

La vieja refunfuñó, agachó la cabeza y se adentró en sus nostalgias. Pedro Corrales sacó un peine del bolsillo y se lo pasó por la cabeza.

—Daos prisa, que se nos va a echar la hora.

Benita recomendó a Virtudes que pusiera una olla de agua sobre las piedras del fogón.

—Podemos irnos.

La vieja se levantó.

—¿Y no le lleváis nada?

—Sí, madre. Un poco de carne cocida que ha comprado Pedro, y tabaco.

—Bueno, andando.

La hora de las visitas en la cárcel de la ciudad era a las seis y media. Los detenidos se alineaban en un corredor, tras de una gruesa tela metálica, después, un pasillo estrecho; luego otra tela metálica, y las visitas. Lo que se les llevaba tenía que ser examinado por los guardianes, que se lo pasaban inmediatamente a los presos.

La comitiva de los humildes que vivían bajo los puentes se puso en marcha. La madre de Benita caminaba despacio con su hija. Delante, a ambos lados de Pedro Corrales, iban Prudencio y Sebastián haciendo frecuentes paradas para esperar a las mujeres. Este le preguntaba:

—Tío, y ¿cuándo lo soltarán?

—Vete a saber. Lo mismo puede estar un mes que dos. A mí me tuvieron una vez quince dias y otra tres meses, y la segunda ni siquiera supe por qué.

La vieja y Benita hablaban.

—Beni, cada vez estás peor. Cuídate.

—Sí, madre.

—No trabajes tanto.

—Sí madre.

—Cuando te sientas muy mal vete al hospital.

—Sí, madre.

—Mira que esos dolores son de algo muy malo que llevas dentro y que cualquier día te balda. Come, come todo lo que puedas. Engorda. La salud es lo primero. No te preocupes de los chicos, ya son mayores y saben andar solos.

—Sí, madre.

La entrada de la ciudad es una larga cuesta orlada de castaños. La caseta de arbitrios está al pie. El de puertas fuma sentado en una banqueta. Pasan los humildes de bajo los puentes. El de puertas grita:

—¿Traéis algo, buenas prendas?

Pedro Corrales sonríe y responde:

—No, señor. Venimos a visitar a mi cuñado.

Sebastián se agacha a recoger un trozo de periódico. La cárcel está situada al otro extremo de la ciudad. Los humildes van por las calles adustos. La cárcel es un edificio antiguo que fue seminario. En sus puertas hacen guardia soldados de Artillería. El sargento se pasea imponente por el ancho portalón.

Es muy difícil entenderse. Las conversaciones, las voces, los chillidos de todos forman una mezcolanza que absorbe lo que se quiere decir. Se acaba por sólo oírse uno. Pero, ¿qué importa? La gente es feliz nada más que con verse.

Fulgencio ha adelgazado; tiene los ojos circuidos de lívidas manchas de ojeras; los párpados como con sueño; la mirada mansa. Fulgencio se inclina hacia adelante y agita una mano. Sebastián ha sonreído.

Un celador reparte los paquetes. Fulgencio abre los que le han dado.

En éste, carne cocida. Hace un signo y dice algo a su hermana y a su madre, que no aciertan a entenderle. En este otro, tres cajetillas de tabaco, un librillo de papel de fumar y cerillas. Mira agradecido a su cuñado. Y, ¿en éste? En éste, Fulgencio, arándanos de la cosecha de las tierras sin labrar, que pertenecen a las cabras, a los zagales y a tu hijo Sebastián. Fulgencio vuelve la cara y dos lágrimas le hierven un instante en sus ojos hundidos. Suena la campana. Ha pasado el tiempo de visita. Son las siete. Adiós, hasta tu libertad, Fulgencio.

Por la carretera la vieja marcha apoyada en Sebastián.

—Que nunca, hijo, te veas en manos de la justicia.

—Sí, abuela.

—Que tengas siempre que comer y encuentres buena mujer.

—Sí, abuela.

—Que no te lleve el odio con nadie y quieras a los tuyos.

—Sí, abuela.

La carretera se va llenando de sombras. La carretera es como un misterioso carril hacia la noche. Bajo el puente hierve la olla de agua. Bajo el puente la oscuridad viene ya disuelta en las aguas del río, mansas, lívidas, somnolientas.

De las colmenas del otoño...

De las colmenas del otoño se vertía, en el atardecer, el color de los campos. De las colmenas del otoño se endulzaban los ojos de una vaga melancolía. El crepúsculo ponía cresta de gallo a las cimas de los montes lejanos. En el río abrevaba la boyada, mientras el pastor lanzaba piedras planas al agua estancada. Una vorágine de mosquitos se doraba sobre la superficie, donde las grandes hojas y las flores amarillas de las ninfeas, donde las espadañas y los juncos y las berreras, con sus florecillas blancas, parecían profundizar el cauce y darle un angustioso equivalente de charca peligrosa. Las últimas golondrinas tijereteaban las primeras sombras bajas. Por la carretera, con los altos chopos rojos como candelabros de iglesia, paseaban Sebastián y Virtudes.

Paseaban Sebastián y Virtudes juntos y en silencio. Sebastián jugaba con una ramita seca que en su extremo tenía pendiente una hoja seca. Virtudes erguía el busto y respiraba profundamente. Al llegar al puente se apoyaron en el petril a contemplar el agua de un verde de moho. En uno de los pilares la corriente de la primavera había amontonado palos y lodo hasta hacer una isleta florecida de hierba tardía. Escupió Sebastián. Virtudes se alzó de puntillas. Sebastián dijo:

—Vamos ya, Virtudes.

Virtudes sonreía con una sonrisa blanda, cálida, madura.

—¿A dónde?

—A andar.

Sebastián golpeó con la ramita en el borde del pretil y la hoja seca se desprendió; cayó girando lentamente.

—Vamos hasta la fuente y luego volvemos.

—Está lejos.

—¡Qué va a estar lejos! No hay ni un kilómetro.

—Bueno, vamos.

Virtudes se palmeó el pelo. Sebastián, con la ramita, se fustigó la pierna derecha.

—Bebemos agua y volvemos.

—Yo no tengo sed.

Avanzaba en dirección contraria una carreta tirada por dos bueyes negros. El carretero, delante, llevaba la aguijada al hombro y silbaba la melodía de una canción de moda. Se volvía de vez en vez a los animales y les pinchaba en los lomos.

—Ahída, ahída.

Sebastián y Virtudes le dieron las buenas tardes. El carretero contestó cortésmente.

La raya del ocaso sobre los montes era ya de un verde lánguido y acuoso. A Virtudes le recorrió el cuerpo un escalofrío.

—Ha refrescado. Sería mejor que diéramos la vuelta.

—Pero, mujer, si todavía se siente el bochorno del día. Toca la carretera, verás qué caliente está.

Sebastián se agachó y puso una mano en el suelo.

—Toca. toca. Verás que templada.

Virtudes, con un brazo cruzado sobre el regazo, se inclinó.

—Sí, está caliente.

La blusa de Virtudes se ahuecó. Sebastián levantó la cabeza; tuvo tiempo de ver. Repicaban en las profundidades del campo las campanas de la iglesia de un pueblo. Repicaban de vísperas de fiesta.

—Debe ser en Foronda.

—No, deben ser las de Antezana.

—¡Qué más da!

Un murciélago hizo una escala en su pentagrama de vuelo. Los primeros cohetes de vísperas de fiestas corrieron por el cielo.

—Mañana iremos.

Al llegar a la fuente Sebastián se mojó la cabeza y bebió. Virtudes miraba correr el agua.

Subieron la cuesta del pueblo y se perdieron en el monte. Las estrellas surgían de golpe de las entrañas del cielo. Corría el campo un aire caliente que venía del Sur. Zumbaban los alambres del tendido de las líneas telefónicas, al borde de la carretera. Crujían las hojas secas, como en un aleteo, en las ramas de los árboles movidas del viento. Los juncos en el río crepitaban al partirse. Rumiaban los ganados en las cuadras de las casas del pueblo. Desgranaban maíz en las cocinas los aldeanos. Eran las colmenas de las primeras noches de otoño con sus dulces, melancólicos, rumores.

Cuando Virtudes y Sebastián bajaban del monte, una luna grande y roja surgía tras ellos. Al cruzar el pueblo vieron luz en la casa del cura.

Hacia los altos nidos de las nieves...

Hacia los altos nidos de las nieves en las montañas lejanas, cuando el invierno afloja, corren las nubes. Hacia los altos nidos de las nieves se retira el silencio de los campos. Vuelve la tierra transfigurada de su letargo y hay agua azul en las acequias, azogue en los surcos y en los relejes de los carros por los caminos, vetas blancas en los ribazos orientados al Norte. Se siente desperezarse a la Naturaleza y una inquietud adolescente flota en el aire fresco y chorreante. Pasan las primeras aves migratorias y los perros de los pueblos ladran, con las orejas tiesas y el rabo en péndulo loco, su vuelo pausado y negro en la distancia.

Comienzan los ejercicios de la Artillería, que tiene las baterías emplazadas en las afueras de la ciudad, casi pegadas a las tapias del cementerio, cañoneando el monte pelado de las viejas andanzas de Sebastián, Prudencio y Virtudes. De las explosiones se levanta un humo natoso que rastrea un poco y luego se diluye. Las palomas domésticas vuelan azoradas de un lado a otro en grandes y temblorosas bandadas. Sebastián y su cuñado Prudencio, desde la carretera zumbándoles en los oídos el moscardoneo de las granadas que cruzan sobre ellos, contemplan el monte.

Sebastián y Prudencio se entretienen adivinando los tiros por el sonido.

—Esa se queda por bajo la trinchera. Esa la remonta. Esa hace blanco. ¿Te lo dije? Venía con las del beri.

Sebastián y Prudencio son ya hombres. Sebastián lleva un traje azul marino, sucio de manchas; el botón del cuello de la camisa suelto y el nudo de la corbata, desgastada y desflecada, aflojado; en los pies, alpargatas negras y calcetines de colorines. Su cuñado viste un traje de verano, que escalofría, y unos zapatos desvencijados y picañados de dos colores; los calcetines no existen, y la corbata, como es menos elegante que Sebastián, no se la pone más que cuando va a la ciudad. Sebastián ofrece un cigarrillo a Prudencio.

—¿Qué, nos vamos hasta la tasca a refrescarnos?

—Tú dirás.

—Voy a coger un saco para subir luego.

Sebastián, desde el puente, llama a su mujer.

—Virtudes, dame un saco, que voy al monte a coger metal. Date prisa.

Virtudes asoma bajo el arco del puente. Virtudes se cubre con una manta agujereada, en la que están pintados con tinta morada un número, dos iniciales y la llameante bomba, distintivo del arma de Artillería. Enflaquecida y con el vientre abultado de una próxima maternidad, toma una forma dolorosa y grotesca.

—¿Qué quieres, Sebas?

—Que me des un saco, digo. Que me voy al monte con tu hermano.

Resignada. Virtudes entra bajo el puente. En la penumbra alguien le pregunta lo que piden los hombres. Ella contesta con una voz opaca y melancólica:

—Un saco, abuela, para recoger metal.

—No les dará vergüenza. En vez de trabajar pierden el tiempo en esas cosas. Son unos chulos, eso es lo que son. No les reventará una bomba y se los llevará para adelante...

—No diga usted eso, abuela.

—Claro que tengo que decir, hija. Todos son iguales.

Virtudes sube dificultosamente a la carretera.

—Toma, Sebas y ten cuidado, no vaya a haber alguna sin estallar y nos dé un disgusto.

—No te preocupes.

—Y bajad pronto, que tu padre estará de vuelta para la hora de comer.

—Pues que coma solo. Anda ésta...

Sebastián, con el saco enrollado bajo el brazo, camina seguido de Prudencio por la carretera. Virtudes les aconseja todavía:

—Tened cuidado, tened cuidado.

Desde que Benita murió con las entrañas roídas, no se sabe de qué, bajo los puentes no hay paz. Los hombres no quieren trabajar. Carmela, una vez dio a luz, se marchó con su marido, lo dejó al cabo de pocos meses y desapareció. La abuela apenas ve y sólo habla para maldecir de sus hijos. Virtudes se va en lágrimas porque Sebastián y Prudencio andan emborrachándose y no ganan más que para divertirse. Unicamente Fulgencio hace algo, porque el padre de Virtudes es un verdadero desastre y anda en oscuros, deshonestos líos con una mercera de la ciudad.

Virtudes se queda en la carretera. Ya no cruzan sobre ésta las granadas. Los ejercicios de la Artillería han terminado. Virtudes se lleva una mano al costado derecho y piensa que será pronto; que será pronto, porque si no va a ser incapaz de resistirlo. Mira los árboles con las ramas desnudas y se imagina que toda la carretera está apretada por cientos de gigantescas manos que le nacen a un lado y a otro. A ella también le aprietan de la cintura dos manos terribles que la hacen jadear y olvidarse de todo. Dos manos que ella intenta separar con las suyas, inútil, dolorosamente.

La taberna del pueblo se abre en un gran portal, por donde pululan las gallinas. Arrimado a la pared se encuentra un largo banco de madera de chopo con el asiento manchado de vino, de grasa, de deyecciones de aves. Este es el banco en que se sienta el mendigo que va de camino a devorar un corrusco de pan y beberse un cuartillo de vino rojo y espeso, como sangrecilla. Este es el banco en el que las señoritas de la ciudad que han salido a pasear en bicicleta ponen hojas de periódico antes de sentarse a tomar con dengues, aparatosas y ridículas, el vino con gaseosa de un transparente y narigudo porrón. Es también el banco del señor cura, en el que fuma el señor cura al atardecer, comentando con los hombres del mostrador el tempero del campo o las incidencias de una mañana de caza.

El tabernero es hombre viejo y sabe bien la historia de su taberna, comprada por poco dinero cuando la Gran Guerra. Habla de que le decían la Venta del Moro, de que una vez hubo una muerte en la bolera a raíz de una partida, de que por allí estuvo el cabecilla carlista mal llamado Tirantes, que se tuvo que refugiar en la pocilga con los marranos, porque le andaba a los talones una patrulla de guiris, y que aunque un cerdo le dio un mordisco en un muslo él se calló hasta que pasó el peligro. El tabernero conoce a las gentes de bajo los puentes y los trata familiar y hoscamente.

Sebastián y Prudencio se apoyaron en el mostrador y pidieron medio litro de vino y dos vasos, después de saludar. El tabernero les miró a la cara, fija, casi insultantemente.

—No hay crédito, advierto. Si tenéis con qué pagar, bueno. Si no os echo a los perros.

Sebastián argumentaba socarrón:

—Pero hombre, ¿le debemos algo? ¿Cómo sabe que no tenemos dinero?

—No me debéis nada y, además, ahora no me da la gana serviros.

Prudencio, conciliador, le dijo al tabernero.

—Hombre, señor Sátur, no es para ponerse así. Nos da usted medio litro, por favor, y ya está.

Prudencio enseñó un duro y lo puso sobre el mostrador.

—Ea, nos tomamos el vino y a la calle.

El tabernero aguó el gesto agrio.

—Bueno, así lo que queráis; pero con guasas nada, que de mí no os reís.

El vino ya estaba ganado cuando Sebastián aclaró.

—Nadie se ríe de usted.

—Y dale —dijo el señor Saturnino.

Prudencio volvió a mediar dirigiéndose a Sebastián.

—Cállate, hombre.

Por el monte pelado, en los hoyos de las granadas Sebastián y Prudencio buscaban cascos de metralla. Se acercaron al trincherón blanco de los ejercicios de tiro. Encontraron la vieja senda de los raposos y la siguieron. Pesaba el saco e hicieron un alto.

—Me parece que dos o tres se perdieron hacia el manantial.

—Si las encontramos…

—Las encontraremos, veras. Con la parte de dinero que me toque le voy a comprar a Virtudes un collar. ¿Qué te parece? ¿Se pondrá contenta?

—Sí, se pondrá contenta.

—Es que, mira, yo no me estoy portando con ella. Tú me entiendes. Es demasiado buena para mi y yo soy un arrastrao. Y le tengo que dar algo ahora que con esto del chico sufre tanto.

—Sí, Sebastián.

Bajaron hacia la vaguada. El manantial brotaba impetuoso, a borbotones. La tierra de los alrededores estaba anegada. Las plantas de arándanos parecían descarnadas por el invierno, un revoltijo de alambre espinoso. El paisaje se perdía en una neblina azulada.

—¿Te acuerdas, Prudencio, cuando veníamos los tres por aquí en los finales de verano?

—¡Que si me acuerdo!

En la tierra blanda y húmeda cercana a las plantas de las cosechas infantiles de Sebastián, Prudencio y Virtudes, una granada sin estallar yacía medio enterrada. La miraron.

—¿Tú te atreves?

—Sí, pero hay que tener cuidado, no vaya a ser…

—No te preocupes. Busca una piedra plana.

Prudencio se apartó en la busca. Sebastián se acercó a la granada e intentó con las manos ahondar en torno a ella. Sebastián miró las nubes viajeras y su mano tropezó…

Prudencio sangraba por los oídos y las narices cuando se levantó del suelo. Una natosa nubecilla de humo rastreaba por el campo. En la cabeza se le revolvía una tormenta y las piernas se le doblaron.

El agua del manantial se vertía lentamente en el hoyo de la granada, sucia de sangre. Prudencio cerró los ojos y gritó. Y gritó y no lo vio más.

Hacia los altos nidos de las nieves, en las montañas lejanas seguían las nubes, y con ellas el humilde, vago y tierno Sebastián Zafra. Y nadie más.

1

—Le jeu aux barres est plutôt un jeu français. Nos écoliers y jouent rarement. Voici à quoi consiste ce jeu: les joueurs, divisés en deux camps qui comptent un nombre égal de combattants, se rangent en ligne aux deux extrémités de l'emplacement choisi. Ils s'élancent de chaque camp et ils courent a la rencontre l'un de l'autre. Le joueur qui est touché avant de rentrer dans son camp est pris. Les prisonniers sont mis à part; on peut essayer de les délivrer. La partie prend fin par la défaite ou simplement l'infériorité reconnue de l'un des deux camps.

El tañido de la campana les hizo alzar las cabezas. Opaco, pausado, grávido, anunciaba el recreo.

—No ha terminado la clase —dijo el profesor a media voz—; traduzca.

Cesó la campana y hubo un vacío de despedida. Hasta entonces nadie había prestado atención a la lluvia, que golpeaba en las cristaleras arrítmicamente, flameando como una oscura bandera.

—No ha terminado la clase, Gamarra —la mirada del profesor emergió, burlona y lejana, de las acuarias ondas dióptricas—,y para alguno puede no comenzar el recreo.

La lluvia, desgarrada, trizada, en los ventanales, producía un cosquilleo y una atracción difícil de evitar. El profesor apagó la pequeña lámpara de su pupitre, cambió sus gafas y se ensimismó unos segundos contemplando el esmerilado de la lluvia de los cristales. Después se levantó.

—Al patio pequeño.

Los colegias se pusieron en pie y cantaron mecánicamente el rezo: «Ainsi soit-il».

En los pasillos, mal alumbrados, el anochecer borroneaba las figuras. Los balcones de los pasillos daban a un breve parque, cuidado por el último de los alsacianos fundadores, y al huerto de los frailes, trabajado por los chicos del Tribunal de Menores. Los árboles del parque tenían musgo en la corteza. En el invernadero del huerto se decía que había una calavera. Hacia el invernadero nacarado convergían las miradas de los muchachos castigados en los huecos de los balcones, cuando desaparecían las filas de compañeros por la puerta grande del pabellón. Bajaron lentamente de la clase de francés mirando con aburrimiento las orlas de los bachilleres que colgaban de las paredes, mirando la tierra del parque prohibida a la aventura y aquella otra tierra de los golfos de cabezas rapadas y de la calavera, cuya sola contemplación desasosegaba y hacía pensar en una melodramática orfandad.

Alguno pisaba los talones del que le precedía; algunos hacían al pasar sordas escalas en los gajos de los radiadores. Arrastraban los pies cuando se sentían cobijados en las sombras, y ronroneaban marcando el paso como prisioneros, vagamente rebeldes, nebulosamente masoquistas.

—Silencio.

En el zaguán, el profesor se adelantó hasta la puerta y dio una ligera palmada, que fue coreada por un alarido unánime. Corrieron al cobertizo bajo la lluvia, preservándose las cabezas entocando las blusas; dos o tres quedaron retrasados, haciéndolas velear cara al viento y la lluvia.

Junto al cobertizo estaba el urinario, con celdillas de mármol y un medio mamparo de celosía que lo separaba del patio. Se agolparon para orinar. El sumidero estaba tupido por papeles y resto de meriendas, y los colegiales chapoteaban en los orines. Se empujaban; algunos se levantaban a pulso sobre los mármoles de las celdillas y uno cabalgaba el medio mamparo dando gritos.

En la fuente se ordenaron para beber, protestando de los que aplicaban los labios al grifo. Los desvencijados canalones del tejado del cobertizo vertían sus aguas sobre la fila de bebedores, haciendo nacer un juego en el que los más débiles llevaban la peor parte. Era el martirio de la gota.

Hubo un instante en que los colegiales, cubiertas sus necesidades, no supieron qué hacer. Uno de los muchachos corrió desde el tercio del cobertizo que les correspondía hacia las motos. El soldado se levantó. El soldado estaba en mangas de camisa y cruzó sus blancos brazos, casi fosfóricos en la media luz, rápida y repetidamente. Las negras botas de media caña le boqueaban al andar.

—¡Fuera, fuera, chico! —gritó, y lo oxeó hacia sus compañeros—. ¡Fuera, fuera!... Yo decir frailes, yo decir frailes...

Gamarra tenía el pelo rojo. Ugalde era moreno. Lauzurica e Isasmendi llevaban gafas. Zubiaur cojeaba. Rodríguez era francés. Vázquez había nacido en Andalucía. Eguirazu tenía un hermano jugador de fútbol. Larrea era hijo del dueño de un cine. Sánchez sabía grecorromana. Larrinaga robaba.

Gamarra estaba plantado delante del soldado con las manos en los bolsillos del pantalón.

—¿Por qué? —preguntó Gamarra—. Ayer estaban las motos fuera.

—Ayer, buen tiempo —respondió el soldado—. Hoy, muy mal tiempo. Verboten, prohibido pasar —con la palma de la mano el soldado, trazó una línea imaginaria—. Yo decir frailes si pasáis.

—¿Por qué no llevan las motos al patio grande? —dijo Gamarra—. En el patio grande no podemos jugar.

El soldado sonrió y encogió los hombros.

—El oficial...

Ugalde habló al oído a Gamarra. El soldado, censurando las palabras españolas con el movimiento de su dedo índice extendido, explicaba docentemente a los demás:

—En Alemania, los chicos prohibido, prohibido. No prohibido, jugar. Prohibido, no se pasa. En Alemania, mucha disciplina los chicos.

—Esto no es Alemania —dijo Zubiaur.

—Ya, ya. No es Alemania...

El soldado sonreía infantilmente.

—Ya ya. No es Alemania...

Larrea imitó al soldado hablando a golpes:

—Ya, ya. No es Alemania...

—Tú no reír —dijo el soldado—. Yo decir frailes.

Era un bonito juego imitar al alemán, y todos, excepto Gamarra, jugaron.

—Ya, ya. No es Alemania...

—Ya, ya. No es Alemania...

—Ya, ya. No es Alemania...

—Yo decir luego a frailes —dijo el soldado, furioso—. Y pegaré al que pase.

Gamarra estaba contemplando al soldado.

—¿Desde dónde no hay que pasar? —preguntó Gamarra.

—Aquí —contestó el soldado, volviendo a trazar la línea imaginaria con la palma de la mano—. Aquí, prohibido.

—Muy bien —dijo Gamarra, e hizo el mismo ademán que el soldado—. Desde aquí, prohibido para ti. Tú prohibir, nosotros prohibir, ¿entender?

—¿Entender? —dijeron todos, palmeándose el pecho y empleando únicamente infinitivos—. ¿Tú entender? Nosotros prohibir. Tú no pasar.

Larrinaga trazó con tiza una raya en el suelo que ocupaba toda la anchura del cobertizo.

—Prohibido pasar —dijo Gamarra—. Si no, nosotros pasaremos.

El soldado sonrió.

Sonó la campana, y los colegiales corrieron dando gritos hacia la puerta del pabellón. Gamarra volvió la cabeza.

—Tú no pasar, ¿eh?

Las luces de las clases anaranjaban las proximidades del pabellón. Llovía sin viento. En el zaguán sacudieron sus blusas y taconearon con ruido.

—Silencio —dijo el profesor.

Los veinticinco colegiales iban en fila de a dos por los pasillos. El parque era una espesa niebla. El huerto estaba del otro lado de la noche. Las orlas de los bachilleres se iban adensando de nombres y fotografías a medida que pasaban los años; 1905, ocho; 1906, once; 1907, trece...; 1936, veintidós. Las escalas en los radiadores eran más agudas.

El soldado alemán se paseaba a lo largo del cobertizo sin respetar la raya de tiza. Luego le relevaron. *Gute Nacht.*

2

La barroca anaglipta contrastaba con el mobiliario vascongado, severo, macizo, intemporal, un punto insulso. Cupidónicos cazadores, ánades en formación migratoria, carcajes abandonados entre las juncias, piraguas embarrancadas en las orillas del agua, lotos, lirios, hiedras, mostraban sus relieves en el techo. Un zócalo de madera cubría dos tercios de las paredes. Ovaladas acuarelas, en marcos dorados, colgando hasta el zócalo, representaban paisajes convencionales: ruinosos castillos fantasmados por el plenilunio, bucólicos valles verdeantes engarzados entre montañas nevadas, una charca helada con zarrapastrosos niños patinadores...

La lámpara de dos brazos en cruz, terminada en puños de porcelana, iluminaba mal la estancia. La suave penumbra de las rinconadas distraía y turbaba al muchacho. A veces se levantaba para confirmar su soledad, temiendo no estar solo; a veces penetraba en los paisajes de las acuarelas, y el regreso era un sobresaltado despertar. Hasta él llegaba la conversación sosegada de la madre y la abuela en la galería de la casa. La conversación rumorosa le adormilaba. Le hubiera gustado ir y escuchar, pero esto requería un previo examen: «¿Has terminado ya? ¿Has hecho la tarea? Tienes que enseñárselo a tu padre.» Había bebido agua en la cocina, había ido tres veces al retrete. La madre y la abuela callaban al verle pasar. En la conversación de la abuela nacía el campo: el robledal del monte bajo, las culebras de la cantera, la charca mágica con las huellas del ganado profundas en el barro. La abuela olía a campo y algunos vestidos de la abuela crujían como la paja en los pajares. Los ojos de la abuela estaban enrojecidos por el viento y el sol. Le debían de picar como si siempre tuviera sueño, aunque la abuela dormía poco e iba, todavía oscuro, a las primeras misas.

Extendió los mapas y abrió varios cuadernos, cuando oyó la puerta de la calle. Después se levantó. Eran las nueve de la noche.

El padre se descalzaba en la cocina. Se ayudaba con un llavín para sacar los cordones de los zapatos ocultos entre la lengüeta y el forro. Estaba sentado en una silla baja y su calva aún no era mayor que una tonsura.

Cuando alzó la cabeza lo vio un poco congestionado por el esfuerzo.

—Hola, Chema —dijo—. ¿Todo bien?

—Bien, papá.

—¿Has trabajado mucho?

—Estoy con los mapas.

—No sería mejor tu francés, ¿eh?

—A primera hora tenemos geografía.

—Ya; pero tu francés, ¿eh?

—Dicen que ahora va a haber francés o italiano, a elegir, y en quinto, inglés o alemán.

—Bueno; pero a ti lo que te interesa por ahora es el francés.

—Dicen que el italiano es más fácil.

El padre se incorporó y le acarició la áspera, alborotada y encendida pelambre. Se apoyó en su padre. Tenía la ropa impregnada del olor del café, y contuvo la respiración. Fueron caminando hacia la galería. El padre le sobaba el lóbulo de la oreja derecha.

—Tú dale al francés. No quiero que te suspendan, ¿de acuerdo?

—Sí...

Al abrir la puerta, el desplazamiento del aire hizo temblar la llama de la mariposa en el vasito colocado delante de la imagen de la Virgen. Se desasió de su padre y se acercó a la cómoda. Alguna vez había hurtado alguna moneda del limosnero; alguna vez había sacado el cristal de la hornacina para tocar la imagen, el acolchonado celeste y las florecillas de tela.

—Hola, abuela —dijo el padre—. Hola, Inés. Está haciendo un frío del demonio.

—Chema, si no vas a continuar, apaga la luz del comedor— dijo la madre.

—Pronto nevará —dijo la abuela—. Por Todos los Santos, nieve en los altos. Antes, también en el llano, y a mediados de octubre. Hoy no nieva con aquellas nieves.

—Deja la lamparilla quieta —ordenó la madre— y apaga la luz del comedor.

—No sé si nevará menos, pero este año va a ser bueno...

—La pobre gente que está en la guerra —la abuela se santiguó—. Pobres hijos, pobres.

—¿Por qué no apagas la luz, Chema?

—Voy a ver lo que ha hecho —dijo el padre—. Luego os contaré. Quiero cenar pronto. ¿Y la muchacha?

—Hoy es jueves. Ha salido.

—Vamos a ver lo que has hecho, Chema.

El padre y el hijo se fueron al comedor. La abuela y la madre guardaron silencio. Les oyeron hablar. A poco apareció el padre. Enfurruñó el gesto. Hizo un ruidito con los labios. La madre entendió.

—Le tienes que meter en cintura, Luis.

—Se lo he dicho todas las veces que se lo tenía que decir. Ahora bien, hoy no va a la cama hasta que no termine lo que tiene que hacer.

Encendió un cigarrillo y se sentó a la mesa camilla.

—Se agradece el brasero.

—¿Quieres que le dé una vuelta?

—No. Así está bien.

—¿Qué se cuenta por ahí? —dijo la madre después de una pausa—. ¿Se sabe algo de los de la cárcel?

—Ha habido traslado, pero... —hizo un gesto de preocupación— eso es muy vago. Aquí podían estar relativamente seguros, siempre que... En fin, han quedado en llamarme mañana a primera hora si saben algo.

—Ten cuidado —dijo la madre.

—¡Qué cosas! Bien o mal, sin referirnos a nadie. Es suficiente.

—Bueno, bueno, tú sabrás.

—Sácame un vasito, mientras llega la chica.

—¿Quieres que te haga la cena? Ahora un vaso puede sentarte mal. No tienes el estómago bueno y, así en frío...

—No, espero. Sácame un vaso.

—Como tú quieras.

La madre se levantó y regresó prontamente con una botella y un vaso.

—Ha llegado más tropa. Y ha salido mucha para el frente. El café estaba lleno de oficiales. Por cierto que esta tarde han traído el cadáver del capitán Vázquez, el padre de un compañero de Chema.

—¿Le conocías?

—Sólo de vista. Iba al café y alguna vez lo he visto en el Casino. Era muy amigo de Marcelo Santos, el de Artillería. El de Artillería, no su hermano. Al parecer, lo ha matado una bala perdida, porque estaba de ayudante del coronel y bastante retirado del frente.

—Y el traslado ¿qué puede significar? —dijo la madre.

—Lo mismo lo peor que lo mejor —dijo el padre, preocupado. Y repitió—: Lo mismo lo peor que lo mejor.

—Y no hay manera...

—Ahora, manera, con la ofensiva en puertas. ¡Qué cosas, Inés! Si los dejaran aquí, todavía. No me han dado nombres, pero temo mucho que entre ellos estén el pariente, Isasmendi y alguno de su cuerda, que además organizaron hace unos días un plante porque no les dejaban que les llevaran la comida de fuera.

Tomó un trago de vino y aplastó el cigarrillo en el cenicero. La puerta del comedor se abrió y oyeron el ruido seco del interruptor.

—Ya he terminado, papá.

Entregó el cuaderno abierto y aleteante.

—Ves —dijo el padre— como sólo es proponérselo. Cuando tú quieres, lo haces bien y rápidamente. Ves, con un poco de voluntad... No sé por qué te niegas, como si no fuera por tu bien.

El padre ojeó el cuaderno.

—Muy bien. Chema.

—¿A quién han matado? —preguntó Chema—. ¿A quién has dicho que han matado, papá?

El padre posó una mano en el hombro de Chema. El niño sentía su peso tutelar, fortalecedor, sosegante, y se encogió al amparo.

—¿Tú eres muy amigo de ese chico andaluz de tu curso?

—¿De Vázquez, de Miguel Vázquez?

—Sí, de Miguel Vázquez... ¿Tú conocías a su padre?

Miró hacia el suelo, afirmando con la cabeza. Deseaba tener una noble emoción, grande y contenida. Esperándola centró su atención en un nudo de la tarima; un nudo circular, rebordeado, lívido y solo.

—... una bala perdida —dijo el padre.

3

A las once salieron del colegio para asistir a la conducción del cadáver. Llovía mucho. Llevaban los capuchones de las capas impermeables muy metidos, y echaban las cabezas atrás para verse. Se empujaban bajo los goterones y las aguas sobradas de los canalillos de los tejados. El prefecto marchaba pastoreando las filas, distraído y solemne, cubierto con un gran paraguas aldeano.

Lauzurica resbaló en el bordillo de la acera. El prefecto se adelantó y golpeó en el hombro a Gamarra.

—Siempre usted, Gamarra —dijo—. Dará cincuenta vueltas al patio si escampa; si no, me escribirá durante los recreos cien líneas. Recuerde: «No sé andar por la calle como una persona.» ¿Me ha entendido?

—Sí, don Antonio; pero no he sido yo.

—No quiero explicaciones.

Bajo la marquesina de la entrada principal del cuartel donde estaba montada la capilla ardiente, esperaron la llegada de las autoridades. La familia y los amigos y compañeros del muerto estaban velando. Gamarra y Ugalde se refugiaron en una de las garitas de los centinelas, abandonadas de momento. La garita olía a crines, a cuero y a tabardo. Gamarra imitaba a los centinelas pasando de la posición de descanso a la de firmes, presentando armas invisibles. Ugalde descubrió inscripciones pintadas a lápiz o rayadas en la cal. Los dibujos obscenos les provocaban una risa calofriada.

—Fíjate, Chema, fíjate.

Cada uno descubría por su cuenta. Ugalde quería llamar a Lauzurica cuando la garita se ensombreció.

—Muy bonito —dijo el prefecto, apretando los labios—. Muy bonito y muy bien. Salgan de ahí, marranos. En las notas de esta semana van a tener su justa compensación. Cero en conducta, cero en urbanidad, y advertencia —el prefecto se ejercitó pensando la sucinta nota aclaratoria de las dos censuras—: «Conducta y urbanidad de golfete. Aprovecha la ocasión para chistes, dichos y palabras de bajo tono. Presume de hombrón.»

Les empujó con la contera del paraguas hacia el grupo de compañeros.

—¿Qué pasa? —preguntó susurradamente Lauzurica, haciendo un gesto cómico al mirar por encima de los empañados cristales de sus gafas—. ¿Ha habido hule? ¿Le dio el ataque?

—Ya te contaré —dijo Chema.

—Van ustedes a pasar de uno en uno —dijo el prefecto con la tenue, silbante, respetuosa voz de las funciones religiosas—. Darán la cabezada a su compañero y a los que le acompañan en el duelo. De uno en uno... No quiero ni señas ni empujones. ¿Entendido? ¿Me han entendido?

La capilla ardiente estaba situada en el Cuarto de Banderas del regimiento. En las paredes del portalón formaban panoplias las hachas, los picos, las palas de brillante metal de los gastadores. Las trompetas, cornetas y cornetines de la banda colgaban de un frisillo de terciopelo rojo. Tres alabardas de sargento mayor cruzaban sus astas detrás de un gran escudo de madera pintado de gris. Los colegiales contemplaban las armas con arrobo.

—No se paren —dijo el prefecto—. ¡Vivo, vivo!

Un educando de banda, pequeñajo y terne, les sonreía con superioridad. Llevaba el gorrillo cuartelero empuntado y de ladete, y el largo cordón de la borla hacía que ésta le penduleara sobre los ojos. A un costado, en el enganche del cinturón, tenía la corneta, y al otro, el largo machete español le pendía hasta la corva izquierda. Era causa de admiración y osadía.

Entraron silenciosos y atemorizados. Iban a ver un cadáver. No lo vieron. Junto al ventanal enrejado, cerca de la puerta, les esperaba el duelo: Miguel Vázquez, acompañado de un coronel, un capitán y un señor vestido de luto con aire campesino. Al fondo de la sala estaba el ataúd. Unos soldados montaban la guardia. Los grandes cirios y las flores cargaban de un olor descompuesto y pesado la habitación.

Como una sábana, la bandera cubría la caja mortuoria, y unas mujeres, arrodilladas en sillas de asientos bajos y altos respaldos, rezaban. De vez en cuando un zollipo contenido hacía volver las cabezas de los que formaban el duelo hacia la escenografía funeral.

Miguel Vázquez alzó las cejas cuando Larrinaga inclinó la cabeza. Miguel Vázquez saludaba a los amigos, y no volvió a su apariencia contrita y aburrida hasta que no pasó el último de ellos.

—¿Lo has visto? —preguntó Zubiaur a Eguirazu.

—Al entrar.

—Imposible —dijo Larrea—. No se veía nada. Me he puesto de puntillas y nada. La bandera lo tapaba todo. Debe estar en trozos. Una granada, si le da a uno en el pecho, no deja ni rastro...

—¿Y quién te ha dicho que ha sido una granada? —interrogó Larrinaga—. Ha sido una bala perdida. Gamarra lo sabe porque se lo ha contado su padre, que era muy amigo del padre de Miguel.

Estaban fuera de la marquesina. El prefecto les había reunido en su torno.

—No vamos al cementerio —dijo—. El duelo se despide en la fuente de los patos. En cuanto se despida el duelo pueden ir a sus casas. Gamarra y Ugalde, no. Gamarra y Ugalde se vienen conmigo al colegio hasta las dos. ¿Lo han entendido todos?

La respuesta fue un moscardoneo discreto que Larrinaga y Sánchez cultivaron con pasión hasta sobresalir de sus compañeros.

—El señor Sánchez y el señor Larrinaga —dijo el prefecto— también vendrán al colegio. Allí podrán rebuznar cuanto les apetezca.

—Siempre a mí —dijo Sánchez desesperadamente—. Siempre a mí. El bureo ha sido de todos.

—Siempre a usted, ¡inocente! —respondió el prefecto—, que, además, esta semana se lleva un cero por protestar y que entra por propio derecho en el grupo de los elegidos, viniendo los domingos por la tarde.

—No —dijo Sánchez.

—Sí, señorito, sí. Ya lo verá usted.

—No volveré jamás al colegio —gritó Sánchez llevado por los nervios—. No tiene usted derecho, no tiene usted derecho. ¿Por qué no castiga a sus paniaguados?

—Yo no tengo paniaguados. Lo que acaba de decir se lo va a explicar al señor director.

A Sánchez se le saltaban las lágrimas. Estaba enrabietado. Un codazo de advertencia de Larrinaga sirvió solamente para empeorar la discusión.

—Esas niñas piadosas —dijo Sánchez intentando un dengue, sin que cesara su llanto—. La congregación de las niñas piadosas... Y la coba que le dan en los recreos... A esos, nada, y a los demás... ¡Que conste que lloro de rabia!

—¿Ha terminado usted? —dijo gravemente el prefecto.

Sánchez le miró de arriba abajo y apretó los dientes.

—No volveré jamás al colegio.

Se alejó sollozando y a los pocos metros se echó a correr.

—Venga usted aquí. Piénselo bien, porque si no, va a ser peor.

El prefecto ametrallaba el pavimento con la contera del paraguas.

—Apártense —dijo el prefecto cuando llegaron las autoridades—. Aprendan a escarmentar en cabeza ajena. He ahí uno que ha perdido el curso, por lo menos en lo que esté de mi mano.

—Está la cosa que arde —murmuró Gamarra.

A la fuente de los patos los colegiales llegaron dispersos. Después de despedir el duelo, dieron la mano al prefecto.

—Ave María Purísima.

—Sin pecado concebida.

Por calles solitarias, por cantones donde torrenteaban las aguas de lluvia, por el camino de barro que llevaba a las fértiles huertas de. la vera del río de la suciedad, el prefecto y los castigados iban al encuentro de la puerta trasera del colegio. Atajaban.

Al entrar en el colegio, el prefecto les preguntó:

—¿Ya no tienen ganas de reírse?

No tenían ganas de reír.

Cruzaron el huerto, trabajado por los chicos del Tribunal de Menores. Dieron de lado al invernadero nacarado, que guardaba una calavera. Atravesaron el parque de árboles musgueados.

—Dos minutos para hacer sus necesidades.

Corrieron hacia los retretes del patio pequeño. Había grandes manchas de grasa en el asfalto del vacío cobertizo.

—Verboten —dijo Gamarra—. Se han ido. Vais a oír cañonazos. Yo tirar, tú tirar. Guerra. ¿Entender?

—Si vienen aviones a bombardear, no habrá clase —dijo Ugalde.

—Me gustaría escaparme al frente —dijo Larrinaga.

El prefecto les estaba esperando en el aula grande que llamaban Estudio.

4

—Tenemos alojado en casa —explicó Rodríguez—. Nos lo enviaron ayer. Ha estado en Abisinia. He visto en su maleta una cimitarra.

—Los abisinios usan alfanje y no cimitarra —dijo Larrinaga—. Alfanje y jabalina, y llevan el escudo, que es de piel de león, con una cola suelta en el centro.

—Salgari —dijo Eguirazu.

—¿Por qué Salgari?

—Porque lo que tiene ese italiano es el cuchillo de los Saboya. ¿No les has oído decir Saboya y saludar con el cuchillo?

—Tonterías —dijo Gamarra—. Bayonetas vulgares.

—No son bayonetas.

—Sí son bayonetas.

—No lo son. Son, en todo caso, cuchillos de combate.

—¿Cuchillos de combate? No sabéis. Los que llevan en la cintura son de adorno, y los otros son bayonetas.

Estaban en un rincón del cobertizo. Llovía dulcemente. Hacía frío. Se apretaban unos con otros. Se acercó el prefecto.

—Muévanse. No quiero ver a nadie parado. Gasten ahora energías, y no en la clase.

—Te hago una carrera hasta la tapia y volver —dijo Gamarra dirigiéndose a Rodríguez.

—Prohibido salir del cobertizo —ordenó el prefecto—. Jueguen, jueguen a la pelota.

—Es imposible, don Antonio —dijo Eguirazu.

El prefecto bebió los vientos.

—¿Quién ha fumado? —preguntó gravemente.

Se miraban asombrados, se encogían de hombros.

—No se hagan los tontos. Luego habrá registro. Ahora jueguen y saquen las manos de los bolsillos.

Les dio la espalda y se fue paseando hacia otros grupos menos díscolos.

—¿Has fumado tú? —preguntó Gamarra a Rodríguez.

—Sí, en el retrete.

—Pues ya lo puedes ir diciendo.

—¿Por qué lo tengo que decir?

—Porque va a haber registro.

—Y a mí, ¿qué?

—Que si no lo dices, eres un mal compañero.

—Y si lo digo, ¿qué? El paquete para mí, ¿no?

—Déjale que haga lo que quiera —intervino Zubiaur—. Otras veces fumas tú y nos callamos.

La campana anunció los cinco postreros minutos del recreo. Corrieron hacia los urinarios.

—No dejar entrar a nadie. Defender la posición —gritó Gamarra.

Gamarra y sus amigos tomaron las dos entradas y comenzaron a luchar con los compañeros.

—¡A mí, mis tigres! —clamó Gamarra subido en el medio mamparo del que iba a ser desmontado—. ¡Vengan mis valientes!

Uno de los muchachos resbaló y cayó de bruces. De las palmas de las manos, embarradas, le brotaba sangre.

—No deis cuartel —gritó Gamarra.

—¡Imbécil! —dijo el herido.

—¿Qué te ha pasado? —preguntó Gamarra.

—Por tu culpa.

—A la enfermería. Te salvas de latín, muchacho. ¡A mí, mis tigres!

El herido se abalanzó sobre Gamarra y lo hizo caer desde el mamparo. Lucharon en el suelo.

—¿Qué pasa aquí? ¿Quién ha comenzado? —preguntó el prefecto acercándose.

La respuesta fue unánime:

—Ellos.

—El próximo recreo se lo pasan traduciendo. A usted, Gamarra, le espera algo bueno. Voy a acabar con sus estupideces y faltas de disciplina en un santiamén.

Sonó la campana por segunda vez y los colegiales formaron en dos filas. Entraron en el pabellón. Zubiaur había sido lastimado en su pierna coja y caminaba dificultosamente.

—¿Te has hecho mucho daño? —preguntó bisbiseadamente Lauzurica.

—Un retortijón.

Gamarra empujaba a Ugalde.

—Isasmendi ha faltado ya dos días —dijo Ugalde—. ¿Estará enfermo?

—No. Dice mi padre que a su padre lo han trasladado de cárcel.

—¿Y eso es malo?

—Dice mi padre que sí.

—Silencio —ordenó el prefecto.

Las orlas de los bachilleres rebrillaban. Alguien hizo gemir el pasamanos del barandado apretando la húmeda palma contra él.

—Silencio —gritó el prefecto.

Los colegiales de segundo curso de Bachillerato marcaban el paso por las escaleras.

5

El cielo azuleaba entre blancas y viajeras nubes. Gamarra se asomó a la ventana del patio alzándose sobre el radiador. Vio a sus compañeros formando equipos para el juego de tocar torres. Lauzurica echaba la cuenta de los pies con un compañero. Isasmendi y Vázquez, vestidos de luto, esperaban la decisión de los capitanes. Gamarra casi oía sus voces.

—Yo, a Ugalde.

—Yo, a Ortiz.

—Yo, a Larrinaga.

—Yo, a Acedo.

—Yo, a Rodríguez.

—Yo, a Mendívil.

—Yo, a...

Sólo faltaban dos.

—Yo, a Isasmendi.

—Yo, a Vázquez.

Se fueron hacia sus torres. Gamarra oyó un tabaleo en los cristales de la puerta del pasillo. Volvió la cabeza y vio como guillotinada la cabeza amenazante del padre director. Fue a su pupitre y se puso a traducir con diccionario:

«El juego de las barras es más bien un juego francés. Nuestros escolares lo juegan raramente. He aquí en qué consiste este juego: Los jugadores, divididos en dos campos, que tienen un número igual de combatientes...»

Como una sorda tormenta desde las montañas llegaba el retumbo de la artillería. Comenzaba la ofensiva.

La abulia, el vacío de la gente acomodada

Los pájaros de Baden - Baden

Para Gaba

I

Era la hora del ocaso y estaba sentada en la terraza de aquel bar del paseo de Rosales como si estuviera en un mirador que al mismo tiempo fuese un muelle. De vez en cuando contemplaba la estrecha caleta del vallecito, a su izquierda, perdiéndose en colores, calígine y humos hasta hacerse alta mar dorada en las brumosas montañas de la sierra. Luego todo se tornaba rojo, como el vinoso Mediterráneo de los crepúsculos, y emergían amenazantes escolleras oscuras del Parque del Oeste, de los Viveros de la Villa y del apretado bosque de la Casa de Campo. Se oían pitidos de locomotoras portuarias y un rumor metálico de peces asaltados por peces mayores, que transforman sus ordenados y precisos desfiles en vorágine caótica y hacen sonar la hora encarnada de la matanza, y crujía suavemente, caricioso al oído, el apresto de las despedidas más largas. El Manzanares, paralizado y submarino, asomaba el lomo plateado.

Hacía un rato que había dejado sus cuadernos abandonados sobre el mármol del velador y miraba al mar resultante de muchos mares de verano; un mar compuesto de las sensaciones tenidas desde la infancia, acrecido y sensibilizado ahora, y que se le hacía melancólicamente real en el atardecer madrileño. Las aguas de entonces batían sus sentidos y había en ella éxtasis y anegación.

Ya era noche marítima, con luces bordeando la caleta y titiladoras poblaciones lejanas, cuando quiso volver a sus quehaceres. Tomó un sorbo de cerveza desagradablemente tibia y con el bolígrafo dibujó una delicada línea ondulada, a la que sumó otra y otra, ensimismándose. Así fue sorprendida.

—Elisa, muchacha —la voz del hombre era alegre y familiar—, pero ¿qué haces tan sola? Pero ¿qué haces aquí? Esto se avisa, traidora. Si no llego a pasar por casualidad ni siquiera me entero de que estás en Madrid.

La mujer cerró sus cuadernos rápida e infantilmente y los apiló a su izquierda, justo donde el velador hacía frontera con el seto. Extendió la mano al hombre.

—Yo también creía que estabais fuera de Madrid...

—¿Y cómo te encuentras? —dijo el hombre interrumpiéndola—. Fuera de guapísima, como siempre, claro.

—Muy bien. ¿Y Maritina y los niños?

—Pasándolo bomba por esas playas. Pero ¿qué haces tú en Madrid? ¿Cómo no te has ido? La última vez que te vimos nos hablaste, ¿te acuerdas o no te acuerdas? —dijo sonriente y como ejerciendo una cierta tutela—, que te ibas a Tossa, porque el perdís ese que te gusta... Bueno, ¿me puedo sentar? ¿Puedo invitarte a una cerveza? Igual nos toman por novios —rió—. Estaría bueno, sería estupendo. Y en serio: ¿Has reñido con él? ¿No te gusta ya?

El hombre que se acababa de sentar llamó al camarero volviendo la cabeza. Elisa contempló un instante el cuello musculoso y moreno de su acompañante y bajó la mirada cuando el hombre regresó a festejarla.

—¿Cerveza, cangrejos u otra cosa? Estás guapísima. Ya te lo he dicho. ¿No tomas el sol? ¿No vas a la piscina?

Llegó el camarero y estiró su rostro, atento a la confidencia, al secreto sumarial y a la importante demanda.

—Cangrejos y cerveza muy fría.

El camarero asintió con un aristocrático movimiento de cabeza.

—Muy bien, Elisa, ¿tienes la familia en Madrid?

—Se han ido todos. Es que estoy escribiendo y necesito...

—¿Una novela?

—No, no —respondió riéndose la mujer—. ¡Qué barbaridad! Estoy escribiendo un texto que necesita consultas y eso... Algo bastante pesado.

—¡Ah! —dijo el hombre desinteresándose—. Pero algún tiempo te quedará para divertirte; no te vas a pasar el día dale que dale... Tendrás un rato libre. El verano está hecho para descansar. Si no descansas en el verano... ¿Vienes todos los días aquí?

—No, hoy he venido por casualidad.

—Como yo. Qué casualidades tan extrañas —dijo con fingido gesto meditativo—. Pues ya ves —añadió pretendiendo un dejo de desolación y tristeza— yo de Rodríguez, como un perro sin amo. Por la mañana, el Ministerio. Como en cualquier parte. Luego la siesta y a aburrirme. Un plan para morirse, y que luego digan... A propósito, me han contado unos cuantos chistes de Rodríguez bastante buenos, pero no te los cuento; ya sé que no te gustan los chistes. Además son subidillos de color y no está bien.

—Como tú quieras, Ricardo —dijo la mujer—. Ya tiene una años para no asustarse de nada.

—Tú años, pero si eres una chiquilla; pero si estás hecha una cría...

—Los mismos que tu mujer —dijo Elisa sonriendo apagadamente—. Entramos juntas en la Facultad, terminamos juntas. Lo hemos hecho todo juntas excepto casarnos.

—Así te conservas mejor. Fíjate en Maritina. Los hijos... Casi podría parecer tu madre o tu hermana mayor —se corrigió—. Yo siempre digo...

—No seas bobo, hombre. Maritina está estupenda, y además una mujer si tiene que estropearse por algo es por los hijos y por su marido y no por el aburrimiento.

—Pero tú no te aburres. Cómo te vas a aburrir; será porque tú quieres. No me vas a decir que te encuentras muy sola y toda la ganga. No, no; estoy seguro de que no.

—Pues sí me aburro. Aunque no sé si los dos empleamos la palabra en el mismo sentido...

—Claro que sí. Olvida lo de los sentidos de las palabras. Aburrirse es aburrirse y se acabó. Y tú no te puedes aburrir...

El camarero colocó el plato de cangrejos y las cervezas sobre el velador y luego una escudilla con agua y unas rajas de limón. Ricardo animó con un ademán a Elisa.

—Tienen un aspecto estupendo —dijo—. A mí es lo que más me gusta en el mundo. Del río, el cangrejo, y del mar, la langosta. La carne ni la pruebo, porque engorda mucho. Además no me gusta. Vamos, Elisa, comencemos.

—Es que no me gustan los cangrejos.

—Que no te gustan, pero mujer... Es la primera vez que lo oigo —dijo defraudado—. ¿Qué quieres entonces?

—Nada, no tengo apetito.

—Bueno, como tú quieras... La única cosa mala que tiene esto de los cangrejos es que te pones las manos... La cabeza es lo más sabroso y lo más difícil de comer. Hay que hacer así y así —operó hábilmente en la cabeza de uno— para que no te salte la salsa.

Elisa contemplaba a su acompañante con curiosidad.

—Te das muy buena maña —dijo.

Ricardo sonrió halagado. Luego preguntó:

—Entonces el novio o el seminovio... ¿No seré indiscreto? Entonces ya no. ¿Habéis reñido?

—Todo terminado —respondió Elisa con fatigada palabra—. No soy capaz de retener nada.

—No querrás. Estoy seguro de que es porque no quieres. Tienes todo y eres encantadora. Probablemente no te lo propones. Te lo digo como hombre y creo que tengo razón. Tú puedes hacer de un hombre lo que quieras, si es que quieres, naturalmente. Si es que quieres —repitió—, porque aparte de guapa y de la figura que tienes y de tu estilo. Tú tienes un estilo, ¿cómo diría yo? Un estilo como de película. Algo así. Tú me entiendes. Yo muchas veces le he dicho a Maritina hablando de ti que tenías un pedazo de personalidad. Eso es: personalidad.

—Muchas gracias, Ricardo —dijo Elisa.

Había terminado los cangrejos y se estaba enjuagando las manos en la escudilla.

—Tengo ahí el coche, Elisa. Son ya las diez. ¿Quieres que te lleve a algún lado? Suelo dejar el coche para darme un paseo; conviene estirar las piernas de cuando en cuando.

—¿En plan de Rodríguez? —preguntó Elisa.

—No, no. Quita allá. Ni pensarlo. No..., pasear por pasear... ¿Quieres que te lleve?

—No, Ricardo, muchas gracias.

—Te llevo a tu casa, ¿sí? ¿O cenas en algún restaurante?

—No, ceno en casa; pero no quiero que me lleves. Quiero quedarme todavía un rato.

Ricardo llamó al camarero y pagó la cuenta.

—También lo que haya tomado anteriormente la señorita.

Estaba de pie. Era alto y fuerte. La camisa de sport se le ajustaba sobre los músculos del torso, y en la muñeca derecha llevaba una pulsera de plata.

—No quiero ser pesado, pero si quieres te llevo a tu casa o te acerco.

—No, muchas gracias.

—¿Puedo telefonearte un día? Podemos ir a la piscina o a cenar, si te parece. Así nos hacemos compañía —dijo sonriendo—. ¿Te parece, Elisa?

—Muy bien —dijo Elisa—. Si tú quieres...

—¿Qué día te viene mejor?

—Un sábado es mejor para mí, pero puede que ese no sea un día a propósito para ti.

—El próximo sábado te llamo. Mañana voy a escribir a Maritina y le diré que te he encontrado. Hasta pronto, Elisa —dijo tendiéndole la mano—; que no trabajes mucho...

Le vio alejarse. Caminaba por el paseo erguido, seguro el paso. Pensó que era atractivo. Nada más que atractivo. Al llegar a la altura de su coche él la hizo un último saludo con la mano. Luego se fue.

Elisa encendió un cigarrillo y miró hacia el mar, pero el mar no estaba allí. Las luces del parque recortaban los árboles, iluminaban los senderos. Los Viveros de la Villa eran tiniebla cerrada, y el bosque de la Casa de Campo era solamente una masa negra, lejana. Entonces volvió la cabeza.

II

Acababa de hablar por teléfono y podía reproducir, palabra por palabra, la larga conversación con sus encrucijadas de silencios ambiguos y sus reticencias delirantes, a las que había que estar atenta como los exploradores de los, en otro tiempo, amados libros de aventuras lo estaban a los tembladeros y a las arenas movedizas. Se sentía inquieta y un poco fastidiada y otro poco gozosa. Era inútil, de momento, intentar concentrarse en el trabajo y su mirada fue por la habitación como un pez en su acuario recinto. Entraba filtrada por la persiana y los visillos del balcón la forunculosa luz de la tarde de julio, y los cristales de los grabados espejeaban golpeados y refulgía el barniz de los muebles tiroleses con algo de secreta iglesia. La librería quedaba en la penumbra mate de la rinconada y los lomos de los libros eran colores de rescoldo.

Tenía calor y aunque otras habitaciones de la casa se le ofrecían menos sofocantes prefirió quedarse en su cuarto, allí donde comenzaban su independencia, su libertad y su tristeza. A pesar de la temperatura se abrigó en la bata, que cubría su casi total desnudez, porque tuvo miedo de su cuerpo; miedo de contemplar la carne floja en los muslos y en el vientre, con los trazos, apenas visibles todavía, de lo que en el futuro sería vencimiento. Había tenido alegría, orgullo y un inconcreto sentido de poder y ahora la abrazaba el temor nacido de la vergüenza de la edad: de sus treinta y cuatro años y su soltería.

Se activó en ocupaciones fútiles, arreglando y desarreglando, colocando, moviendo, soplando polvillo del descuidado faenar de vacaciones, alfabetizando libros en su pequeña biblioteca, hasta el hastío del orden, y se dejó caer, como quien va a nadar de espaldas, en el sofá convertible, rendida de aburrimiento y de verano.

Cerró los ojos; entre el sopor y la vigilia más vivaz pensó su estrategia y decidió su táctica. Agrupó las noticias que su instintiva cautela de mujer, como un servicio secreto, consideraba fundamentales en el juego. En primer lugar el número, la insistencia y el temario de las llamadas telefónicas, que eran su vinculación más estrecha. El curso con las raras visitas de compromiso y algunas cenas de sábado, fatigosas y levemente protocolarias, quedaba atrás, ni siquiera como un recuerdo, sino tan sólo como asuntos de trámite en «casa de Marcela». «Casa de Marcela» sabía a latín y en latín podría resultar algo parecido al nombre científico de un animal, de una animácula, de un insecto. Exactamente de un insecto con el que se cumple matándolo y que nunca se recuerda. Pero la casa del verano no era la casa de Marcela, sino la casa de él, su cubil, su ogrera, la trampa y todo lo que supone un desafío de abatimiento y de valor.

En primer lugar las llamadas telefónicas. Siempre a las mismas horas. Cuando él aún no había comenzado la consulta en la soledad de su despacho, lejana la puntual enfermera autosuficiente —tantas veces recordada con horror— de piernas zambas y sólidas como una osa, y sonrisilla irritadora, que contemplaba el mundo desde las miserias del fichero y parecía preguntar confesiva a todos: ¿Qué nueva desgracia debida a un nuevo exceso le ha ocurrido? ¿Qué tontería acaso irremediable ha cometido? ¿Con qué triquiñuela barata viene esta vez si sabe que es inútil? Siguió decorando el presunto sermón: ... si sabe que se han de enterar sus padres, su marido, su novio, todos sus parientes, todos sus amigos, Europa, el mundo universo, porque las medicinas y los enfermos están llenos de cornetas, de inmensas bandas de música que tocan constantemente llamando al espectáculo...; si sabe que las procesiones, los desfiles, el tráfico de las grandes horas viven en su cara: en esos labios exangües, en los nichos de sus ojos, en el afilamiento y en la transparencia de sus orejas de murciélago gigante disecado, lleno de polvo en la vitrina, con las alas abiertas y ensambladas como las velas de los juncos chinos...; si sabe que está en una ficha eterna, como una obra de un genio de la Literatura, con su orina, su sangre, su saliva, sus dolores, su angustia, y no lo olvide usted, no lo olvide usted, no lo debe olvidar: váyase para su muerte con dignidad, que ya está registrada...; si sabe... Olvidó a la enfermera y volvió a su otro juego para jugarlo minuciosa y delicadamente.

No era sucio, estaba segura de que no era sucio, porque no se trataba más que de salir, mejor dicho encontrarse por el azar que guía a los solos con él, un hombre lejos de la familia, deseando no hablar a alguien de medicina y queriendo un poco de tiempo para decirle a una amiga cosas que se las hubiera dicho, tal vez o acaso no, a su mujer. De todas formas convenía engañarse y el azar que guía a los solos era una buena fórmula para engañarse, aunque la pretensión de engañarse era tan absolutamente necia que más valía olvidarla. Y ya estaba hecho. No era sucio y era suficiente. En el distante septiembre entrevisto en la calígine podía decírselo a Marcela.

«Un día salí con tu marido. Estábamos los dos muy solos. Madrid se queda sin gente y salimos para hacernos compañía. Hablamos de ti...»

Y a Marcela le parecería perfectamente bien, porque eran amigas desde niñas y sabía que ella era incapaz... Pero una mujer nunca es incapaz y Marcela sabía tan bien como ella, mejor que ella muy probablemente dado el sentido de la propiedad que toda mujer casada suele tener, que nada es inocente desde que nace. La salida, por tanto, no sería sucia, pero tampoco inocente. Debería ser únicamente un juego conocido, pero del que no se saliera dañado. Le aterrorizaba el daño por lo que tiene de acorralador y elemental, por las glaciaciones de desvalimiento que deja en las personas, como una enfermedad grave o cosa semejante. Y le gustaba la frase: «Amortajada en su soliloquio.» Ya que la pena es un soliloquio infinitamente sin sentido y duramente intransitivo.

Bien, ¿de qué hablaría?, ¿cómo se manifestaría? Y, sobre todo, ¿cuáles eran las claves? ¿Y por qué había decidido acudir ella a la cita después de haberse resistido desde el comienzo del verano?

Hablaría de cualquier cosa, meditada y feamente, tropezando las sílabas y alargando los períodos hasta aletargarse en ellos. De cualquier cosa, pero con la temida corriente interior medulando todas sus frases, cargándolas de intención. Toda su apariencia de hombre reflexivo encubriendo el acecho de la caza huyente; para nada la tensión de la espera, sino una —¿cómo decirlo?— sólida, sí, tal vez sólida autonomía que le permitía ir de acá para allá sin alborotarla, dejándola quieta y como en estado de hipnosis. Así fueron muchas de sus conversaciones. Así había sido la conversación telefónica. Y de pronto un silencio. En los silencios se debilitaba él porque esperaba el efecto y su juego debería ser la acción continuada, sin reposo. Ella volvía en sí y se aprestaba otra vez a la huida sonámbula.

¿Cuáles serían sus claves? Tenía que pensar el lugar donde se desarrollaría la entrevista. No comprendía muy bien por qué, pero en el lugar estaba la explicación de las claves. Era evidente que lo mismo daba un parador de la carretera que la terraza de un restaurante o de un café, mas parador o terraza podían y de hecho tenían distinto significado. No la culpa burguesa y esperada del parador, ni la cándida situación de la terraza, sino otra cosa diferente. Por eso era evidente que lo mismo daba un parador que una terraza, porque él encubriría su táctica en tal manera que el juego debería hacerse complicado. Esencialmente él era un hombre complicado —Marcela jamás lo había entendido— y usaría el parador o la terraza de una forma absolutamente inesperada, contra las que podía no tener defensa. De todas formas le estaba dando demasiadas vueltas a la cabeza y si acudía a la cita era principalmente por la morbosa vanidad de saber sobreponerse. O no. Si acudía a la cita era por medirse con un hombre que siempre le había deslumbrado intelectualmente y no desde su profesión de médico —ésta ya era por sí misma deslumbradora y además ella había estado enferma y fue tratada por él—, sino desde una aura especial que hacía que hasta retazos, pruebas de incultura —era un hombre demasiado ocupado para ser totalmente culto—, resultasen significativamente muestras de clarísima inteligencia. Probablemente no eran más que trucos dialécticos, pero trucos de gran circo, de monumental circo dentro de un cráneo.

A las siete de la tarde tomó una ligera ducha y procedió a vestirse, distrayéndose al compás en pequeños arreglos de las ropas y objetos de su armario. A las siete y media sonó el teléfono. La conversación fue breve, únicamente para señalar el lugar y la hora exacta de la entrevista.

Cuando Elisa salió a la calle caía el sol tras de las altas casas del otro lado de la avenida. Contempló un momento el resplandor tras de los bloques y el rocío de luz sobre las acacias de las aceras. Los bloques se extendían rígidos, esbeltos y uniformes, como los santos de los atrios de las catedrales, y en todos había diversa expresión paralizada y el halo de cada uno era extrañamente distinto. Casi no había tráfico y los pocos coches que pasaban lo hacían lentamente. Era la hora perezosa y misteriosa en que los juegos de los niños pasan a ser mágicos, en que los dibujos en el polvo se transforman en criptogramas cabalísticos y en el que las conversaciones se adormilan en susurros plenos de complicidad. Un instante casi suspirado, que Elisa unía mentalmente al polvillo de las alas de las mariposas, considerándolo como materia de crepúsculo o considerado como materia de crepúsculo en su niñez más fugaz y perdida, recobrada alguna vez en el sueño y que poco tenía que ver con su otra infancia disciplinada, colegial.

Tomó un taxi y dio la dirección. El paseo de la Castellana fosforescía y el verdor de los árboles aumentaba, haciéndose denso como una gran pasta de menta. Los monumentos de la calzada eran hermosas sombras y al llegar a la plaza de Colón reconoció en ésta algo como un cirio en su trípode de oro y negro funeral.

La terraza estaba rumorosa y pobladísima y anduvo derivando al encuentro hasta que una voz la llamó. Allí estaba. El hombre se levantó de su asiento y fue hacia ella. Se saludaron.

—Ven a sentarte —dijo el hombre—, antes de que nos quedemos de a pie.

Obedeció. Sentía el brazo izquierdo momentáneamente paralizado por la presión de la mano de él.

—¿Qué vas a tomar? Te recomiendo una copa de helado. Acabo de tomar uno y está muy bueno.

—Bien, una copa de helado.

—Camarero, una copa de helado para la señorita, por favor —dijo él.

Mantuvo un silencio que inquietó a Elisa.

—Bueno —dijo al fin—, después de tantas llamadas, después de tantos días, logro verte. Supongo..., creo que has pensado lo peor de mí y que vienes a hablar como a un sacrificio, ¿verdad? Vienes resignada a soportarme, lo sé, y yo no lo quiero. Me gustaría que nuestra entrevista fuese alegre, por lo menos alegre. ¿Estás conforme?

—Desde luego, Pedro —dijo Elisa.

—Así es mejor —dijo el hombre descansando.

III

—Lo que yo quiero... —dijo Elisa no sabiendo explicar bien lo que quería— es algo así como las fotografías que hace usted, pero más concretas...

—¿Menos espontáneas? —preguntó sonriendo con un dejillo de superioridad profesional el joven de la piel atezada que la había recibido en *short* y con la camisa atada por las puntas de los faldones sobre el vientre y ni siquiera se había molestado en disculparse.

—No sé..., más concretas..., más sin anécdota..., que no reflejen una historia pero que puedan dar lugar a una historia...

El joven revolvió en un desordenado armario, con una de las hojas de la puerta colgando de un gozne, los suficientes segundos para que Elisa pudiera examinar el laboratorio y sacara una impresión: Mucho desorden y algo de suciedad, pero desorden y suciedad nacidos del trabajo y no del todo desagradables.

—¿Algo de este estilo? —dijo el joven volviéndose, y dándose cuenta de la inspección añadió—: Está todo muy revuelto, no tengo tiempo..., ni ganas, por supuesto. Hace demasiado calor en el estudio. Esta es una casa muy vieja y no sé por qué las casas viejas son más calurosas; deben guardar todo el calor de las personas que las han habitado sumado al que hace.

Elisa sonrió porque le habían gustado las palabras del joven.

—¿Usted cree que los sitios que han sido habitados no son como los desvanes donde se almacenan esos cadáveres que los niños suelen desenterrar del polvo y las telarañas, pero que ya nada dicen a los mayores? ¿Usted cree?

—No sé, a veces digo tonterías... ¿Es algo de este estilo? —dijo mostrando una carpeta con grandes fotografías.

—¿Por qué cree que dice tonterías? —preguntó Elisa desinteresándose de la carpeta—. No dice usted tonterías. Dice cosas que son muy verdaderas y las dice muy bien, estoy segura.

El joven se encogió de hombros y Elisa comenzó a mirar morosamente cada una de las fotografías, mientras el joven, que había encendido un cigarrillo, se paseaba en su celda.

—¿Quiere usted que salgamos al estudio? —preguntó—. Yo creo que en el estudio hace más calor, pero puede que usted esté más cómoda. Aquí ni siquiera se puede sentar. El blancor de los azulejos y el agua de las pilas dan una impresión de frescor. No sé, seguramente hace más calor aquí que en el estudio y además está usted de pie y se está cansando.

Hasta el momento era el único gesto galante que había tenido y Elisa lo aceptó de muy buen grado.

—Si usted quiere salimos al estudio.

—Está a mediodía y le da el sol implacablemente. Trabajar aquí es un martirio, y en invierno también, pero por el frío. Especialmente en el laboratorio. Ni estufas ni nada. El frío es casi un combate; casi boxeo con él, pero lo prefiero. En fin, salgamos; no le estoy dejando ver a usted esas copias...

En el estudio el joven limpió cuidadosamente una butaca de cuero cuarteado con una toalla, que lanzó luego al hogar de una chimenea repleto de botellas.

—Siéntese, no se manchará —dijo—. ¿Quiere usted beber algo? No tengo nada fresco, pero puedo bajar y subir hielo. ¿Le gustaría tomar un cubalibre? En un instante estoy aquí. No se preocupe...

Elisa hizo un leve gesto indicando que no quería procurarle molestia alguna.

—No se preocupe —insistió el joven y aclaró—: ¿U otra cosa?

—No, un cubalibre está bien —dijo Elisa—. Estas fotografías son formidables.

—Son de hace unos años.

—Pues son formidables. Tienen mucha calidad y..., bueno, yo no entiendo mucho, pero me parecen excelentes.

—Lo son —dijo el joven—, pero están muertas. Las cosas concretas están muertas. Todo tiene que ser más informe, profundamente informe —dijo meditativamente—. ¿No sé si usted me entiende?...

—Claro que le entiendo.

—Me alegra mucho. Bien, en tanto las mira bajo por el hielo. ¡Ah!, si usted quiere refrescarse las manos está allá... —dijo discretamente—. No es muy lujoso, pero tiene decoro. Ahoro subo.

El joven abrió la puerta y salió. Elisa le oyó saltar los escalones hasta que la alegremente gimnástica bajada se fue perdiendo. Luego miró en su torno. La ventana del saloncillo con los postigos cerrados vertía una luminosa penumbra a su alrededor. La agria luz del verano entraba por el pasillo hasta casi el sofá, sobre el que había revistas esparcidas. En un rincón, amontonadas, estaban las lámparas de pie de cigüeña, y el rincón parecía que tenía el destartalamiento y algo presuroso de escenario teatral. Junto a la puerta un arca o baúl de marinero servía de asiento a una tinajilla con cardos y mazorcas. Sin duda debía haber habido, hacía algún tiempo, fotografías enmarcadas en la paredes, pero su huella había sido casi borrada por el sol. Antes de que volviera a las fotografías de la carpeta ya estaba el joven de vuelta con un gran trozo de hielo envuelto en papel de periódico en una mano y en las axilas, los antebrazos y en la otra mano botellas de cola como granadas en los alvéolos de los viejos armones de artillería de las viejas revistas familiares. Estuvo a punto de recriminarle: «¿Cómo ha bajado usted con esa pinta a la calle?», pero se calló y se sintió muy alegre cuando el joven cerró la puerta con el talón y dijo sonriendo jadeante:

—Menos de cuatro minuos y medio... Un verdadero récord...

—Cualquier día se matará —afirmó Elisa y de inmediato pensó que había dicho una insustancialidad y que la frase la envejecía.

—¿Le da miedo? ¿Por qué le da miedo? A veces salto los escalones de seis en seis... El ruido molesta a los vecinos y se quejan a la portera... Hay una histérica que sale al descansillo a insultarme y a llamarme salvaje; cuando llego abajo le hago la trompetilla... La irrita hasta el ataque y dice cosas de mi madre... Yo le llamo zurrupia y le pido perdón...

—Si le divierte... —dijo fríamente Elisa.

—Claro que me divierte, si no no lo haría... Este hielo me está quemando las manos... En seguida vengo con los vasos.

Elisa le oyó partir el hielo y lavar los vasos en la pila del laboratorio. Continuó con las fotografías de la carpeta, apartado hacia atrás las que eran más de su gusto.

—Aquí tiene su vaso... Ahora le pongo el ron... ¿Ron o ginebra?

—Prefiero ginebra.

—Esta es buena y ésta es mala —dijo el joven mostrando dos botellas—. Lo que pasa es que de la buena apenas queda.

—Me da igual.

—No, le voy a dar de la buena un poco cada vez y así tiene para dos.

—No, no. Bebamos los dos de la buena y luego si queremos más... Yo no creo que quiera más, pero usted...

—Yo bebo bastante de prisa y además me gusta tomar cubalibres, por lo menos en el verano.

Quedaron en silencio mientras el joven preparaba las bebidas. El hielo en los vasos estaba lleno de campanillas y luceritos.

—¿Usted siempre firma Pablo? —preguntó Elisa.

—Sí, siempre. ¿Le echo toda la cola o no?

—¿Nunca con su apellido?

—No, mi apellido dice muy poco. No voy a firmar Pablo Fernández. ¿Ha apartado usted alguna que le guste? Las que le gusten se las doy. Las puede enmarcar y colgar en su casa o puede guardarlas en una carpeta. Le recomiendo esto último. Ya le he dicho que yo hago ahora otra cosa, eso no me representa.

Elisa calculó el énfasis que había puesto en la palabra. Representa. Se había representado. Lo que uno hace es como su sombra, una buena o una mala compañía, pero una compañía.

—¿Qué es lo que le representa ahora? —preguntó Elisa.

—Se lo enseñaré después de que bebamos. ¿Ha apartado usted alguna fotografía?

—No —mintió Elisa—. No lo he hecho. Todas me gustan muchísimo y además no pensaba que usted me iba a regalar... Un obsequio así es... —dudó— demasiado; no creo que usted se quiera desprender de sus obras. Para un artista debe ser bastante doloroso.

El joven se rió a carcajadas de una manera absolutamente jocunda, natural y no ofensiva.

—El arte, los artistas, los partos, los hijos, las bobadas... —dijo el joven—. Pura mentira. Lo que yo quiero es desprenderme de cosas. Estar más libre. Vivir sin agobio. Hacer hoy, por ejemplo, una cosa y no tenerla ni acordarme nunca más de ella. Eso es para mí lo mejor... Y ahora brindemos por nuestra colaboración, si es que se puede llamar colaboración...

—Naturalmente que es una colaboración —dijo Elisa—. La parte más importante de mi libro es la parte gráfica.

—¿Usted cree? —preguntó el joven con picardía—. Entonces, ¿por qué dice usted mi libro y no nuestro libro?

—Perdón... Es una manera...

—Yo haré lo que usted me diga —le interrumpió— y ya está. Brindemos por nuestra colaboración.

Chocaron los vasos y bebieron. El hielo respondió como un débil eco dentro de su clausura de color caoba.

—Es estupendo —dijo el joven chasqueando la lengua—. Usted..., nunca me acuerdo más que de su apellido...

—Elisa —dijo un poco molesta—. Fácil de recordar.

—Usted, Elisa... Tengo bastante mala memoria para los nombres... Elisa, ya no se me olvidará... Elisa, esta bebida es un buen invento... Bien, Elisa —dijo recreándose en el nombre—, le voy a dedicar unas cuantas fotografías —se apoderó de la carpeta y las miró de corrido—. Estas últimas son las mejores. Especialmente estas tres. ¿Las quiere?

—Desde luego.

—Bien, beba. Le espera otro cubalibre.

—No quiero más. Y además se ha hecho tarde y tengo que marcharme.

—Un momento. Preparo un cubalibre para mí, para que

me ayude a concentrarme y pueda escribir buenas dedicatorias... —dijo riéndose.

El joven corrió hacia el laboratorio. Elisa bebió lentamente.

—Lo que se necesita para el libro son fotografías como ésas, exactamente como ésas. Yo le daré en una cuartilla los temas... Una cosa muy sencilla, muy concreta y muy expresiva... ¿Me escucha?

—Naturalmente.

—Así el niño puede recrearse al contemplarlas...

Apareció el joven triunfante con sus fotografías dedicadas, que entregó a Elisa. Después bebió largamente.

—¿Le gustan las dedicatorias? —preguntó interesada e ingenuamente.

Elisa barajó las fotografías en la rápida lectura.

—Muchísimo —respondió.

En una de ellas había una falta de ortografía, pero Elisa no había sentido la molestia profesional de lo desmañado e inculto y repitió:

—Muchísimo.

IV

La había llevado a cenar a «Las Tinajas» y durante el camino el horror a las luces de los faros y a las sombras circulantes le hicieron agazaparse y darse protección en el asiento del coche. No conduciría jamás o por lo menos no lo haría de noche, porque era como una embriaguez y un enfurecimiento. Ricardo llevaba el automóvil demasiado de prisa y cantó canciones de soldados a partir de Campamento, tarareando lo que podía ser molesto o soez. Su tarareo crecía a lo estentóreo de vez en cuando y entonces ella se sentía absolutamente avergonzada y en peligro.

Eran los últimos días del mes de julio y el calor había aplastado, al atardecer, una tormenta sobre la ciudad. Llovió mucho y muy fuerte, y la noche tenía sus estrellas muy bajas, aunque por el talón de la sierra, donde se agolpaban todavía las nubes de tronada, estaba oscurecida y densa. Probablemente llovía en El Escorial y más al Oeste, pero no se veían relámpagos y la atmósfera estaba clarificada, excepto en aquellos últimos posos de la lejanía.

Ricardo había llegado a la cita un poco bebido. Ella no quería que la fuera a buscar a su casa. La casa y sus derredores debían ser como un jardín apacible, por donde pasearse distraídamente en el más grato de los silencios. Ricardo había insistido y ella encontró la brusquedad suficiente en las palabras para no herirlo y rechazarlo. Luego se retrasó y Ricardo también lo hizo por no sabía qué amigos antiguos encontrados casualmente, y ahora, después del pequeño viaje, estaban los dos contemplando las estrellas en la colina de «Las Tinajas», tomando unos aperitivos antes de cenar.

—¿Las pequeñas también tienen nombre? —preguntó Ricardo y señaló a una no alcanzada por la mirada de sus ojos algo miopes—. ¿Esa también?

—Todas.

—¿Y por qué?

—¡Qué pregunta! Porque sí, como las plantas o los animales. ¡Qué sé yo!

—Las debieran numerar, que es más científico, y no ponerles nombres absurdos. ¿Tú crees que la Osa Mayor parece una osa de verdad? ¿A que no? Le llaman la Osa Mayor como le podían llamar la Bicicleta Mayor o la Máquina de Escribir Mayor. Esto es como el asunto de los Reyes Magos...

—¿Qué tiene que ver ese asunto con la Osa Mayor?

—Naturalmente que tiene que ver —dijo pesadamente Ricardo—. ¿Los Reyes vieron una estrella o no la vieron? Si la vieron...

—¿Por qué no dejamos este galimatías, Ricardo?

—Para mí no es un galimatías. Es sencillamente absurdo, y si por mí fuera borraría de los planisferios toda esa literatura. Un uno para la primera, por ejemplo la del Norte, y todo correlativo hasta el final si se llegaba...

Elisa se imaginó el planisferio como algunos entretenimientos de las revistas para niños: estrellas numeradas que unidas correlativamente por una línea hacían aparecer una figura. ¿Cuál sería la figura del cielo?

La cena estaba lista y cenaron abundantemente. Bebieron un vino fresco y seco, que dejaba en la boca sabor a madera levemente aromática, y luego esperando el café fumaron cigarrillos. Durante la cena apenas habían hablado y Ricardo no hizo otra cosa que mirarla. A veces sus miradas se encontraban y ella la hurtaba hacia un lado u otro en la ligera contemplación de un farol o de una pareja cercana o de las idas y venidas de los camareros.

—Bueno, Elisa —dijo Ricardo—, debo estar muy animado para decírtelo. Se conoce que este vino ha hecho su efecto y me ha dado valor. Estoy seguro que el vino da valor sobre todo a los que no somos —jugó con la pulsera de su muñeca—, a los que no somos... ¿Tú me entiendes?

—No —respondió Elisa—, no te entiendo.

—Tienes algo de bruja y de hada. Medio bruja, medio hada, medio no sé. Sí, algo de bruja y de hada. Medio bruja, medio hada —repitió—. Me tienes que perdonar que te llame bruja —dijo riéndose forzadamente.

—Ya sé en qué sentido lo dices o lo quieres decir.

—Me entiendes, ¿verdad? Mucho mejor. Medio bruja, medio hada...

—Bueno, deja ya eso y dime lo que me quieres decir. Hasta ahora sé solamente que el vino te ha dado valor y que soy medio bruja, medio hada, medio no sé. De todas maneras es una definición.

Ricardo apuró un resto de vino que le quedaba en su copa y perdió valor. Encendió un cigarrillo torpemente y contempló con mirada fingida y perdida las profundidades del campo nocturno.

—Cuando uno vive —dijo lentamente—, cuando uno vive con un ser al que se quiere pero que le es extraño...

—¿Quién vive con un ser querido y extraño? —preguntó Elisa.

—... no es feliz —continuó Ricardo—. Durante muchos años se vive —dijo lacrimosamente— dependiendo de él. Luego uno se da cuenta y ya no quiere a ese ser y cree que quiere a otro. Es decir, quiere a otro y este otro puede que no se dé cuenta y puede que se dé y abuse de eso, pero uno está muy desvalido...

—¿Tú estás desvalido? —dijo Elisa.

El hombre compuso la figura y dijo las palabras trucadas y muertas:

—Sí, Elisa, yo...

Elisa guardó silencio durante unos instantes ante la expectación de Ricardo, que jugueteaba con su pulsera.

—Bien, Ricardo, ha sido una buena cena y te doy las gracias por ello. Ahora llévame a Madrid.

V

Cuando llamaron a la puerta, Pablo, en *short* y descalzo, estaba tendido en el sofá encima de las revistas. Ni dormía, ni soñaba; pensaba simplemente en que había trabajado mucho hasta las cuatro de la tarde y que le pagarían poco dinero en la agencia por la cantidad de fotografías que había terminado. Se volvió a medias, se frotó un pie contra otro y gritó:

—¡Adelante!

Entró Elisa y su vestido estampado claro flotó un poco al andar y pareció que había entrado algo de aire con ella y que el aire recorría el estudio moviendo todo aquello que estaba reposado y quería volar.

—Buenas tardes —dijo Elisa—. Tal vez he interrumpido...

—Un momento. Siéntese. Quite eso de ahí. Tírelo al suelo. Ahora vengo. Voy a refrescarme... Estoy groggy... Absolutamente K. O. ¿Vale?

—Vale —dijo Elisa divertida.

Elisa dejó la camisa de Pablo sobre el sofá y se sentó en una de las butacas. Oyó las sonoras abluciones y cómo se limpiaba las narices y el ruido que hacía al enjuagarse la boca. Esto es la intimidad, pensó; la intimidad sin intimidad. Pablo volvió peinándose con un trozo de peine y su alborotada pelambrera negra se fue alisando y tomando la brillantez aceitosa de otras veces. Por el pecho, sin vello, y el vientre se deslizaban reguerillos de agua que le humedecían la pretina del *short*.

—¿Le gustaron las últimas? —preguntó Pablo—. Yo creo que es lo que usted quiere, ¿no?

Dejó el trozo de peine abandonado sobre una revista y se sentó en el sofá. Luego se secó con la palma de una mano los reguerillos y esperó la respuesta. Elisa abrió su bolso y le ofreció un cigarrillo.

—No, sólo fumo negro —dijo Pablo, y le dio fuego.

—Sí —dijo humeando—. Sí, es exactamente lo que yo quiero.

—De acuerdo... A mí no me gustan. No me gustan nada. Ya le dije que son cadáveres. Muertos sin enterrar. Prefiero un mutilado a un muerto. Ahora hago mutilados, pero haré vivos. Esté segura. Hay que alcanzar con la fotografía el primer día de la creación, cuando todo estaba vivo y no había todavía muertos. ¿Se da cuenta?

—No sé. La verdad es que no me doy mucha cuenta, pero sé que le entiendo por lo menos en lo que se propone.

—¿Quiere usted beber?

—Si tiene usted que bajar, no; de ninguna manera.

—Le pregunto que si quiere usted beber —dijo Pablo—. No si le parece bien que tenga que bajar. ¿Quiere usted beber? —insistió.

—Bueno, beberé —respondió sonriendo Elisa.

Pablo tardó cuatro minutos en subir el hielo y las colas. Se paró bajo el dintel de la puerta y respiró hondamente. Elisa apretó su cigarrillo contra la gran concha que servía de cenicero.

—He subido demasiado rápido para este calor —dijo Pablo—. Demasiado rápido, y lo pagaré sudando el cubalibre que me beba.

—No corría prisa —aclaró tontamente Elisa, y se corrigió—: A no ser que tenga usted una sed de desierto.

—Muy bien dicho. Eso es lo que tengo. Una sed de perdido en el desierto. Y estoy viendo espejismos porque he corrido demasiado. ¿Quiere usted lo de siempre?

La palabra no le agradó y por eso se rebeló contra lo establecido por él.

—No, hoy prefiero tomar ron.

—Como quiera.

Oyó cómo partía el hielo en la pila del laboratorio y cómo lavaba los vasos. Como siempre, pensó; un siempre que se remonta a dos semanas y a tres visitas, pero un siempre establecido.

—No, póngame ginebra —dijo Elisa—. Lo he pensado mejor y quiero ginebra.

—Bien, Elisa, si no hubiera tenido que bajar de nuevo, porque el ron se ha acabado.

—Me alegro entonces de haber cambiado a tiempo.

Pablo cascabeleó el hielo en los vasos.

—Es alegre —afirmó.

—Muy alegre. Tiene una fiesta cada vaso.

—¿Una fiesta? —preguntó Pablo haciendo un gesto de extrañeza—. Ya le comprendo. Quiere decir tiovivos, música y...

—Sí —dijo suspiradamente Elisa—, pero era solamente un modo de decir lo alegre que son.

Pablo comenzó a preparar las bebidas.

—El libro —dijo— le va a quedar bastante bien. Yo no sé nada de psicología, pero le va a quedar bastante bien, porque usted debe saber mucho de eso. Por lo menos sabe lo que quiere con las fotografías.

Le ofreció uno de los vasos y le advirtió:

—No beba todavía. Hay que brindar por su libro.

Brindaron. Pablo chasqueó la lengua.

—Estupendo —dijo—. Oiga, ¿a que no se imagina lo que me han preguntado los del bar?

—No, no me lo imagino.

—¿Que a quién tenía en el estudio? No le parece divertido. ¿Que a quién tenía en el estudio? Esos del bar siempre están pensando lo mismo.

Elisa miró fijamente a su vaso.

VI

—Está muy bueno. Dentro de un rato nos tomaremos otro, ¿te parece?

La trataba como a una niña y le ofrecía helados de vainilla como si fueran premios. El paternalismo estratégico que a veces solía usar la repugnaba y le hacía alcanzar los temblorosos límites de la irritación, pero un movimiento más fuerte —deseo de tutela y la viscosa absorción del mimo— la vencía y nunca se rebelaba. Protegida se sentía muy bien y se abandonaba como se abandona un nadador en las aguas dando solamente algunas brazadas, pequeñas respuestas, para conservar su posición de relajamiento y posible éxtasis.

—Sí, está muy bueno —respondió.

La terraza del café tenía una bóveda de plátanos enramados, cuyas hojas brillaban minerales a la luz de los faroles. Del lado del paseo había una cinta de oscuridad y más allá, en la calzada, las fulguraciones de los coches pasando. Los camareros igual que las hormigas se encontraban, transmitíanse algo y continuaban su camino; entraban y salían del hormiguero, de la casa matriz o del cuartel e iban sorteando con su carga los obstáculos de los clientes y viandantes. En los ojos del limpiabotas descubría proposiciones turbias y su figura encorvada y genuflexa tenía la monstruosa obscenidad de las gárgolas catedralicias.

—Bien, te iba diciendo —dijo Pedro—; bueno, no sé qué te iba diciendo, porque me he distraído. ¿Tú te acuerdas?

Elisa retornó con las palabras al combate.

—Yo también me he distraído, pero creo que me hablabas de la imposibilidad de los seres humanos para...

—Me acuerdo. Te hablaba del azar. La imposibilidad de nosotros para encontrar lo que queremos. Todo se complica y en la complicación forman parte la sociedad, la carrera de uno, la economía, ¡qué sé yo! Bien, ahí está la clave; algunos años después, o mucho después, el azar, únicamente el azar, hace que encontremos aquello que hemos estado buscando toda la vida. Lo hemos estado buscando muchas veces de una forma activa y otras lo hemos estado esperando, que también es una forma de búsqueda. Di, ¿qué piensas?

—Estaba escuchándote. Pensaba en lo que estás diciendo.

—¿Seguro? Puede que te esté aburriendo.

—De ninguna manera. Pensaba en lo que decías... Sigue, por favor.

—Si la vida es algo es azarosa, por tanto no hay que dejar escapar aquello que ella misma nos ha puesto delante y a nuestro alcance. Aquello que naturalmente apetecemos y que por eso mismo es nuestro. ¿Me comprendes?

—Te comprendo muy bien.

—Si, por ejemplo, yo... —dudó—, si yo... he encontrado aquello que he estado buscando durante largos años y...

—No pongas ejemplos —dijo fríamente Elisa—. Ya sabes que son hermosos traidores a sueldo. Te traicionarán y te traicionarás de paso.

—Bien —dijo Pedro—, no pondré ejemplos. Creo que debemos tomarnos otro helado, ¿te apetece?

—No sé —respondió Elisa—. Solamente he tomado tantos helados en mi infancia.

—Vuelve a ella. No es tan malo.

—No quisiera volver por todo lo mejor del mundo. Me encuentro muy bien ahora siendo lo que soy y no quisiera ser de nuevo niña, aunque no lo podría ser en manera alguna, y jugar a niña no me divierte lo suficiente.

—No es tan aburrido —dijo cachazudamente Pedro—. Si yo pudiera volver a la niñez tendría por lo menos sueños.

—¿Y para qué quieres tú tener sueños?

—No me lo has dejado decir antes.

—No, no me ibas a hablar de sueños de niño. Estoy segura.

—¿Por qué estás tan segura...? Bueno, Elisa, no nos perdamos en preguntas y respuestas sin demasiado sentido. Tómate tu helado.

—No voy a tomar helado, prefiero que me invites a otra cosa.

—Bien, pide otra cosa.

Pedro llamó al camarero, que estaba fumando apoyado en el aparador de madera, pintado de verde, bajo un árbol. El camarero se acercó lentamente expulsando el humo violentamente por la nariz. Andaba como una oca o como andan los augustos en el circo para no tropezarse con sus zapatones. Elisa se sonrió.

—No puedo volver a la infancia, Pedro —dijo—, pero siempre la tengo presente. Es algo que casi merece un psiquiatra.

—Estás loca, muchacha —afirmó Pedro.

—Por eso, porque estoy loca —dijo alegremente Elisa—. Bastante tronada. Debo necesitar un lavado de cerebro como los espías, porque me estoy continuamente espiando, esa es la verdad.

—Bien, ¿qué quieres tomar? —pidió Pedro.

—Ahora quiero un cubalibre, bien cargadito de ginebra.

—¿Y usted? —preguntó el camarero dirigiéndose a Pedro.

—Yo un helado de vainilla y un vaso de agua muy fría.

Guardaron silencio. Pedro contempló un momento el reflejo de las luces en las hojas de los plátanos y dijo suavemente:

—No sé, Elisa, pero tengo la suficiente intuición para sentirme ahora como un viejo verde. No te lo sabría explicar, pero es así.

—¡Qué cosas se te ocurren! —exclamó muy alegre Elisa—. Continúa con lo del azar y se te pasará.

—El azar es una tontería —dijo Pedro caviloso.

VII

«El jueves a las ocho en "La Casona", a la entrada de Echegaray. Llevaré la moto», había dicho Pablo. Y ella estaba en el «Buffet Italiano» tomando café y esperando a que dieran las ocho de una tarde de fragua para cruzar la calle y asomarse a «La Casona». Los primeros días de agosto estaban siendo demasiado calurosos y exasperantes y se sentía débil y airada. El hombre del bar leía el periódico bisbiseando las noticias y un gato viejo y tuno dormía galvanizado en el frescor de los baldosines, a la izquierda de la entrada, con las cuatro patas en tensión.

—¿Quée hora tiene usted? —preguntó Elisa.

—Casi las ocho —dijo el hombre del bar consultando su reloj.

—Muchas gracias. ¿Qué le debo?

Pagó y guardó los cigarrillos, que tenía sobre el mostrador, y la vuelta del billete en su bolso de pleita.

—Adiós. Buenas tardes.

—Buenas tardes tenga usted.

Pensó que la falta de clientes le hacía ser amable con ella y que en otra ocasión probablemente no le hubiera contestado. Cruzó la calle y miró hacia el Prado, opacado por una ligera calina. Luego sus pies la llevaron hacia «La Casona», aunque tenía en la cabeza reservas y prevenciones suficientes para haberse ido hacia otro lado cualquiera.

En «La Casona» la recibió una fresca penumbra y percibió el chorro cantando de un grifo y sus ojos tuvieron que indagar en la semioscuridad hasta que al instante una voz, considerada bronca y ruda sin la persona, le sirvió de socorro.

—Hola, Elisa.

—Hola, Pablo.

Y lo vio ante ella vestido con una camisa de manga corta y aire militar, pantalones de color crema muy ceñidos y sandalias.

—¿Qué quieres tomar?

—Acabo de tomar...

—¿Un cubalibre? —preguntó Pablo interrumpiéndola—. ¿O todavía es pronto? Ponga un cubalibre, mejor dicho dos... Bueno, Elisa, has llegado a la hora. Yo desconfío siempre de las horas de las mujeres...

—Suelo ser puntual.

—Sí, sí, pero yo desconfío de las horas de las mujeres. Todo os lleva demasiado tiempo...

No quiso pensar en las mujeres de las que desconfiaba Pablo. Podían ser todas en general o muchachas conocidas de él o solamente una forma de hablar. Pero se entristeció del plural y quiso cambiar rápidamente la conversación iniciada.

—He ido a tomar un café al «Buffet», ahí enfrente... —confesó.

—¿Por qué no has venido aquí?

—Pensé que... mientras tú llegabas...

—Me podía haber retrasado y todo hubiera sido lo mismo. Llevo lo menos un cuarto de hora pegado a esta barra... Eh, tú —dijo al chico de la taberna—, ¿cuánto llevo yo aquí?

—No sé —respondió el muchacho—. Acaso diez minutos o más.

—Ves —dijo Pablo—. Un cuarto de hora. Desde las ocho menos cuarto esperándote, porque tenía ganas de verte... —dudó—; me gusta verte y hablar contigo. Tú me comprendes, no del todo, claro, pero algo sí y es suficiente. ¿Cómo va el libro? ¿Te gustaron las copias que dejé en tu casa?

—De eso quería hablarte.

—No te gustaron. A mí tampoco. Haré otras. ¿Cómo va el libro?

—Sí me gustaron. Me gustaron mucho y le van muy bien al libro, pero estos días no he escrito nada. Voy muy retrasada. No sé lo que me pasa, pero me ha entrado una pereza por el libro y no logro escribir. No sé si el calor o qué... Me encuentro bastante cansada.

—Bebe y anímate. En seguida nos vamos. ¿Qué tal paquete haces tú en la moto?

—No sé. No he montado jamás en moto.

—Una nueva experiencia. Hay que tener sensaciones, toda clase de sensaciones, así nada nos pilla desprevenidos. Lo peor que te puede ocurrir en este mundo es que te cojan desprevenido; entonces eres menos que un niño y todo te hará daño.

El cubalibre estaba muy frío y aunque el vaso era de cristal grueso no le molestó en los labios y se recreó en su frescor tomándolo a pequeños tragos.

—¿A dónde vamos a ir? —preguntó.

—No te preocupes... A cualquier lado. A la carretera. Podemos ir por la de La Coruña y pararnos donde nos apetezca.

—¿No se nos hará tarde? —dijo miedosamente Elisa—. En la carretera...

—¿Tú tienes mucha prisa?

—No.

—¿Entonces? Qué más da una hora que otra. Hay que refrescarse y la moto es lo mejor para eso. Te quitarás el calor y te pondrás contenta en seguida. Ya lo verás. Anda, termina de beber.

Elisa apuró de golpe lo que quedaba del cubalibre.

—¿No irás muy de prisa?

—Tú no tengas miedo... ¿Qué te debo? —preguntó al chico—. Tú te coges fuerte y todo irá perfectamente.

VIII

Sonó el teléfono y repentinamente se despertó, sofocada y ebria de modorra, de la siesta. Fue dando traspiés por el pasillo. El timbre era una monótona quejumbre de bestezuela herida, y cuando llegó y descolgó la casa se vació de urgencia y de dolor. En su estupefacción había un comienzo de reflexibilidad, pero contestó torpemente a la llamada e insistió preguntando hasta que reconoció la voz.

—¿Eres tú, Elisa?

La voz de Ricardo llegaba desde nevados picos, cargada de brío y exaltación.

—Te llamo desde la piscina. Lo que te pierdes, muchacha...

Desde nevados picos y montañas cubiertas de pinos, con largos regatos pulimentando piedras en la umbría.

—Hace un día perro. Hay que combatirlo y nada mejor que la piscina. Me he venido a las dos y he comido aquí. Te iba a llamar, pero ¡quién te llama! No me atrevería nunca a interrumpir tu trabajo. ¿Va bien?

Oía risas y una melodía lánguida y envejecida. La llamaba desde la barra del bar. La conversación no requería ni la más leve intimidad y aquel primer frescor se acabó.

—No trabajes demasiado —aconsejó Ricardo—, no pierdas tu tiempo. Debías venirte por aquí; cualquier día te voy a buscar, si me lo permites, claro...

Don Quijote tenía la espada torcida. Una espada blanda a la que había llegado el verano. Nunca se había fijado en la triste espada de la figura alzada sobre una peana de imitación a mármol que tenía su padre sobre la mesa del falso trabajo, de lo convencional y lo absurdo. ¿Para qué querría su padre aquella mesa como un andén si únicamente le servía para trazar dibujos sobre el secante de la carpeta y apuntar números de teléfonos desordenadamente?

—Quería darte muchos recuerdos de Maritina. Está muy bien y te recuerda mucho. Los niños están hermosísimos y muy morenos; más morenos que yo. El aire y el sol del mar son otra cosa. El sol de Madrid te tuesta como un campesino, pero no te da el bronceado de la playa.

Números y más números en todas direcciones, inscritos con diferentes lapiceros y bolígrafos. Números viejos de gentes desconocidas. Podría ocupar toda una tarde llamando a aquellos teléfonos para dar recados idiotas: De hoy en adelante queda suspendida su suscripción al «A B C» por falta de pago. Pero, ¿qué dice usted, señorita? Que su suscripción está cancelada; si quiere renovarla pásese por nuestra Caja y...

—El día que salimos lo pasamos muy bien. Tienes que disculpar que yo estuviera algo bebido. Dentro de quince días regresa Maritina; tienes que venir a cenar con nosotros, iremos fuera, si te parece... Le he contado que salimos y fuimos a cenar a «Las Tinajas». Ella no sabía que tú estabas en Madrid. Te hacía con tus padres...

El escudo de Don Quijote. Bien, no importaba; tenía miedo y se cubría. ¿Miedo de qué? Tranquilidad, eso es lo que quería, y alguna aventura discreta y mínima, pero al hogar no debían llegar los ecos... La aventura, la piscina, el verano... Un miserable chiquitín, chiquitín, como la figurita de bronce. Más pequeño que la figurita.

—Ya os llamaré más adelante —dijo Elisa—. Ya os llamaré...

Ricardo farfulló una despedida que quería ser jocunda. Ricardo había cumplido con su deber de padre y marido ejemplar. Elisa torció totalmente la espada de Don Quijote. Así resultaba más ridículo.

IX

—Cada día me citas en sitios más siniestros —se quejó en voz baja Elisa—. No sé qué te ocurre conmigo.

—Imaginaciones —afirmó tajantemente Pablo—. Tienes demasiada imaginación. No me ocurre nada y éste es un sitio como cualquier otro. ¿Lo tuyo? —preguntó por la bebida.

—Lo mío —dijo Elisa dudosa, manchándose de lo más ingrato y vil.

—Te advierto que aquí la ginebra es de garrafón. Yo que tú tomaría ron con hielo. ¿O no te gusta?

—Supongo que también es de garrafón y me da igual.

—No, el ron es de esa barrica. Es barato y sabe muy bien.

En la taberna olía a sumidero y a mal tabaco. El tabernero guiñaba continuamente el ojo a Pablo y se había creado una especial expectación desde que ella entró. Los clientes, arrumbados como trastos viejos por los rincones, la miraban como algo comprable pero de precio inasequible. Un vejestorio con la colilla pegada a los labios se reía entrecortadamente como si sufriera escalofríos. El tabernero tenía derramadas las mejillas sobre la quijada y parecía un perro, feo y enfermo.

—Esta ginebra —dijo Elisa—, o lo que sea, sabe a demonios.

—Ya te lo dije. Déjala y bebe ron.

—No, no quiero beber. Quiero que nos vayamos.

—¿Por qué? Aquí se está bien y fresco. Ves —dijo alzando el brazo con la palma de la mano extendida—. No hay moscas. ¿Dónde encuentras tú un sitio en Madrid que no tenga moscas a finales de agosto?

—Eso es una tontería.

—Bueno, es una tontería —en la voz de Pablo había un cierto dejo cínico—, pero una tontería mía —dijo con énfasis—, como muchas otras. ¿No?

—No sé lo que quieres decir —respondió Elisa con temor y en guardia—. No sé lo que quieres decir —repitió.

—Nada, que hago muchas tonterías.

—¿A la señorita no le gusta? —preguntó el tabernero—. ¿Desea otra cosa?

—No, no desea, por lo visto, nada —dijo Pablo alzando la voz—. Otros días tiene más sed.

El tabernero volvió a sus guiños de ojos y se apartó de ellos hacia el codo del mostrador.

—¿Por qué has dicho eso? —inquirió Elisa.

—Ha sido una disculpa —aclaró Pablo—. No se puede ofender a la gente.

—Pero me has ofendido a mí.

—No, no te he ofendido. Es que eres demasiado susceptible. Primero no te gusta la taberna, que es muy bonita y muy típica —dijo mirando a su alrededor—, y luego no te gusta lo que te ponen de beber. Una catástrofe, pero no te enfades. Cálmate, no te enfades, que no he dicho nada ofensivo.

Elisa bebió de su cubalibre y sonrió forzadamente.

—De verdad, no quisiera enfadarme. Hoy debo estar muy nerviosa —se disculpó y de inmediato tuvo un gran interés por el trabajo de Pablo—: No me has dicho cómo quedaron las últimas cuando las revelaste. ¿Quedaron bien?

—Bien, como siempre. Es difícil fallar a estas alturas... Lo que ocurre es que no estoy conforme; eso es todo —terminó.

—Serán formidables, lo sé.

—No. ¿Y tu trabajo? Apenas hablas de tu trabajo.

Elisa hizo un mohín que nada significaba, pero sonrió, después, abiertamente pensando en sus vinculaciones profesionales.

—Voy muy lenta. Hago muy poco.

—De eso soy yo el culpable —dijo Pablo meditativo—. Eso es lo que tiene que ser importante para ti. Te has quedado en Madrid para trabajar, no para perder el tiempo. Yo te quito tiempo...

—También te lo quito yo a ti.

—No. Tú necesitas pensar más que yo. Lo mío es como una ocurrencia, como un chiste muy serio, pero de pronto y en un camino. ¿Me comprendes? En un camino... —dijo suspensivamente.

—Vámonos —urgió Elisa—. Vámonos, por favor.

—¿Puedes esperarte hasta que acabe el vaso?

Elisa no quería perderlo en la taberna. No deseaba que se alejara palabra a palabra, que se fuera. Salieron a la calle en cuesta y bajaron hacia la Ribera. Elisa se apoyó en el brazo de Pablo.

—Paseemos —dijo.

—¿Para qué? Tengo ahí la moto.

—Paseemos. Quiero pasear. ¿No te molesta que paseemos?

—No, por supuesto.

—Yo pensaba que sí... La taberna sí te gusta.

Bajaron del brazo caminando lentamente. Elisa se apretó a la musculosa contextura de Pablo.

—No sé lo que me pasa, Pablo. Tengo miedo y tengo alegría...

—¿Tú tienes miedo? —dijo sorprendido Pablo.

—Sí, te quiero y tengo miedo.

Elisa miró al suelo y repitió:

—Te quiero y tengo miedo, Pablo.

—Bien —dijo Pablo—, pero yo no quiero que me quieran, o por lo menos que me quieran así... No sé cómo explicártelo. Yo qué quieres que le haga... —dijo contrayéndose—. Tal vez sea muy raro, pero no me gusta que me quieran. Me siento apresado. Escucha, Elisa... Yo qué quieres que le haga... Por favor, tranquilízate... Me gustaría saber explicártelo... Yo qué quieres que le haga...

—Lo estás explicando muy bien —dijo Elisa sollozante.

X

Llamó muchas veces durante la semana y fue inútil. La enfermera usaba su voz de locutora sabia con terrible delectación: «Está en el hospital; está ocupado; ahora no la puede atender; si no es de urgencia... Llame usted más tarde; mejor dentro de una hora o de dos; ¿quiere dejarme el aviso...?» Pero más tarde ella andaba sin rumbo por las calles o estaba sentada en la terraza de un café indiferente a todo su derredor o contemplaba escaparates mecánicamente y pasaba de uno a otro como quien pasa las hojas de un libro que para nada le resulta interesante.

Por fin había logrado hablar con Pedro —acaso un descuido de la vigilante amazona, estúpida y cuidadosa— y sintió el sosiego de sus palabras, tan bueno como una lluvia mansa y esperada. «No te preocupes. A la hora que tú quieras en la terraza. Ya me contarás...»

Lo estaba contando todo, mientras Pedro tomaba a cucharaditas su helado de vainilla y se atusaba el pelo de los parietales, moreno y cano, y de vez en cuando la palma de su mano izquierda recorría la calva mate en ademán de bendición.

—... así ha sido —dijo Elisa— y te lo quería contar. Tenía que contárselo a alguien.

—Has hecho muy bien. Yo soy un mal confidente —dijo con sinceridad—, pero has hecho muy bien. Naturalmente no quieres consejos. No te los voy a dar, porque en estos asuntos son tonterías suficientes...

—No quiero consejos, porque no me van a servir. Estoy, com ves, hecha polvo.

—No se enamora uno en vano —dijo cómicamente Pedro—, pero ya se te pasará. Todo se pasa y el amor antes que nada.

—Ojalá tengas razón.

—Tengo razón, estate segura. Y ahora olvídalo todo. Tómate una copa, que te sentará bien. No tomes más helado. El helado no es para estas ocasiones...

—Me da igual... Entonces, ¿tú crees que no tengo ni una sola posibilidad?

—Mira, chiquilla, no pienses en eso. No tienes posibilidad y probablemente nunca la has tenido con él; por lo menos tal como lo pintas. Es muy joven y, por tanto, demasiado duro en estas cosas. Quiere libertad, eso es todo... Procura olvidarlo... Quiere libertad —repitió—, aunque le sirva para poco, y tú le resultas cargante; perdóname, pero es así. Los seres humanos no somos tan complicados como se dice. Además a ti no te conviene un hombre que casi es un muchachito.

—Has dicho que no me ibas a dar consejos —dijo Elisa sonriendo tristemente.

—Sí. eso he dicho; pero es inevitable.

El helado de vainilla se estaba derritiendo en la copa de Elisa. La noche era muy cálida y se oía el rumor lejano del batir de la tronada.

—Con cinco o seis tormentas se acaba el verano —dijo Pedro escuchando—. Este verano ha sido peor que nunca.

—Peor que nunca... Por lo menos para mí, peor que nunca...

—Si tú hubieras sido razonable... Elisa, si tú hubieras querido... Lo mismo en el verano que en el invierno... A veces no cuentas con que los demás, con que yo...

—No, por favor —dijo Elisa rudamente—. No, por favor... No sigas.

XI

Llovió intensamente los primeros días de septiembre y pareció que el otoño era llegado. Los gorriones volaban en bandadas sobre los desmontes con la premura de buscar refugio y emborronaban más el emborronado cielo. La ciudad se iba poblando de los que regresaban del veraneo y esta población se hacía más patente en los lugares públicos del centro. Saludos, abrazos y una alegría ferial invadían los bares y los cafés. La ciudad se despertaba de la siesta con un grato buen humor y una cierta dinamicidad que se encontraba hasta en los objetos. Los ciudadanos se transmitían energía. Las cosas estaban impregnadas de fuerza contenida y estallante. En los alcornoques, rebosantes de agua sucia, las gotas de lluvia picaban los reflejos. Por los flecos de los toldos, todavía extendidos, rezumaba el agua, y los niños se empujaban en el juego de mojarse y no mojarse, de bautizarse y no bautizarse, las recién peladas cabezas. Los vendedores de cupones buscaban el asilo de los umbrales más cobijadores para desde ellos vocear, con aparentemente más fuerte voz, su lotería.

Elisa estaba sentada en la terraza de aquel bar. Sobre la mesa tenía una carpeta con cuartillas. En la mesa más cercana caía una gotera por un agujero del toldo. Con las manos en los bolsillos del impermeable contemplaba la calzada. Dos hombres entraron empujándose, abrazándose, cediéndose y no cediéndose el paso. Eran llenos de amistad y Elisa sorprendió sus palabras: «Chico, no te he visto en todo el verano. ¿Y no has salido?» «¿Quién, yo? No soy tonto. Madrid en verano, sin familia y con dinero, como decía aquél: Baden-Baden... Baden-Baden» —repitió ya cruzado el umbral.

«Idiotas, pensó Elisa, gente idiota.»

—¿Qué va a tomar la señorita? —preguntó solícitamente el camarero.

—Un cubalibre de ginebra —respondió Elisa.

—Muy bien —y pasó de oficio la bayeta por el mármol no ocupado por los papeles de Elisa.

«Idiotas de Baden-Baden. Gentes de Baden-Baden. Miserables de Baden-Baden. Veranos de Baden-Baden. Porquerías de Baden-Baden.» Luego intentó vislumbrar los pájaros que piaban entre las hojas del plátano de su derecha.

Ave del Paraíso

Los personajes de esta historia nada tienen que ver con personas de la vida real. Pertenecen a un mundo alegre y siniestro, híbrido de opereta y guiñol. Lo que aquí se cuenta es solamente un disparate.

Un poco de letanía

En el muelle viejo estaban atracados tres motoveleros, y en el escuadrado del muelle, frente a la pensión España y a los soportales, los calafates iban desganándose, cercano el fin de la jornada, en la faena de pontear uno nuevo, cuya tarima pintada de minio, con chorrotones por la amura, parecía un tremendo y recién estrenado cadalso. Los palos de las naves eran fúnebres lapiceros gigantes y sobre ellos auguraban las gaviotas antes de volar a sus nidos de los islotes y roques de la corona de la isla. Se alternaban los fogonazos de las cristaleras de las casas del paseo y el mar empezaba a tomar el color ceniza de la consunción del día con rescoldos de sol muy profundos y procesionales. La ciudad, monumento nacional, ya fosforecía; la ciudad tenía un sumario de casas enjalbegadas con el cíngulo de las ocres murallas, casi en la altura, ciñéndola, y las proas de los bastiones amenazando y desafiando al mar solitario y a los campos extendidos hasta las cercanas montañas. Hora exacta de Barón Samedi en el invierno.

El balconcillo desamparado de macetas mostraba sus palotes y rezumaba melodías al piano, visitas y protocolaria merienda de provincias. Niñas jugando a la comba piaban saudadosas canciones tradicionales en los jardincitos de geranios y arbustos carnosos. Los fantasmas de la nostalgia nublaban de azogue los ojos de los ancianos que transitaban de los bancos de la solana a los bancos de la penumbra de la iglesia. El claxon de un taxi puntuaba el rumor ciudadano y el silbo de un guardia de la circulación urgía al sol poniente. Se iba ululando un barco al rumbo de Valencia. Hora exacta de Barón Samedi en el invierno.

Olía dulcemente a cloaca y a entrañas de pescado. La tatarabuela de las ratas del puerto rascaba su vientre despeluchado con su pata momificada meditando la estrategia de la *razzia*. Un gato tomaba el portante. Hora de Barón Samedi.

El tañido de las campanas estremecía de frío. La farola del espigón daba sus resplandores con lenta pulsación. Meaba un perro el pedestal de la estatua del héroe. Hora de Barón Samedi.

El subastado y el ajedrez para mentes privilegiadas. En el casino se cotilleaba un alijo, se rumoreaba una disposición de Madrid, se gargajeaba un adulterio. Barón Samedi.

Por las tabernas la marinería mataba el aburrimiento con absenta y la absenta con bicarbonato y eructo. Las barcas en el varadero. Barón Samedi.

No sé cómo decírtelo, Marisa, pero tú ya sabes... Francisco, esta película creo que la hemos visto. Samedi.

Cheek to cheek... All right... ¿No encuentras...? Salen juntos... Otro *whisky... Ich liebe dir...* Canta la *high life*. Samedi.

Bajó de su 2 C y comprobó todas las puertas. No se fiaba. Luego ahuecó su fular y retocó su copete con suavidad. Con paso vivo caminó hacia el bar de los *beatniks*.

Los *beatniks*

El Gran Barbudo movía la testa, como un asno de noria, llevando el ritmo. Sus grandes manos de cerámica estaban expuestas sobre el mostrador. Entre las falanges de sus dedos índice y medio de la mano derecha un cigarrillo apuntaba una larga ceniza. La música de *jazz* anegaba el templo y en todos los fieles había trance y desasimiento terrenal.

Los ojos de Ifigenia eran azucenas apenas podridas todavía, y los dulces e inquietantes ojos de los cabritillos bastardos pringaban de melancólicos licores las manos extrañas y acariciantes de los *beatniks*. Barcos llegaban a los afrodisíacos muelles del sur, y a los tristes y silenciosos bazares multitudes de antepasados. Los extras del capitán Kid nadaban perdidos entre los derrelictos de los galeones. Babel había enmudecido y era una sucesión de lentos ademanes y ceremonias de hormigas mandarinas. El candor de las amapolas entre los trigos hacía que los rotos *blue-jeans* y los largos jerseys de lana basta y las baratas botas de goma y los cestos de pleita vacíos y los bolsillos sin dinero se transformaran en hogares cálidos, confortables, alegremente desordenados hogares, regazos, pechos, labios. Afuera comenzaba a soplar reposadamente el viento y en el bar olía a marihuana.

El Gran Barbudo cambió el disco y los feligreses suspiraron y se urgieron en los pedidos de bebidas. Hubo un movimiento de ola que abarcó a todos, que cabecearon, titubearon, pero no se desplazaron de sus lugares. El Gran Barbudo negó una copa a un muchacho terriblemente andrajoso hasta que la insistencia le compadeció e hizo que le sirvieran, acompañando el gesto de una retahila de reconvenciones. Todos tenían un tope en la deuda, pero a veces se hacían excepciones. Al Gran Barbudo le gustaba el muchacho de los andrajos, que tenía algo de pescador mendigo y algo de animalillo irremisiblemente perdido y un poco de enredoso arbusto y otro poco de mineral noble y ensuciado. El Gran Barbudo tenía pasiones que no intentaba disimular pero que jamás llevaba a los actos.

La trompeta recogía una nota y la hacía lodo áureo y extendido. Luego había como una evaporación y quedaban vibrando las escamas, solamente las escamas de oro, y era como un avispero monocorde y agudo. Después cedía y desaparecía con una reverberación en un estanque evidentemente profundo y aparentemente somero. La cabeza del Gran Barbudo volvía a moverse y sus ojos se cubrían de meditaciones. La batería impulsaba hacia el oyente ecos de sonidos muy lejanos, que a veces llegaban a borbotones, a veces de una manera continuada y uniforme, desfilando.

Los *beatniks* estaban solos y en su liturgia. A nadie esperaban. La ropa talar de Ifigenia estaba cortada de unos sacos de nitrato. Su cabritillo ojeaba un *comic* balanceando la cabeza dorada. Los extras del capitán bebían a pequeños
veces de una manera continuada y uniforme, desfilando.
sorbos los alcoholes de garrafón. El Gran Barbudo exponía sus manos.

Entró en el bar Barón Samedi.

Señor de los Cementerios y Jefe de la Legión de los Muertos

Tenía cabeza de mosca a miles de aumentos. Se atusó, coqueta e impertinentemente, el lacio bigote mongólico con los índices. La lividez de su piel parecía maquillaje. Con un leve tacto en el arco de los anteojos de verdosos cristales se dispuso a dictar el pedido. El belfo libador se le humedecía concupiscente. Chasqueó su voz de muñeco de ventrílocuo precisa, pedante y absurda.

—Un vaso alto con hielo, limón, ginebra Fockink, tres gotas de amargo y cuatro dedos de soda.

Tras la receta preguntó:

—Jan, ¿ha venido el Maestro?

El Gran Barbudo negó con la cabeza. Barón Samedi tabaleó sus cuidadas uñas sobre la madera del mostrador.

—¿Y los *playboys?*

—No sé —respondió el Gran Barbudo—. Anoche bebieron mucho y estarán enfermos.

Barón Samedi rió con mecánica alegría las posibilidades que la resaca le ofrecía respecto al estado general de los odiados *playboys*.

—Espero que no se divirtieran —latigueó—. ¿Había alguna mujer con ellos?

—Valeria, Marina y esa muchacha danesa que se lo bebe todo.

—¿Gudrún?

—La alta, rubia y que se lo bebe todo...

—Gudrún.

Barón Samedi torció el gesto. Gudrún había sido cosa de su cultura hasta que intervinieron los *playboys*. Le habían hablado de Björson, Jacobsen, Ibsen, los vikingos, *Los primitivos reyes de Noruega* de Carlyle, los fiordos y el temperamento erótico de los normandos, sin los resultados apetecidos. La muchacha bebía demasiado y Barón Samedi era cuidadoso de sus finanzas.

—Está acabada —dijo sentenciosamente.

—Es muy, muy guapa —afirmó el Gran Barbudo.

—Pero está acabada —finalizó Barón Samedi.

Bebió lenta y golosamente contemplando a los *beatniks*, que le atraían como suelen atraer los artistas a los burgueses, infundiendo un poco de regocijada libertad y un mucho de miedo a que el orden interior se descabale a su contacto. Pensó, desde sus seguridades materiales, que pasarían frío en sus casas, que no comían bien y que apenas tenían el dinero necesario para supervivir. Barón Samedi, reconfortado, engalló su feble figura.

—Estos... —dijo altivamente— ¿cuándo te pagan, Jan?

—A veces.

—No tienen una sola mujer que merezca la pena.

—Nadie merece mucho la pena —filosofó enérgicamente el Gran Barbudo—. Todos igual. Estos y los otros. Todos igual.

—Eres un caso de nihilismo absoluto —diagnosticó Barón Samedi—. Un caso de campo de concentración. Un mal ejemplo y un inmoral...

La sonrisa de Barón Samedi perfilaba una eme muy abierta en su labio superior.

—No, no —dijo el Gran Barbudo—; es experiencia. Yo he visto ya mucho.

La voz del Maestro sonaba estentórea en el aula de sus disertaciones. Llegaba acompañado del Prevaricador y, por las trazas ambos estaban ajumados.

—Barón... —saludó el Maestro con fingido respeto.

—No me llames Barón, leche... —respondió agriamente Barón Samedi.

—Señor Barón... —insistió el Prevaricador.

—No me gustan vuestras bromas. Dejaos de puñeterías... —castañeteó Barón Samedi—. Luego todo dios sigue con la coña... No me gustan nada los motes.

—No es un mote, señor Barón —aclaró el Prevaricador—. En el rito Vudú tú eres el Señor de los Cementerios y el Jefe de la Legión de los Muertos, es decir, Barón Samedi. Y si no te gusta te aguantas.

—Estáis borrachos —acusó con desprecio Barón Samedi.

—Sí, Barón. Flaquezas humanas... —respondió el Maestro hecho un Diógenes.

—En vuestro honor —corroboró el Prevaricador—. Lo cual es disculpable desde cualquier punto de vista.

El Maestro tenía grandes orejas despegadas del cráneo y una pícara y envejecida cara de duende. El Prevaricador denunciaba algo paniego en su correcto rostro pseudocampesino.

—Barón —insistió pesadamente el Prevaricador—, veníamos discutiendo de política. Nos convendría un *führer* como tú. Creo que todas serían entonces para nosotros gracias a tus decretos. Podríamos declarar la isla independiente, ¿qué te parece?

—No le parece, sueña —dijo el Maestro—. Se ha estado preparando toda la vida para fundar un partido que le llevara al poder para cumplir tan alta misión.

—Borrachos —insultó Barón Samedi—. Sois peores que esta patulea —señaló a los *beatniks* sumergidos en su música.

—Son nuestros hermanos —dijo solemnemente el Maestro—. Nos encontramos muy bien entre ellos, les comprendemos y nos comprenden. Queremos beber e invítanos. Gran Barbudo, ponnos de beber a cuenta de Barón.

—A mi cuenta, no —dijo pugnazmente Barón Samedi, arqueando las finas cejas sobre las cuencas profundas, donde le bailaban los ojos—. A mi cuenta, no.

—Bien —dijo el Maestro— propalaremos por los bares tus sucias aventuras con Madame al objeto de que se entere su marido y te parta el alma. ¿Conforme?

—¡Os lo juego a los chinos! —cedió Barón Samedi.

—Sin trampas —pidió el Prevaricador.

—No hay que coartarle —corrigió el Maestro.

Los tres amigos comenzaron a calcular el estúpido ejercicio del juego llamado de «los chinos».

El rey y sus gentilhombres

Fue un poderoso rey criollo, a finales del siglo XVIII, en las Grandes Antillas. Cuserembá. Compadreó con filibusteros, mercó esclavas, achicharró gentes. Guserembá. Se pavoneó engreído por cinemascópicas playas con una hermosa cola y corte de danzantes calipsonianos refulgiendo de sudor y dientes al sol tropical. Mayé. Dio esplendor a la industria del ron, a la caña del ron, songo; a la risa del ron, a las niñas del ron, al turismo francés y a la Ilustración. Rumba, chico, yé. Tuvo talante violento y cortesano, adusto y alegre, justo y caprichoso. Según; yambó, yambó. Gustó de aros de oro en los lóbulos de las orejas y de pañuelos teñidos de la cochinilla y de pantalones con los colores de los crepúsculos. Yambá. Y anduvo siempre descalzo hecho el pie a la selva y a la arena, al bote velero y a la destartalada carroza, a la hamaca y al agua. Yambambé. Ahora, en su última encarnación, de toda su corte, de toda su magnificencia y de aquellos soles... Amén. Solamente tres gentilhombres, fieles sí, decorativos sí, pero desdichados... Stop.

El pequeño *Renault,* sin frenos, conducido hábilmente por el Vizconde de la Rivière du Soleil, bajaba tartamudeando desde los altos de la ciudad a los bares del muelle. El Rey y su fiera ocupaban el asiento posterior y el Marqués del Norte y el Marqués del Sur se apretaban junto al conductor.

—Tengo cuarenta duros para toda la noche —dijo el Rey— y no pienso prestaros ni una gorda. Además, hay que comprar arroz y ron y la perra tiene que comer.

—¿Me dais un cigarrillo? —preguntó el Vizconde de la Rivière—. No olvides, César, que tenemos que poner gasolina al cacharro. Cinco litros por lo menos.

—No tenemos tabaco —afirmó el Marqués del Sur.

—No tenemos dinero —afirmó el Marqués del Norte.

—Samedi es malo —dijo el Vizconde de la Rivière —y no nos prestará. El Maestro y el Prevaricador no tienen dinero. Las chicas están agotadas.

—Nadie ha pensado en pedir un céntimo a una mujer —dijo roncamente el Rey—. Esa es una pésima estrategia.

La perra loba ladró el desgaliche de un guardia municipal uniformado y calzado de alpargata negra.

—Calla, Isabel —gritó el Rey.

La perra se encogió miedosa y jadeante en el asiento,

—Esta situación no puede continuar —prosiguió el Rey—. Vuestros giros no llegan jamás y yo no soy un Banco. Debo a todo el mundo. A ver cómo os las arregláis.

La pequeña corte guardó un silencio desamparado y ominoso.

—¿No te han ofrecido a ti —preguntó el Rey al Vizconde de la Rivière —trabajar en la barra de los *beatniks?*

—No estaba muy claro el ofrecimiento —respondió, escurriéndose, el Vizconde—. Y es un trabajo de un montón de horas. Aparte de que el dinero está en el aire.

—Evidentemente no has nacido, muchacho, para hincarla —dijo indiferentemente el Rey.

El pequeño *Renault* paró junto al bordillo de la terraza del Hermoso Café y ante la expectación de algunos extranjeros, que se ofrecían implacables a las frías luces crepusculares y al relente del atardecer soñando con atezarse, bajaron el Rey y sus gentilhombres. El Rey se desperezó bestialmente y pareció crecer en su gran estatura. Los mozarrones de su corte le rodearon esperanzados. El Rey se desperezaba, luego el Rey había meditado. La perra Isabel, amagando, ladró a un peón murciano y el Rey atronó el paseo con sus gritos.

—Calla, monstruo, golfa, arrabalera, etcétera... —el Rey no se cansaba en proferir sus dicterios y añadía con caracteres de seísmo su etcétera universal.

Los cuatro vestían guayaberas y pantalones de *cow-boy* y duros botos camperos. Era el uniforme invernal. De las dehesas del invierno pasaban a los atolones del verano. En la primavera y el otoño dependían del sol y de las nubes. Con sol los gayos colores y los pies descalzos, con nubes el austero y grisáceo azul del indumento vaquero.

—¿Tenéis hambre? —preguntó el Rey.

—Sí, Cesar —respondió por todos el Vizconde de la Rivière—. Date cuenta que hoy han sido solamente patatas con sal y pimienta.

—Hay que conservar la línea —dijo solemnemente el Rey—. Un tío gordo es algo risible para una chica. Hay que prepararse para el mes de mayo.

—La patata engorda —aventuró el Marqués del Sur.

—No en las cantidades que las comemos —dijo el Marqués del Norte.

—Entrad en la repostería —ordenó el Rey— y que os preparen unos bocadillos. Decid que es a mi cuenta.

—¿No podrías decirlo tú? —dijo, dudando, el Vizconde—. Puede que no nos hagan caso.

—Entrad y pedid —fue la respuesta del Rey—. Os espero en el bar de los *beatniks*. Vamos, Isabel.

El Rey caminaba lenta e indolentemente, seguido de su fiera, por medio de la calzada. Le sorteaban coches, motocicletas, carros y bicicletas. Tenía verdadera majestad y, en el cruce, el guardia le dio preferencia de paso con amarga sonrisa.

—Adiós, César... *Hello,* César... *¿Va bene,* César...?

Su rostro de aguilota, de mascarón de barco era impasible a la pleitesía y dispensaba algún movimiento de cabeza como una bendición. No era el momento de la ruidosa alegría de otras veces, de los duros golpes amicales en las espaldas, de las divertidas e impertinentes preguntas. Caminaba solo, como presidiendo un cortejo añorado, y el protocolo de su ensimismamiento le impedía ser más efusivo. Se cruzó con tres marineros enemigos, con los que había sostenido cruentas batallas en noches de embriaguez. A todos los había derrotado, aunque las cicatrices de las peleas cantaban romances de gesta en la cobriza piel de su cara y de sus manos.

El Rey llevaba su enorme figa de ceremonial de *party* colgada sobre el pecho descubierto y la pelambre visigótica atolanada en el cuello. Por unos de los bolsillos traseros de los *blue-jeans* asomaban su blanda mutilación los mitones de pelea y carrerismo. Caminaba pensando en las barras de sus triunfos, en la gran cantidad de *barmans* que habían sido sus súbditos, en las mujeres que le habían conocido acodado en meditada soledad frente al ron con cola. Allí estaban Trinidad y Haití, Puerto Rico y toda la diseminación de Barlovento. Las carreras de Caracas, el olor de la Paragua verde y mohosa, y aquello que le sonaba como un cornetín de Nueva Orleáns. Lo había pasado bien y ahora estaba anclado en una isla del Mediterráneo, pero el Paraíso estaba fuera y el Paraíso, ¡oh, gran desterrado!, no podía volver, porque un tipo como él no debía volver a parte alguna. Tenía que descubrir nuevos paraísos, y el mar del sur de los noveluchos estaba esperándole, lejano y tentador, azul, dorado y verde.

—Ave César —saludó, redicho, Barón Samedi.

—Sire —dijo el Maestro, dando un bandazo de su estribor.

—King —correspondió por su amura al viento del alcohol el Prevaricador.

—Estáis buenos —afirmó el Rey.

—La espeluznante abeja que mora en la tristeza... —declamó, titubeante, el Maestro— y el lindo hipopótamo aburrido...

—Hay que irse de aquí —dijo el Prevaricador.

—¿De este bar? —preguntó Barón Samedi—. Debéis tres rondas.

—No, hay que irse de aquí... Marcharse de la isla... El Maestro habla de yates, viajes, enanas y extraños pipermines servidos en madréporas... Un estupendo programa.

—Inhumano —dijo el Maestro—. Esto es inhumano. Estamos perdiendo el tiempo. Hay que tomar conciencia. Todo el mundo hace algo.

—Ja, ja —gritó estruendosametne el Rey—. Mañana se te pasará.

—Abajo la monarquía —gritó, delirante, el Maestro.

—Cálmate —dijo serenamente Barón Samedi—. La subversión es mala para los hipertensos, lo mismo que el alcohol, el tabaco y las señoras. Morirás cualquier día o te quedarás lele; una hemiplejía y listo.

—Escupitajo ceniciento —chilló el Maestro.

—Ebúrneo —corrigió el Prevaricador.

—Es la borrachera más idiota que he conocido —afirmó el Rey, y se fue.

No volvió por el bar de los *beatniks* en toda la noche. Cuando encontró a sus gentilhombres ya habían olvidado los bocadillos y querían tomar algunas copas.

—Ni un céntimo —dijo—. Haced cuenta donde podáis. Mi bolsillo está bajo siete llaves. Mañana hay que comer.

—¿Desde cuándo te administras, César? —preguntó el Vizconde.

—Desde que os tengo a mis espaldas —dijo suavemente el Rey—. Y son cuatro meses.

Una historia de amor

Le dolían los nudillos de golpear frecuente e insistentemente. Llamó otra vez a la puerta con la molla del puño, produciendo un ruido débil y sordo. Nubes hacían sombras sobre el azul de la bahía. El sol iluminaba la vega y las montañas, extrayendo tonos de esmeralda del negruzco verdor. Por las laderas corrían manchas umbrosas. La torre de la catedral se tintaba de un lánguido amarillo.

Estaba a punto de llorar y echaba su melena hacia atrás con un movimiento nervioso, casi constante, de la cabeza. Se sentía inquieta pero no humillada y ahora la desesperanza le acongojaba.

—Abre —gritó—. Abre, por lo que más quieras.

Dentro ladró la perra y se oyó al Rey llamarla suavemente.

—Calla, bonita. Calla, Isabel. Echate, échate...

—Abreme, César, ábreme...

Nadie había en la calle. El barrio alto era el barrio de la gran soledad: tapias, conventos, casonas. Pero sabía que la estaban escuchando y observando, y posiblemente condenando.

—Por favor —gimió—. Sólo un momento. Tengo que hablarte. Es necesario que te hable —dijo pegando la boca a la puerta—. Es absolutamente necesario. Abreme.

Se sintió agotada y se sentó en los dos escalones de la entrada. Perdió la mirada en la bahía y dejó transcurrir unos minutos. Después volvió a llamar.

El Rey colocó en el tocadiscos una grabación del *Preservation Hall.* Mordió vorazmente un bocadillo de mortadela y masticó mientras escuchaba. Sí, allí estaba Nueva Orleáns y las noches de los sábados en la calle Bourbon y las barras mullidas y las amigas y los amigos de aquellos días. Hasta el absurdo bar del Hotel Monteleone que se llamaba el Carrousel y giraba haciendo perder la serenidad a los borrachos. La perra alzaba las orejas, en actitud de atención, con el morro entre las patas.

—Te lo pido... No soy una basura... Abreme...

—Esta pesada —dijo el Rey a la perra —nos va a dar la tarde.

El Rey abrió una botella de cerveza y bebió del gollete. Encendió un cigarrillo y escuchó. Como un vaho cálido percibió la nostalgia. Aquello había sido el Paraíso, un poco más del Paraíso que había tenido hasta entonces. Y aunque sólo quedara la memoria, nada ni nadie podía quitárselo. Allí estaban Nancy y otras. Nancy sobre todas. Tal vez le esperarían todavía. O acaso le habrían olvidado. No, él no era fácilmente olvidable. De Nancy se había enamorado. Nancy podía tener recuerdos, pero estaba seguro que no tenía sentimientos. Si no, hubiera sido otra cosa. Llevó el ritmo con la leve batuta del cigarrillo, y cerró los ojos.

—Bien, César —dijo en tono conversacional—. Si no quieres abrir no abras. No me importa. Me voy. Te lo juro que no me importa. Me voy y se acabó. Ya me buscarás —la voz se hizo vacilante—. Tú me buscarás.

La perra se levantó y caminó un poco hacia la puerta.

—Ven aquí, bonita —llamó el Rey—. Ven donde tu amo. Echate aquí... No creas que se va a ir... Es demasiado estúpida... Túmbate, Isabel...

Los gentilhombres habían abandonado a su Rey por las pompas y vanidades del mundo, el demonio y la carne. Los gentilhombres estaban en el bar «El barco borracho» bebiendo, presumiendo, galanteando y pasándolo divinamente. Un pequeño giro había hecho el milagro de la deserción y no pensaban en otra cosa que en divertirse. El Rey se encontraba a gusto en su soledad porque las soledades son necesarias para un rey y sus melancolías. Lo único que le fastidiaba era la mujer del otro lado de la puerta. Los gentilhombres hubieran dejado de ser gentilhombres si no hubiesen sido presuntuosos, mezquinos y egoístas. El Rey abrió otra botella de cerveza, y pensó que no era su bebida, pero que no tenía hielo, ni un Vizconde de la Rivière para enviarlo por él.

—Adiós —dijo la mujer detrás de la puerta.

Se oyó su caminar por la gravilla y luego un golpe de un airado puñadete de arena en la cercada ventana de Palacio.

—Vaya, Isabel, se ha ido... Estamos de enhorabuena —dijo el Rey a su fiera—. Este asunto parecía que no se iba a acabar nunca.

La perra se levantó a olisquear la puerta y el Rey tomó de su biblioteca una novela de aventuras. Eructó satisfecho.

Barón Samedi había subido a pie hasta la Ciudad Alta por temor de que una avería en su coche, por las estrechas y mal pavimentadas callejas repercutiese en su economía. Encontró a la mujer parada e indecisa a pocos metros de Palacio.

—¿Qué haces aquí, Gudrún? ¿Qué te pasa? —inquirió.

—César.

—¿Bronca?

—No, no me abre.

—Totalmente absurdo. No abrir a una mujer como tú es un delito. Es muy bruto.

—Sí, muy bruto —dijo Gudrún.

—Muy bruto, muy grosero y muy poco inteligente —dijo, animándose, Barón Samedi—. ¿Quieres que te acompañe a tomar una copa? Una copa te hará bien —se deslizaba técnicamente como un reptil, por el despecho—. Te animarás. Vamos —dijo, cogiéndola de la mano—. Vamos, te prometo que te divertirás y se te pasará el enfado.

—No, no quiero. Quiero verle.

—Vaya, lo que es el amor —dijo casi indignado Barón Samedi—. No sabía que estuvieras tan metida por él. No hay posibilidad de entenderos a las mujeres.

—Tengo que hablarle de anoche. No me lo perdonará, pero tengo que hablarle.

—Buenos, pues vamos.

Barón Samedi llamó a la puerta de Palacio.

—Abre Rey, que soy Constantino —dijo Barón Samedi, recreándose en su nombre de emperador.

—Va, Barón.

El Rey abrió.

—Pasa —dijo a Barón Samedi—. Y tú vete —dijo a la mujer—. Vete de una vez y no seas rollo.

Cerró de golpe la puerta.

—Por favor, César... —pidió Gudrún.

—Qué manera de tratarla —dijo fingiendo horror el sinuoso Barón Samedi.

—Tú no entiendes de esto, tú qué sabes...

—Venía a hablarte... —dijo Samedi.

—¿Qué quieres beber? —preguntó el Rey—. No tengo hielo. Puedes beber ron seco o con cola o cerveza...

—Cerveza —dijo Samedi.

—César..., César... —gimió Gudrún.

—Aquí, Isabel —gritó el Rey—. Echate, échate.

La hostería del Laurel

Llovía mediterráneamente, despacio y sin pausa. El viento del noroeste rafagueaba, y la lluvia, de vez en cuando, llamaba queda en los cristales de colores del Nuevo Bar. Junto a la chimenea encendida, en el rincón crepuscular, estaban los *plays-boys* gentilhombres, Barón Samedi, el Maestro y el Prevaricador. Barón Samedi largaba su mitin erótico al auditorio, con suficiencia y ensoñación. Un estribillo de cifras y nombres contrapunteaba la disertación.

—De mayo al Día de la Raza, dieciséis extranjeras y dos numantinas. Las numantinas cuentan por lo menos triple por la resistencia que ofrecen.

El Maestro nada tenía que enseñar, excepto vicios, llamados adornos de la personalidad, y esbozaba una sonrisa de lenón educado, enmascarándose del resplandor de las llamas.

—Un *tour de force,* querido Barón —dijo.

—Todas las del Rey y algunas más —aclaró Barón Samedi.

El Prevaricador reía agudamente, moviendo los hombros con el telele de la histeria. Dijo:

—Las hipnotiza, porque con esa cara es imposible que una mujer le mire.

Barón Samedi se atusó, despectivo, el bigote.

—Tú te callas, que estás gagá.

Las fantasías del Vizconde de la Rivière du Soleil se hicieron Verbo:

—En Torremolinos yo he llegado al medio centenar por año. En Torremolinos el invierno es mejor que el verano. Hay más reposo. Se triunfa más.

—¿Y tú? —dijo el Maestro al Marqués del Sur.

—Mi marca ha sido veintisiete...

—Pero casi todas suecas, y eso no tiene mérito —esclareció el Vizconde—. Yo no cuento suecas.

—Todas valen para la contabilidad —puntualizó el Maestro—. ¿Y tú? —preguntó al Marqués del Norte.

—En Bilbao se hace lo que se puede —respondió, medio ruborizándose, el bigardo.

—Triunfáis demasiado, pero luego, aquí, no se os ven más que callos —dijo el Maestro fastidiado—. Un *gigoló* o un *play boy* de ocasión son cosas repulsivas. Hay que tener un mínimo apego al oficio. Tres o cuatro cuando más. Tal vez una por estación, como las sonatas... ¿Me entendéis? Claro que no.

El Prevaricador babeaba de contento. Barón Samedi se sintió herido en sus vanidades culturales.

—No es buena comparación la de las sonatas. Hay que guiarse por los equinoccios y los solsticios, pero sin atribuir valores líricos a los mismos. Soy más partidario de una influencia zoológica.

—Bárbaro —barbotó el Marqués del Sur, sin que su expresión fuera de repulsa o aquiescencia, sino más bien un sonido.

Tras de los cristales de las gafas los ojos de Barón Samedi hicieron carambola.

—Yo no soy un bárbaro —dijo escamón—, ni un descarriado hijo de familia, ni un troglodita en precario. Considerado el caso médicamente tendríamos que tener una constatación del funcionamiento somático de cada uno de nosotros...

—Venga ya —dijo chulonamente el Maestro.

—Palabra... Entonces podríamos hablar de los equinoccios y los solsticios, y nos dejaríamos de las cifras que aquí se manejan, que a todas luces son falsas.

—Yo no miento —dijo algo amoscado el Vizconde de la Rivière—. Podrías preguntar en Torremolinos.

—¿A quién? —interrogó el Maestro.

—A todo el mundo.

—¿Quién es todo el mundo? —preguntó Barón Samedi—. En primer lugar, yo no he dicho que tú mientas y en segundo lugar estas cosas hay que aceptarlas bajo palabra de honor.

—¿Qué es palabra de honor? —preguntó el Maestro.

—Yo tengo palabra de honor —dijo, irritado, Barón Samedi— y nunca he faltado a ella. Yo soy un ser moral.

—Loco, loco... —gritó con una risa parecida al estertor de un agonizante el Prevaricador—. Un ser moral, la serpiente un ser moral... El alacrán y su palabra de honor... ¿Qué dirá de tu palabra de honor y de que eres un ser moral, aquella chica que...?

—Calla, esquizofrénico, eso es otra cosa. No conviene mezclar los conceptos.

—¿Qué conceptos?— intentó entender el Marqués del Norte.

—Tú no puedes saber —dijo desde el ámbito de los escogidos, piadosamente, Barón Samedi—. Para saber es necesario sufrir.

—Explícaselo de otra forma —dijo el Maestro—. Porque lo que tú hayas sufrido...

—En la persecución tanto de la belleza espiritual como... —dijo el Barón Samedi en semiéxtasis.

—De unas pantorras —terminó, ahogándose de risa el Prevaricador.

—No te consiento esa grosería —dijo duramente Barón Samedi.

—¿Qué grosería? —preguntó el Vizconde de la Rivière—. Caramba, unas pantorras son unas pantorras.

—Estúpido.

—¿Por qué le insultas? —inquirió el Maestro—. La afirmación se cae de su peso.

—Es preferible no hablar.

—No vengas con misterios. Tú no eres un ser moral, ni tienes palabra de honor y le quitarías una chica a tu mejor amigo; si pudieras, claro... —dijo el Prevaricador, repentinamente serio.

—Eso no es verdad.

—Es tan verdad como que llueve y que yo quiero una copa de coñac —dijo, llamando al camarero, el Prevaricador—. Si mañana llegara mi chica, estoy seguro de que procurarías quitármela.

—No.

—Apuesto lo que quieras a que sí.

—Apuesta. Dentro de tres días llega una muchacha —dijo Barón Samedi confidencial— que todos conocéis y yo no pienso ni temo que alguno de vosotros me la pretendáis quitar.

Los gentilhombres, el Maestro y el Prevaricador guardaron silencio, esperando información más cumplida.

—¿No es verdad? —preguntó Barón Samedi.

—No —dijo el Rey, acercándose a lentos, grandes pasos de parada—. No.

El Rey se envolvía en un celeste impermeable de *yachtman* y llevaba en la cabeza un sueste, del mismo color, muy calado.

—¿De dónde has salido, César? —preguntó el Vizconde de la Rivière.

—Estaba ahí, en la barra, escuchando vuestras tonterías. —Luego se dirigió a Barón Samedi—. Dentro de tres días llega, ¿no es así? —Barón Samedi afirmó con la cabeza—. Y si no me equivoco, es Tusa. Te juro que te la quitaré.

Barón Samedi sintió que su labio inferior le temblaba ligera pero visiblemente.

—No digas cosas raras, Rey.

—Te lo he jurado —dijo el Rey repantigándose en su asiento.

El Prevaricador rió con la estulta risa de costumbre.

Arte de amor

La vigilia de Barón Samedi duró hasta las pimpinelas del amanecer, porque era incapaz de levantarse por la mañana y tenía que ir al aeropuerto a recibir a Tusa. Se había hecho acompañar del Maestro y el Prevaricador, que yacían roques de sueño y alcohol despatarrados en las butaquitas del saloncillo de comedieta. Barón Samedi en su casa torre, llamada Villa Liliput, se sentía seguro y feudal. Bebidas y hazañas para los amigos con la sola obligación de estar en vela, pero los amigos habían sucumbido a las hazañas, a las bebidas, al calor de la chimenea y al sueño. Barón Samedi, envuelto en una manta de viaje hasta el cuello, dormía momificado. Sin gafas parecía un gorrión frito. Despertó a las once, cuando ya era tarde.

—Arriba... Me habéis hecho una faena —culpó a sus invitados—. Me he gastado mi dinero en *whisky* para que me acompañarais en la espera, no para que os durmierais como cerdos. ¿Qué hora es?

Las once —dijo con la boca pastosa el Maestro—. Demasiado tarde. Hace media hora que está en los brazos del Rey.

—El avión puede haberse retrasado.

—Inútil —dijo, desperezándose, el Prevaricador—. Las líneas de aviación no se permiten retrasos que te convengan.

Barón Samedi tenía algo mohoso por la piel de su rostro y de sus manos. De pronto, comenzó a decir retahilas de palabrotas, cantándolas como una melopea.

—La muy perra... —dijo Barón Samedi.

—Es una suposición —dijo con fingida compasión el Prevaricador—. Puede que el Rey se haya dormido también.

—Ese ladrón...

—Arréglate pronto y vámonos —animó el Maestro.

—Me lleva hora y media estar presentable —dijo rabiosamente Barón Samedi—. No voy a aparecer hecho una piltrafa.

—Nunca pareces una piltrafa —afirmó socarronamente el Prevaricador—. Siempre estás presentable, aunque hayas bebido como un corneta de cosacos.

—No estoy para tus bromas, idiota —dijo vivamente Barón—. Esa mujer...

—Si te quiere te estará esperando... —consoló el Maestro.

—No quiere a nadie. ¿Por qué me iba a querer? Si ha llegado el Rey, estará con el Rey, y si no, estará horriblemente enfadada. Las alemanas son así.

—Las arias son así... —corrigió el Maestro— y las eslavas y las latinas. Todas, excepto las chinas, que son más pacientes y sumisas.

Barón Samedi nerviosamente golpeó un pequeño dibujo torcido de la pared El cuadrito cayó al suelo y el cristal se trizó.

—Me lo he cargado —gritó furiosamente— y vosotros sois los culpables. Me sacáis de quicio con vuestras idioteces...

—Vamos a tomar el aire —dijo el Maestro al Prevaricador.

—Yo no conocía las cóleras del Adriático —dijo el Prevaricador.

El aire marino les refrescó el rostro y ambos tuvieron sensación de fiebre.

—Hemos cumplido. Dejémosle en su marasmo. ¿Tienes para un taxi? —preguntó el Maestro.

—Creo que sí.

Echaron a andar por el camino orlado de pitas, zigzagueante entre los chalets. Al compás del paso rompieron a cantar.

—Somos unos insensatos —dijo de repente el Maestro.

—Yo nunca lo he negado —dijo el Prevaricador.

El avión había llegado a la hora justa y el Rey acompañado del Vizconde de la Rivière, que portaba una mano de claveles un poco chafados, esperaba a Tusa. El Rey llevaba al cuello el rojo pañuelo de las depredaciones y se abrigaba en un marsellés de forro purpurado. Cuando Tusa desembarcó el Rey se adelantó hasta la barrera de la pista.

—Tusa —gritó, alzando sus largos brazos.

Era una muchacha de rostro vulgar, de estilizada y atrayente aunque vulgar figura de corista, vestida de cazador.

—Hola César —dijo sonriente, acercándose.

El Rey la besó en las mejillas y la tomó del brazo. El Vizconde de la Rivière le estrechó la mano y le hizo entrega de los claveles.

—Qué alegría, César... No lo esperaba... ¿Y Constantino?

—¿Quién sabe? —se preguntó el Rey.

—Le escribí —dijo Tusa.

—No te debes de preocupar. Estoy yo, ¿no? —rió el Rey—. Tienes mi apartamento para ti sola. Lo demás no te debe preocupar. Vamos al coche.

Isabel ladró a la enemiga y el Rey la hizo cambiar de asiento.

—No me gusta conducir —dijo el Vizconde— con la perra al lado.

—Vete despacio —indicó el Rey—. Bueno, Tusa, guapa, cuéntame qué ha sido de tu vida todos estos meses...

—Muy aburrida —dijo Tusa—. Muy mal tiempo. La ciudad es horrible.

—Aquí ha hecho un tiempo sensacional —mintió el Rey—. Hoy está un poco nublado, pero esto pasará. Esta tarde o mañana, buen día y mucho sol, ya lo verás. Acércate a recoger la maleta, Lolo, ¿no te importa?

El Rey olvidó al Vizconde, que con mala cara se acercó a la consigna.

—Estás muy guapa. Siempre estás muy guapa —dijo el Rey—. Creo que nos necesitamos...

—¿Crees...? —preguntó la muchacha con picardía—. ¿Y Constantino?

—¡Oh! Olvida a ese... —dijo el Rey apretándole con fuerza una mano—. Lo podemos pasar muy bien. ¿Hoy dónde quieres comer? He encargado una comida —mintió— en el Delfín, pero si quieres iremos a otro sitio.

Regresó el Vizconde para sorprender el primer beso del Rey a la muchacha. Un beso rápido, suave y cariñoso. Tusa estaba encantada.

La conspiración

Los conspiradores se habían dado cita a las 18,45 para merendar en el castillo de Liliput. Venteaba el norte y llovía. La mar cubría las estrechas playas y, en el golfo, los pescadores habían reforzado las amarras de las barcas. El faro de la isla de Aníbal parpadeaba en lo profundo. Era la noche de Barón Samedi.

Al Sur, sobre la ciudad y la bahía, en su Palacio, el Rey jugaba a prendas de amor con la inconstante Tusa. A ratos el fatigado Rey, aburrido por la dama, pensaba problemas de ajedrez y se olvidaba de acariciar a la germana acariciando a su perra. Al Rey no le apetecía ni el ron ni las novelas de aventuras, ni los programas de la TV.

Llegaban los conspiradores: El Maestro y el Prevaricador, a reírse; los dos marqueses, con sus chicas, a sobarse; el Vizconde de la Rivière —que había traicionado momentáneamente a su señor—, a razonar torpemente el régimen de behetría en que vivía, dando su apoyo a las opiniones de su protector, el rico Barón Samedi. El Vizconde de la Rivière cubría su larga figura con una capa de carabinero, sobre el traje de *cow boy,* ya que todas sus pertenencias habían sido confiscadas por el Rey, que pensaba hacer almoneda de ellas para mayor escarnio.

—Saca el *whisky* y no seas roña, Barón —dijo el Prevaricador.

—Para merendar es mejor el vino —afirmó Barón Samedi.

Las escasas viandas fueron devoradas en un ay por los conspiradores. Era el momento de Barón Samedi.

—El hombre necesita seguridades. El hombre necesita un mínimo de orden y de respeto —comenzó su discurso Barón Samedi— y estamos viviendo una anarquía.

El estruendoso regüeldo del Prevaricador no conturbó la retórica de Barón Samedi.

—Si César toma lo que no es suyo —continuó— y es mío, mañana tomará lo que no es suyo y es vuestro. Los amigos deben siempre ser amigos, y el Rey, en este caso como en tantos, no se ha portado decentemente. Propongo un boicot. Boicoteemos su conversación, boicoteemos su presencia. Propongámonos su no existencia.

—No seas apocalíptico, Barón —dijo el Maestro—. El Rey tiene muchos más amigos, y tiene a Tusa.

—El Rey no la soportará más de una semana —dijo Barón Samedi.

—Entonces tú, ¿cómo la soportas? —preguntó el Prevaricador.

—Yo soy más paciente.

El Vizconde de la Rivière asentía con su cabeza de chorlito minimizada por un sombrerete tirolés.

—¿Qué significa más paciente? —preguntó el Maestro.

—Más humano —dijo Barón Samedi.

¡Quién lo dijera! —se asombró el Prevaricador—. Más paciente no significa más humano sino más consentido.

A los marqueses y a sus chicas la conspiración les importaba un rábano.

—Tú, saca el *whisky* —dijo el Marqués del Norte—. Este vino payés no hay quien lo beba.

—Saca el *whisky* o nos vamos, porque esto es muy pesado —dijo el Marqués del Sur.

—Playleños —insultó Barón Samedi e indicó al Prevaricador dónde ocultaba el *whisky*.

Bebieron *whisky*. A la botella y media la tesis de Barón Samedi iba ganando adeptos. Unicamente se mostraban débiles focos de resistencia en la dialéctica enredosa del Prevaricador. El Maestro ofrecía a los oyentes un escandaloso y lamentable balbuceo.

—A mí no me ha quitado ninguna chica —dijo el Prevaricador.

—Hay que pensar en el futuro. Tiene que haber juego limpio. Di, mejor, que no te ha quitado ninguna chica por ahora, pero te la puede quitar.

—No, porque no es el mismo caso que el tuyo. Yo soy guapo, y tú eres feo.

—Tonterías —dijo Barón Samedi—. Lo que importa es su actitud moral.

—No es bastante. Yo soy guapo, y tú eres feo. Y si no que lo digan éstas. A ver, queridas, ¿quién es feo entre los dos?

Las chicas atendían a sus marqueses. No hubo cotejo ni opiniones.

—Desde mañana boicot —terminó Barón Samedi—, y ahora vámonos para la ciudad. Al Maestro hay que enterrarlo entre sábanas, está completamente tajada. Llevo a las chicas y avisó a un taxi para que os recoja.

—Ni hablar —dijo el Marqués del Sur—. Las chicas, o por lo menos ésta, se viene conmigo.

—Entonces llevo al Maestro, al Prevaricador y al Vizconde.

El Vizconde hizo un gesto de resignación.

—Como César se ha quedado en mi coche... —dijo.

Gudrún marcha hacia los icebergs

—Bien, Gudrún —dijo el Maestro—. El barco sale a las siete y te queda poco tiempo. Tal vez tengas una oportunidad.

—Ya no quiero oportunidades —dijo pensativamente Gudrún—. He sufrido por nada y no quiero sufrir más.

—Así es mejor. Todo esto no vale mucho y no merece que tú lo pases mal. Te acompañamos al barco.

—No lo hagáis si queréis, no estáis obligados...

—No es una obligación, chica, es simplemente buena amistad. Luego no todos serán malos recuerdos. Tomemos la copa de la despedida. Anímate.

—No quiero beber —dijo Gudrún—. He bebido demasiado en esta isla durante este año. Si bebiera de nuevo me echaría a llorar, y no quiero llorar.

—Pues entonces vámonos.

El Maestro y el Prevaricador cargaron con las maletas de la muchacha.

—¿Qué llevas aquí? —preguntó el Prevaricador—. Ni que fuera hierro.

—Papeles y libros nada mas.

Cruzaron la calle, después de abandonar el Hermoso Café. Al pasar frente al guardia de la circulación Gudrún dudó un instante, después abrazó al guardia y le besó en las mejillas.

—Adiós, guardia —dijo.

El guardia sonrió turbado. Uno que pasaba comentó:

—Estas extranjeras están como cabras.

El automóvil de Barón Samedi se acercó al muelle a la caída de la tarde. Barón Samedi acudía a la despedida.

—Hola Gudrún. Os he buscado en el Hermoso Café y en el bar de los *beatniks* y en qué sé yo cuántos sitios más. Os hacía tomando la despedida.

—No quiere beber —dijo el Prevaricador sonriente.

—Bobadas... Hay que despedirse... No es bueno despedirse sin una copa... Hay que tomar algo... Hay que brindar, ahora que te vas a los hielos eternos... —insistió.

Barón Samedi tomó del brazo a Gudrún y la llevó hacia el quiosco del puerto.

—Queda poco tiempo —advirtió el Maestro.

—Hay tiempo —dijo Barón Samedi.

Brindaron con ginebra y volvieron a brindar con ginebra, y pidieron otra ronda.

El barco advirtió con un largo toque de sirena.

—Porque vuelvas pronto —dijo Barón Samedi.

—No volveré... Por ti, Constantino; por ti, Rafael; por ti, Manolo...

Bebieron después de entrechocar las vasos.

—Vamos al barco —dijo Gudrún, y bajando la voz, al dejar el quiosco preguntó al Maestro: ¿Crees que él sabe que me voy?

—No estoy seguro.

Las despedidas del invierno no tienen la dulce melancolía de las despedidas del final del verano, las despedidas del invierno no saben, como las del otoño, a reuniones familiares en un horizonte de Fiestas de Pascuas, las despedidas del invierno no prometen largos viajes felices como las de primavera. Las despedidas del invierno están hechas de desamparo y tristeza, de un cierto pesar de uno mismo y de una extraña dejadez.

—Adiós, amigos —dijo Gudrún llorando, y embarcó.

No la volvieron a ver. Esperaron a que desatracara el barco, pero no la volvieron a ver.

—Ha llorado por tu culpa —dijo el Prevaricador.

—Una despedida sin lágrimas no es una despedida —dijo técnicamente Barón Samedi.

Desde la terraza de su Palacio el Rey veía indiferente la masa y las luces del barco moviéndose y cabrilleando hacia la bocana del puerto. «Hay que marcharse de aquí, pensó, hay que marcharse de aquí a donde sea.»

La soledad de un rey en velocípedo

Ya habían florecido los almendros y verdeaban los campos de trigo de la isla. Los días eran un poco más largos y el sol del mediodía congestionaba los rostros rojizos y encarnaba las piernas de yeso de las turistas, que lo saludaban con las faldas levantadas hasta la mitad de los muslos. Alentaba tenuemente la primavera.

El Rey había despedido a Tusa, pero el boicot seguía. Cuando alguien flaqueaba Barón Samedi razonaba con el vacilante. Los gentilhombres vivían en las afueras de la ciudad, en una gélida casa a medio construir. El Maestro y el Prevaricador continuaban recogiéndose a deshora y con la manta a la cabeza, unas veces acompañados y otras no.

El Rey comenzaba sus entrenamientos de cara a la primavera y al verano. Había que estar en forma, flexible, enjuto, felino. Nada mejor al objeto que largos paseos en velocípedo hasta los escaques pintovarios de las salinas o hasta el Riachuelo. Paseos y régimen de lechuga y carne, apenas pasada por la parrilla, se complementaban.

El Rey tomó su velocípedo hacia sus metas. Isabel guardaba el Palacio. Tras la traición, la fiera no había consentido ser acariciada por ninguno de los complotados, aunque nada iba con ella. A golpe de pedal el Rey se alejaba de la ciudad, adusto y solitario. Ni un solo pensamiento les era concedido a Barón Samedi y sus secuaces.

«Juan Buenos Aires fue un excelente compañero, un buen peleador, un peso medio nato, un artista de la canción sudamericana, un bebedor increíble. Tenía mucha mano para las mujeres. Jugaba al póker como un campeón. Conducía como un relámpago. Amaba todo lo grato de la vida. Pero Juan Buenos Aires ya no estaba en el mundo de los vivos; se mató en una avioneta con una mujer a la que no se logró identificar. Probablemente borracho o drogado, o quién sabe. Treinta años justos. Una buena edad para desaparecer.»

La rueda delantera del velocípedo reventó. Hacía calor y el Rey estaba fatigado. Se tumbó en el ribazo de la carretera esperando que pasara algún conocido. Después se ensimismó en su pasado.

—¿Qué te pasa, César? —preguntó alguien desde un coche.

El Rey regresó de sus memorias.

—Hola, Viñas.

—Tienes la rueda delantera hecha migas.

—Sí, ha reventado.

—¿Quieres que te lleve a la ciudad?

—No. Hazme el favor de llevarte la bicicleta y la dejas en Casa Mariano, en el taller.

—¿Pero tú no quieres que te lleve? —el Rey negó con la cabeza—. A tu gusto, César.

—Gracias. Iré a pie.

Cargaron la bicicleta en la baca del coche. El Rey, con la barba en la mano se sentó en el ribazo. Volvía a sus nostalgias.

Guerras intestinas

El Vizconde de la Rivière du Soleil intentó conversaciones secretas con el Rey. Era un hombre ordenado y no le iba bién con el horario de murciélago de Barón Samedi. A las dos de la tarde tenía hambre, y seguía teniendo hambre hasta la hora de cenar, que era cuando Barón Samedi estaba en disposición de ánimo de hacer algunas caridades. El Rey no aceptó las conversaciones y exigió del Vizconde una pronta y total sumisión. El Vizconde de la Rivière fue herido vivamente en su orgullo.

—Ya llegará algún giro —amenazó.

—Por ahora me limito a decirte: Buen provecho —dijo sarcásticamente el Rey.

—Te arrepentirás, César, por tratarme así.

—Jamás me he arrepentido de algo. Tengo algún que otro remordimiento, pero no he llegado tan lejos.

—No hay enemigo pequeño —afirmó el Vizconde.

—Tú no eres pequeño, ni eres enemigo.

—¿No me das beligerancia? —dijo humillado el Vizconde.

—No he dicho eso. He dicho que no eres enemigo, aunque, por ahora, tampoco amigo. Pero te invito a comer sin que sirva de precedente. Ya lo sabes, o abandonas al Barón Samedi y sus gentes y a los super traidores del Norte y del Sur, o no vuelvas a aparecer por aquí.

—Yo no soy un traidor.

—A mí me has traicionado y te has jactado de no dirigirme la palabra. Y lo has hecho en público. Pero te perdono —dijo magnánimamente el Rey, advirtiendo seguidamente—: Aunque no olvido.

El Vizconde no aceptó comer con el Rey en un restaurante público pero se comió de buen grado un bocadillo de mortadela en Palacio.

—Adiós, César —dijo al despedirse—. Yo sigo siendo tu amigo

—Demuéstralo —respondió el Rey.

El Vizconde de la Rivière du Soleil reconfortado y alegre bajó de la Ciudad Alta a los bares del muelle. En el quiosco estaban los Marqueses con dos americanas bastante entradas en años.

—¿Qué hay de nuevo? —preguntó el Marqués del Norte.

—Vengo de ver a César. No está enfadado. Todo esto le parece un sucio manejo de Barón Samedi.

—Lo es —dijo el Marqués del Sur—. No sé por qué demonios tuvimos que meternos en todo este jaleo, que ni nos va ni nos viene. Si le quitó a Tusa que se busque otra. Somos algo tontos.

—Así es —confirmó el Marqués del Norte—. Yo, desde luego, estoy dispuesto a hablar en cualquier momento con César y a aclarar todo esto.

—Pero serás doblemente traidor —dijo lleno de espíritu caballeresco el Vizconde—. Y, además, hay que contar con el Maestro y el Prevaricador.

—Allá ellos. Sus asuntos no son mis asuntos. Estoy de chiquilladas hasta el tope. En casa hace un frío que pela, no tengo televisión; antes era más divertido y lo que yo quiero es divertirme, y ahora me aburro. Esta noche sin falta voy a hablar con César.

—Y yo —dijo el Marqués del Sur.

—Entonces nada nos tenemos que decir —dijo con prosopopeya el Vizconde—. Adiós.

Las americanas no entendían el asunto.

—¿Que ha pasado? —preguntó una de ellas.

—Nada, *darling*..., es muy largo de explicar y no merece la pena —dijo el Marqués del Sur.

—Cosas de Barón Samedi —dijo el Marqués del Norte.

—¿Quién es? —inquirió la otra.

—Ya le conoceréis. Un tipo inolvidable. ¿Qué queréis beber?

—Vino —dijo riéndose la mujer que había preguntado por el Barón Samedi.

A las cinco de la tarde en el Hermoso Café el Rey charlaba amistosamente con el Maestro y el Prevaricador.

A las seis y media de la tarde, Barón Samedi, en la barra de los *beatniks* juraba vengarse. El Vizconde degustaba a su cuenta algunas consumiciones de ginebra.

—No son hombres —dijo crispado Barón Samedi—. Me gustaría ser como un cargador de muelle por un rato para romperles el alma.

A las siete y media de la tarde el Rey anunciaba en la barra del Nuevo Bar que daría un *party* de reconciliación en Palacio. El Maestro y el Prevaricador fueron los encargados del rol de invitados, y sobre la marcha comenzaron a escribirlo.

—¿Como cuántos, César?

—Los que queráis.

—¿Barón Samedi también? —preguntó el Maestro.

—Si quiere, también —dijo el Rey.

—Volvemos a los buenos tiempos —dijo el Marqués del

Sur olvidándose de su americana—. La cosa promete ser estupenda.

—Sí —dijo caviloso el Rey—. Volvemos a los buenos tiempos, aunque no sé si van a durar.

—¿Pasa algo? —preguntó alarmado el Prevaricador.

—Sí —respondió el Rey—, que me voy de la isla.

—¿Que te vas? —preguntó el marqués del Norte—, ¿y a dónde?

—A cualquier parte —respondió el Rey—. En cualquier barco, a cualquier parte.

—¿Por qué? —dijo el Maestro.

—¡Quién sabe! —explicó el Rey—. Llevo mucho tiempo aquí, y el otro día pensándolo... En fin, cosas —dijo soñadoramente, y luego aclaró gravemente—: Este es el *party* de la despedida.

El Maestro bebió apresuradamente su ginebra.

Party

El salón de Palacio tenía sus siete lámparas encendidas. Las alfombras habían sido recogidas por los activos gentilhombres. En la chimenea brincaban esbeltas llamas acompañadas por el silbido chistulari del Marqués del Norte, ensimismado en su invernada. El Vizconde de la Rivière y el Marqués del Sur untaban de foie-gras rebanadas de pan. Isabel, sobre la gran cama del Rey, movía la oreja policíaca atenta y ladina. El Rey se rasuraba, en el abierto cuarto de baño, cantando «Adiós, pampa mía» con poderoso pulmón.

—Un cubalibre, marqueses —ordenó.

El Marqués del Norte abandonó su palco de añoranza y ballet para oficiar de copero. Prudentemente preguntó:

—¿No es demasiado pronto, César? Date cuenta que hoy va a ser una noche muy movida.

—Con mucho ron —dijo el Rey—. Hay que entonarse. «Adiós, camino que he recorrido...».

El Rey cantaba francamente mal y hería el oído aterciopelado de *crooner* del Marqués del Sur.

—Malo —dijo el Vizconde—. César está peligroso.

—Me duele el cuello de pringar tanto pan —dijo estirándose el Marqués del Sur—. Es un trabajo matador. Y además amenizado por la tormenta.

—No se lo digas, porque él cree que lo hace muy bien.
—Seguro.

A las siete de la tarde comenzaron a llegar los invitados. Los primeros fueron los Condes de la Bounganvilla. El Conde disfrazado de limón, espléndidamente amarillo, con sus mejores galas de *vernisagge* y *party;* la Condesa, a la moda de los años veinte, respetando en el color su título de nobleza. El Rey besó a la Condesa y abrazó al Conde.

—Estás fantástica —dijo el Rey—. A ti te falta ginebra para hacer un *gin fizz* —dijo al Conde, que rió de mala gana.

—¿No encuentras que sigue tan gracioso Pedrito —minimizó los cincuenta años de su marido— como en los buenos tiempos? Tú sí que estás fantástico y hecho una monada —halagó al Rey—. Un poco de todo: pirata de *show, gigoló* en atuendo de alcoba... Un encanto. Siempre has sido un hombre lleno de encanto —suspiró.

Los cuernos del Conde de la Bounganvilla tenían muchas puntas y ramificaciones. La Condesa había tenido amores con el Rey y con algunos de los cortesanos más allegados al Rey, pero el asunto se perdía en las tinieblas del pasado otoño, cuando los grandes *partys* de cierre de temporada.

A las ocho de la tarde había veintitantas personas en Palacio. El Maestro deslumbraba con sus recitaciones al virago inglés, Barona Cocktail, mientras el Prevaricador charloteaba insulsamente con una jovencilla recién llegada a la isla y que esperaba de la situación geográfica de la misma más vicio, más elegancia, más oportunidades, más galanes, más pseudorromanticismo y más y más...

A las ocho y cuarto entró Barón Samedi. Ya estaban los ánimos muy exaltados y el salón crujía de risas, pero se hizo un silencio expectante y el Rey avanzó hacia su alimaña preferida.

—Bienvenido —dijo, dándole un fuerte abrazo que Barón Samedi consideró un atentado a su persona—. Bienvenido a casa. Te has retrasado un poco, amigo. ¿Te puedo llamar amigo? ¿No te decidías? Todo está olvidado. No quiero dejar tras mí rencores ni hostilidades ni malos entendidos. ¿Qué quieres tomar? Vizconde pon un *whisky* doble a nuestro Barón, y otro cubalibre para mí.

El Rey se estaba pasando de copas. Era evidente que su sonrisa se estaba transformando en una mueca. Barón Samedi le observó atentamente. Se acercó al Maestro para destilar su terror.

—Dentro de media hora el Rey va a estar cuajado. Peligrosísimo.

—Sobre todo para ti.

—Exacto, aunque el peligro es general.

—Su corazón en esta noche —dijo afrailando el gesto el Maestro— rebosa bondad y sus fuerzas no serán medidas con los asistentes.

—Lo que me preocupa es el alcohol en sangre —dijo, médicamente, Barón Samedi.

El Prevaricador babeaba junto a la jovencilla. El Vizconde, impertérrito, lucía su tipo sirviendo copas. Los Marqueses cazaban furtivamente por los vedados. El Conde de la Bounganvilla sostenía una conversación en tres idiomas cuando no era necesario sostenerla en ninguno. Barona Cokctail movía sus ojos camaleónicos buscando mosquitas.

—¿Me echaréis de menos? —preguntó el Rey a una dama—. ¿Tú crees que se notará mi falta?

—Pero ¿es verdad que te vas?

—Sí. Estoy cansado. Necesito irme.

—Lo que tú necesitabas —dijo, oferente, la dama— es una mujer que te comprendiera y dejarte de tantos amigotes y de tantos líos. Una cosa fija, ¿me comprendes?

—Claro que te entiendo, Carolina, pero no estoy hecho para eso. Soy incapaz.

—Es que no has encontrado a una mujer de verdad —dijo con énfasis la dama—. Una mujer que te llegue a entender, que te comprenda y que...

—¿Tú encuentras? —preguntó el Rey, escéptico—. Una mujer así probablemente la soportaría todavía menos.

—No sé, no sé. Eres un caso especial, pero hasta los casos especiales...

—Otro cubalibre —pidió el Rey al Vizconde.

—No bebas tanto, César —dijo la dama.

—Da igual —respondió el Rey—. Da lo mismo uno que mil. ¿A quién le preocupa?

—Pudiera ser que a mí.

—No digas tonterías, Carolina... Tú tienes tu marido y todas esas cosas que se necesitan. No me tientes, porque luego te arrepentirás.

Peleas de rey

—Dejadme solo. El Rey quiere guerra —dijo César a sus amigos.

En el bar de los *beatniks* fue abandonado a su belicoso humor.

—Pescadores, marineros, jaques e hijos de puta —dijo el Rey a sus enemigos—, aquí estoy.

El chiringuito de Patro *La Candiles* se desplomó de la morisma.

—¿Dónde están los hombres valientes? —preguntaba el Rey a la luna llena—. ¿De las navajas y de las botellas, que se hicieron?

Las calles estaban desiertas, pálidas e inquietantes.

Emisarios corrían los bares de la ciudad dando la mala nueva: el Rey se ha desmandado. Tiene una trompa de espanto. El Rey ataca.

El Rey daba bandazos por el muelle, desmelenado y enloquecido. La bahía era nácar y el agua apenas se frotaba gatunamente contra los machones. El Rey contempló el mar.

—No eres un mar —gritó—, Mediterráneo de mierda, mamarracho, mariquita.

Los Hermanos Homicidas caminaban discutiendo. Eran tres en desacuerdo y acostumbraban a solventar sus desacuerdos a golpes. ¡Qué noche!

En el Hermoso Café temblaban los burgueses de la medianoche. «No aparecerá por aquí; no se atreverá. Los guardias están en el paseo.» En el Nuevo Bar los gentilhombres, cariacontecidos, pronosticaban el destino del Rey: «Hoy acaba en Comisaría. Hoy le cuesta un disgusto gordo. Hoy no se la perdonan y le van a calentar los lomos.» En la Botillería de las Ratas, Barón Samedi, el Maestro y el Prevaricador hacían quinielas sobre los resultados de la trompa. «Por rondas —dijo Barón Samedi—. Un ojo, una ronda. La Comisaría, tres rondas. La segunda pelea, cinco rondas.»

El Rey encontró a los Hermanos Homicidas a la altura de la rampa de pescadores. Difícil campo de batalla aun para un Rey. La rampa era endemoniadamente resbaladiza y tres un número demasiado crecido en aquellas circunstancias. Pero el Rey no dudó, y sus clarines tocaron a carga.

—Gentuza —llamó—, aquí tenéis a un hombre.

El desacuerdo desapareció entre los Hermanos Homicidas.

—¿Vamos a endiñarle? —preguntó el mayor.

—Vamos a endiñarle —contestó el segundo.

—Vamos a endiñarle —replicó el tercero.

—Vamos por ti, so chulo amariconado —gritó el mayor—. Te vas a acordar.

El Rey rió y dijo retador:

—¿Me acerco más? ¿Tenéis miedo ya?

El hermano mayor de los Homicidas explicó la estrategia:

—Al suelo con él. Tú por la derecha, tú por la izquierda y yo al centro. Al suelo con él y dadle sin piedad.

Se trabó el combate. La caballería ligera de los Hermanos Homicidas atacaba por las alas escaramuceante. Las tropas de asalto del centro retrocedían ante el ímpetu de las legiones del Rey. Las tropas de asalto perdieron un diente incisivo. Las legiones del Rey se lesionaron un nudillo de la mano izquierda.

La batalla estaba igualada cuando llegaron los guardias. Hubo porrazos.

—Pelea tumultuaria y sin causa —dijo el Comisario—. Estoy de las peleas de los cuatro hasta el gorro. Por lo pronto esta noche os la pasáis todos aquí.

—¿Por qué? —preguntó el Rey.

—Porque lo digo yo.

—¿Y quién eres tú? —preguntó el Rey con fingido asombro.

—Que quién soy yo? —se preguntó el Comisario estupefacto—. Borracho, gamberro, ¿que quién soy yo? ¿Yo? —el Comisario se ahogaba—. A éste a la cárcel, mañana por la mañana a la cárcel. Ahora los encerráis, pero a éste a la cárcel. ¿Que quién soy yo?

El Rey se echó a reír.

—Era una de mis bromas, Comisario. No debe enojarse.

Heraldos anunciaron la detención del Rey. En el Hermoso Café se respiró hondo. «Lo tienen bien merecido. Especialmente César.» En el Nuevo Bar había consternación. «Lo que pronosticamos; un desastre.» En la Botillería de las Ratas nacía el fastidio. «Diligencias vanas —dijo el Maestro—. Saldrá de ésta y tendrá otra antes de marcharse.» Barón Samedi rompió las quinielas.

Los *beatniks,* impasibles, escuchaban su *jazz* con los ojos perdidos. En el bar olía a marihuana

Las mazmorras

—En comisión, no —dijo el celador—. Uno por uno. Las cosas, ropas, alimentos o tabaco que traigan para él, deben dejarlos sobre esa mesa. Nos ha caído buena.

—¿Por qué? —preguntó el Maestro.

—Porque esto parece el zoológico. Todo el mundo viene a ver al raro animal capturado. Mujeres sobre todo. ¿Qué esperarán?

—Un Rey en una cárcel tan cinematográfica es un buen espectáculo, ¿no crees? —preguntó el Prevaricador—. Usted debería cobrar la entrada. Podría tomarse unas estupendas vacaciones.

—¿Un Rey?

—Lo que oye —dijo el Prevaricador—. Un Rey sin corona, pero un auténtico Rey. Fue Rey en Hollywood y lo sigue siendo.

El Maestro se asomó a la ventana del patio. Un laurel daba sombra breve, ya cercano el mediodía, a un jardincillo triangular con geranios. Junto a la pared de la derecha había una fuente con pila para lavar. Las celdas, en número de ocho, tenían las puertas abiertas. A la izquierda se recortaba la espadaña del convento de las monjas.

—¿Puedo llamarle? —preguntó el Maestro.

—Claro, claro. Casi todas las mujeres coinciden en que el momento más bonito es cuando sale un poco agachado de la celda. El es alto y se puede romper la crisma con el dintel de la puerta, ¿comprenden?

—Vaya, hombre... —dijo el Prevaricador—. Me parece que tiene usted razón. ¿Y hay más presos? Si yo fuera preso estaría celoso.

—No, toda la cárcel es para él.

El Maestro hizo bocina con las manos y llamó:

—Eh, César, que estamos aquí...

Se escuchó un gruñido y después varias palabrotas.

—Estaba dormido —dijo el celador—. Tiene razón el hombre, no le dejan vivir.

—Eh, César.

—Ya voy. Ni descansar dejáis...

El Rey apareció en escena y se situó en medio del patio. Estaba descalzo y con la greña alborotada, descamisado y con los pantalones sucios de tierra.

—Acérquese usted también —invitó el celador.

—¿Pero no decía que en comisión, no?

—Es que éste es el momento —dijo con visión de director teatral el celador—. No se pierda este momento.

El Rey, con las manos en jarras, parecía un desafiante revolucionario zapatista al que fueran a fusilar.

—¿Qué pasa?

—Nada —respondió el Maestro—. Te traemos tabaco y un pollo.

—Tengo varios cartones y ocho pollos —fue la respuesta del Rey—. Comeos el pollo y dejadme en paz. Llevo tres días a pollo frío. Acordaos que hay pescado, que es lo que me gusta.

—No te íbamos a traer un mero —dijo el Prevaricador.

—Naturalmente —dijo el Rey, y luego llamó al celador—: Oiga, ya que no puedo tomar vino por eso de las ordenanzas, deles un vasito a estos y quédese las otras dos botellas para usted.

—De acuerdo —dijo el celador, y confidenció—: Una marquesa le ha traído tres botellas de este riquísimo vino.

—Con varios presos así se ponía usted las botas —dijo el Prevaricador.

—Desde luego —concedió el celador—, desde luego, y con este sólo, si lo tuvieran mucho tiempo, pero no durará —desconfió con fatalismo.

Los tres se asomaron a la ventana del patio.

—A tu salud, Rey —brindó el Maestro—. Porque salgas pronto, y lo celebremos.

—Ya lo estáis celebrando —dijo el Rey—, lo mismo que Samedi, que ayer a la tarde se vino con una castaña de pánico.

—No hemos podido venir hasta hoy —dijo el Prevaricador.

—Seguro... —respondió el Rey.

—Hemos tenido muchas ocupaciones —dijo el Maestro.

—Seguro... —contestó el Rey.

—Ya han pasado los cinco minutos reglamentarios —dijo el celador—. La visita se ha acabado.

—Adiós, César —dijo el Maestro.

—Adiós, Rey —gritó el Prevaricador.

—Pepe —llamó el Rey al celador—. No quiero más visitas hasta la tarde. Deseo dormir.

—Desde luego. Tiene usted razón.

El Rey hizo un ademán de despedida y se metió en su agujero. El celador acompañó a los visitantes hasta la reja.

—Hay que comprenderlo —dijo— está muy fatigado. ¿Ustedes saben lo que ha sido esto? Un jubileo, y eso que hoy ha bajado la cifra de visitantes. Aunque a la tarde vendrán las mujeres. A las mujeres les gusta el atardecer, y allí sobre las seis es cuando él hace mejor.

—Ni que fuera un monumento —dijo el Maestro.

—Ya sabe usted lo que son las mujeres: el romanticismo y todo eso... —dijo el celador camándula—. ¡Y lo bien que lo ha debido pasar este tío! —añadió casi bramando.

—No lo sabe usted —dijo el Maestro.

El rey se va, viva el rey

Iza, iza, marinero, trinca la escota, caza la vela. Adiós, adiós, adiós.

—... mañana a las nueve. Me llevan a Portofino. Desde allí no será difícil encontrar otro yate. Algún inglés borracho... Me da igual...

El Rey se va y explica a sus cortesanos, en el Hermoso Café, lo lejos que está el Paraíso. El Rey ha liquidado su Palacio y todos sus asuntos. Es abril y se encuentra en forma. Luce un rico sol y mañana en el *Nurse Shark,* abanderado en el Líbano, se va rumbo a Portofino. De Portofino al garete o al Paraíso del Sur.

—¿... y no temes que te salgan mal tus planes? —pregunta el Maestro, que gusta de la rutina— ¿... y no tienes miedo a que todo pueda fallar?

—¡Qué planes! ¡Qué fallos! —contesta el Rey—. No he hecho planes, no puede haber fallos. Simplemente voy al Paraíso.

—¿... y si no llegas? —pregunta el Prevaricador.

—He cambiado y es bastante, pero llegaré —contestó el Rey.

—¿... y si te mueres? —pregunta Barón Samedi...— ¿... y si te mueres en el camino?

—Pasaré a servirte en el cementerio —contesta el Rey.

El Rey pide una ronda de ron.

—¿... hay mujerío a bordo? —pregunta el Marqués del Norte.

—Increíbles —contesta el Rey.

—¿... lujo? —pregunta el Marqués del Sur.

—Varean la plata —contesta el Rey.

—¿... y está lejos Portofino? —pregunta el Vizconde de la Rivière du Soleil.

—Más cerca que el Paraíso —contesta el Rey.

El Rey pide otra ronda de ron, y aclara que va de marinero, distinguido, pero de marinero. El Maestro se levanta de su asiento con la copa en la mano. Es la hora de la merienda en el Hermoso Café y las señoras de la ciudad se esfuerzan en caber en las butacas.

—El Rey se va, ¡viva el Rey! —grita el Maestro.

Los caballeros, puestos en pie, responden a una: ¡Viva!

El jefe de camareros se acerca a la mesa.

—Hagan ustedes el favor de no alborotar... Comprenderán que no es hora...

—No tema —dice el Rey—. Jamás se volverá a gritar en el Hermoso Café.

Y el Rey, digno y afable, sale seguido de sus caballeros hacia el bar de los *beatniks,* hacia el Nuevo Bar, hacia la Botillería de las Ratas, para celebrar la despedida.

—Nos vamos a aburrir de lo lindo —dice Barón Samedi.

—El verano está cerca —consuela el Rey.

—Espero que vuelvas —dice el Maestro.

—Cuando yo vuelva, si vuelvo, nadie estará ya aquí. También os habréis ido.

Iza, iza, marinero, trinca la escota, caza la vela. Aloha, aloha, aloha.

París, un otoño...

Hora cero

Tras de dormir durante muchas horas gustaba de prolongar treinta o cuarenta minutos su estancia en la pereza, dormivelando, transmutando ensoñaciones, recuerdos y proyectos. Era su prólogo a la levantada, su contacto nebuloso con la realidad, la fuerza que buscaba para entrar en el nuevo día. La fortuna pisaba queda en el umbral, los pasados buenos tiempos hacían transparente y nítida la apelmazada tiniebla, donde angustiosos vértigos venidos desde lejanas perspectivas habían alterado y a veces interrumpido el descanso. Se encogió y esperó la llegada mansa y anegante, que se presentaba indistinta desde el pasado o desde el porvenir, pero no logró concentrarse: Todo fue una lucha inútil hasta que el timbre del teléfono le reclamó con su exasperación.

Una hora después caminaba despreocupado, pero no alegre. La mañana de hojas caídas, nubes bajas, río musculante y gasolina, avanzaba enérgica. No era una fría mañana y hubiera tenido necesidad de experimentarlo en las manos, desenguantándolas y tactando el aire, porque el rostro matiza poco los cambios delicados de temperatura. Sin embargo no lo hizo porque sentía un segregado frío interior, algo que estaba naciendo constantemente de no haberse reconciliado a través de la duermevela con las ocupaciones, asunto y esperanzas del nuevo día. Así que al entrar en el bar se escalofrió y cuando alcanzó el velador antiguo donde un hombre gordo se aplastaba en una incómoda silla, se inclinó visiblemente, con cierto envarado respeto, corregido de inmediato, producido por su falta de total dominio, de relajamiento. El hombre grueso dobló el periódico con habilidad, las gafas caídas del puente de la nariz, los labios ultrajantes sonriendo a medias. Los saludos fueron muecas y ademanes. El camarero arrastró sus piernas enfermas y ajenadas, animándolas con ligeros golpes de la bandeja de servicio. Se hicieron hoscamente los pedidos.

El caballero contemplaba los dragones chinos, pintados en sutilísimos papeles acariciándose con el índice derecho el blanco bigote recortado anacrónicamente. De vez en vez el dedo corría a la patilla plateada o era apretado en el aladar. El hombre grueso extraía de la carpeta otro dibujo y murmuraba una dinastía y un año. El caballero asentía y su mirada pericial corría por el dibujo, desde la espantosa cabeza hasta la espada heridora, desde la retorcida y agónica cola hasta el aplastado perfil del guerrero.

Los aperitivos opacaban las copas y las enjoyaban con su calina amarilla. El mármol del velador mostraba en su azabache, escarchadas, hidrográficas cuencas. La mano del hombre gordo reposaba como una araña migala albina —el ojo del rubí polifacético en su órbita de oro— sobre el nocturno siberiano. Cuando el caballero asentía a la perfección de la obra de arte la mano se movía unos centímetros denunciando su rapacidad.

Clasificaron en silencio. Apuraron los aperitivos. Gesticuló con insolencia el hombre gordo reclamando la cuenta. El caballero extendió un billete al camarero y, digno el ademán, cedió la vuelta. El hombre gordo y el caballero salieron a la calle con hojarasca y relente fluvial.

En la tienda de antigüedades un viejecillo de antiparras, corte elegante y un poco fúnebre, barajaba las obras que el hombre gordo le entregaba. El caballero sentado en una silla apostillaba, parco, preciso, y aparentemente distraído. La tienda de antigüedades era un lugar grato y él se ausentaba por los espejos como estanques y pozos de brocales dorados, acariciaba las nobles maderas de las mesas y se apoltronaba en las butacas reconociendo su época, su tapizado, sus muelles. Su sensualidad fluía hacia los retratos de personajes de otrora casi concediéndoselos como antepasados.

Fue ultimada la venta y el hombre gordo recibió un cheque. El caballero se interesó en el momento de la despedida por una figurilla de jade ofrecida en el escaparate. Inquirió y sonrió con melancolía a la respuesta de su valor.

En el automóvil del hombre gordo, el caballero contemplaba la actividad del bulevar con el distanciamiento que produce la vida de un hormiguero.

—¿Dónde puedo llevarle a usted? —preguntó el hombre gordo.

—A mi casa.

—Su comisión son dos mil francos.

—Para un amigo no hay comisión. Sencillamente es un favor.

El hombre gordo le miró al soslayo y resquebrajó los labios en un fruncimiento.

—Bien.

El caballero silbaba una musiquilla relacionada con otro tiempo, otras fortunas y bienandanzas. Llegaron a la casa.

—Hasta otro día —dijo jovialmente el caballero—. Ah: querría pedirle un pequeño favor.

Los ultrajantes labios del hombre gordo sonrieron complacidos.

—¿Usted dirá?

—¿Podría prestarme dos mil francos?

—Naturalmente —respondió—. Naturalmente, amigo mío.

En una isla, durante un invierno

Visitas al atardecer

Estaba entreviendo un paisaje japonés con la sabina al borde del agua y la barca de vela recortada e inmovilizada en el horizonte. El sol rusiente del atardecer tintaba un reguero en la mar, gris y aburrida. El caballero recordaba versos de Apollinaire: «Les jours s'en vont je demeure» y bebía a pequeños sorbos, dejándose invadir de una grata melancolía, su whisky de la caída del sol.

El frescor le obligó a dejar la tumbona y entró en la casa, encendiendo las luces del saloncito, decorado por él con libros y mapas, confortablemente amueblado, pero desíntimo y veraniego. Cuando se sentó un enorme gato negro saltó sobre sus piernas y entretuvo la mano ociosa en acariciar el lomo suave y robusto mientras campanilleaba tenuemente con el vaso de whisky.

—Amadís —llamó una voz de agua sonadora y amiga—, Amadís —repitió la voz femenina.

El caballero empujo suavemente al gato, que estiró las patas y se quiso afianzar en su gozo perezoso, hincando las uñas sobre el bastón.

—Vete. Ya están aquí —dijo el caballero al gato—. ¡Sálvate!

—¡Amadís!

El caballero pasó de un relajado estar a una tensión ballestera y poco a poco fue descansando y enfriando su cabeza.

—Que pasen. Hazlos pasar, por favor.

Sus ojos recorrieron las paredes del saloncito hasta el ventanal. Más allá de la cristalera abierta, de la terraza y de los geranios, fuertes y casi silvestres, y de las rocas y del batir de la marea, todo era tiniebla de mar, cielo y agua, noche oscureciéndose. Una última claridad, una raya delgada y blanquecina, señalaba la estela del día desaparecido en el horizonte. Volvió la cabeza.

Entraron dos hombres y lo primero que observó fue el pelo negro y planchado del uno —como el de un cantador de tangos, pensó— y el aleteo casi sacerdotal de las manos del otro— manos ávidas de mercader, pensó.

—Siéntense. ¿Una copa?

Y levantándose sirvió unos vasos de whisky de la bandeja de las botellas. Hubo una pausa y cortantes, entrecruzadas miradas de observación. Después bebieron un poco.

—Amadís —dijo el hombre de las manos aleteantes—, usted sabe que esto no es muy grato y que...

—Por favor, señor. Decía Montesquieu: «Los preámbulos de los edictos de Luis XIV resultaron más insoportables a los pueblos que los propios edictos.» Bien, no he pagado, pero pagaré. Simplemente quiero un nuevo plazo. Dependo de un negocio.

El caballero, desafiante en su estudiado hermetismo, se atusó el bigote una y otra vez, haciendo más patentes su dignidad y solvencia.

—¿Cuándo? —preguntó, tal vez con demasiada codicia, el hombre del pelo planchado.

—¿Cuándo, cuándo? —caviló el caballero—. Pongamos tres semanas a partir de hoy. Se me ocurre pensar que la devolución del caballo y del automóvil les crearía más problemas que los que yo puedo procurarles con mi demora. Ha sido una buena venta para ustedes, una excelente compra para mí. Resolvámoslo todo amigablemente y con tiempo.

—Bien —respondió el hombre de las manos aleteantes—. Este es el último plazo.

—De acuerdo —dijo el caballero extrayendo un largo cigarrillo de su áurea, burilada pitillera—. Hemos terminado este asunto. Hablemos de otras cosas.

Guardaron silencio durante unos instantes. La marea jadeaba en las rocas como un animal cansado. Las luces del saloncito recortaban un paralelogramo en la terraza. Por el este fulgía un asomante de luna.

—Hablemos de ese pequeño yate que está en venta —dijo el caballero—. ¿O ya no lo está? ¿Tiene muchos años? ¿Está bien conservado?

—No lo sé —dijo el hombre de las manos aleteantes—. ¿Y tú? —preguntó a su compañero.

—Sí, sigue en venta, pero no sé más.

—Infórmense —terminó el caballero—. Sería cosa de pensarlo y pudiera interesarme. ¿Tienen ustedes prisa? ¿Otra copa?

—Nos vamos —dijo el hombre de las manos aleteantes—. Tenemos muchas cosas que hacer.

—¡Ah! Los negocios... —dijo el caballero cargando las suspiradas palabras de un vago matiz de desprecio.

Paseos, cartas y esperanzas

El caballero y su joven amigo marchaban hacia la casa a orillas del mar por el camino, caligrafiado, entre los algarrobos y los almendros, como un largo renglón islámico. El caballero dirigía su trotón, suave a las riendas, desde el asiento de la carretela de ruedas de automóvil. El joven amigo aceleraba su motocicleta de gran potencia cuando las piedras y los relejes profundos le impedían mantener la poca velocidad a la que avanzaba el caballo.

Por un vial de cipreses desembocaron en los terrenos de la casa, flanqueada de sabinas. El mar se extendía alimonado por la luz del desfallecido sol de la mañana invernal. Negros puntos de barcas apenas alcanzaban a destacar sus perfiles en la lejanía. Solo, lento, grave, un barco mercante navegaba las aguas del horizonte.

El caballero bajó de la carretela. Vestía un barroco atuendo deportivo, en el que destacaban una gorra de mecánico con orejeras y unos leguis antiguos.

—Bien, muchacho —dijo el caballero—. Un hermoso paseo. Pasemos a desayunar.

El muchacho con *blue-jeans* y cazadora de cuero, asintió. Era hermoso y parecía saberlo. Era ágil y gustaba de demostrarlo. Saltó los cuatro escalones de la escalinata a pies juntillas y se volvió para ver el efecto que había producido su pequeña hazaña en el caballero.

—Estás en forma —dijo el caballero.

El joven sonrió añadiendo:

—Y tengo hambre. ¿Todos los días das estos paseos, Amadís?

—No, no me suelo levantar tan temprano. Paseo por la tarde. Me he hecho un perezoso. A Genoveva le pasa lo mismo. Pero Genoveva pasea en automóvil. El paso del caballo le desespera.

Cruzaron la terraza y entraron en el saloncito, que a la luz de la mañana, no requiriendo intimidad como en la noche, era alegre.

—Los tiempos imponen austeridad —dijo el caballero—. Sólo los ricos pueden vivir con decoro. Mi dinero lo arrastró el decoro —afirmó sonriendo con un rictus de rememoración nostálgica.

El joven contemplaba uno de los mapas enmarcados.

—¿Por qué esta pequeña isla tiene una cruz sobre ella? —preguntó.

—Es una costumbre. De niño soñaba con viajes sobre los mapas. Los que he podido realizar los señalo y así cumplo con los sueños de mi infancia. A veces los estudio como entonces, como en los sueños de entonces y me doy cuenta de que ya están plenos de cosas, de hechos, de mi vida.

El caballero se desprendió de su forrada chaqueta y se destocó.

—Pongámonos cómodos. Entretengamos sabiamente el hambre con la palabra. Genoveva no tardará en levantarse.

—Bien, Amadís.

—Te preguntarás cómo voy a salir del pantano. No he

perdido la calma, tengo la cabeza fuera. Eso es todo. Cinco cartas, cinco maravillosos ases. Una sociedad limitada. Se llamará Alegría, S. L., Antiguas amistades. Suena bien, ¿no es verdad?

El joven con la barbilla apoyada en el cuenco de la mano derecha hacía sus cálculos y meditaciones.

—¿Y si falla? —preguntó.

—Imposible. Ofrezco dividendos como regalo de Navidad. Las mujeres son muy dadas a los pequeños negocios. Con quinientas mil pesetas se puede en este momento hacer negocios, mínimos, claro está, de terrenos en calas perdidas. Después se me ocurrirá otra cosa.

—¿Alegría, Sociedad Limitada? —silabeó el joven.

—Eso le presta jovialidad al negocio. Ninguna se puede negar. Las arrugas desaparecen, los buenos tiempos vuelven, sentimos ganas de bailar. Alegría —dijo enfáticamente—, Sociedad Limitada. Nada huele mal en el nombre de la sociedad. Está lleno de energía vital.

—Pero, ¿y los maridos, los amantes, los amigos, los consejeros? —preguntó el joven pleno de dudas.

—Las mujeres ricas tienen ciertos privilegios. Ciertos caprichos. No es lo mismo fundar una sociedad en París que fundarla en una isla. Una isla está siempre llena de misterio y, desde luego, encierra un tesoro. Lo sabemos desde niños.

—Nunca lo hubiera pensado —dijo el joven.

—Son los años —expuso con debilidad en la voz el caballero—. Y además no es ni un préstamo ni una estafa. Es una buena inversión.

Pasos suaves producían crujidillos en las escaleras que conducían al segundo piso.

—Baja Genoveva —advirtió el joven.

—Es igual que un gato. ¿Cómo la has oído?

El joven miró hacia el vano de la puerta y en él apareció una muchacha de revuelta cabellera, desclaza, con *blue-jeans* y una blusa entreabierta de color malva.

—Buenos días —dijo alegremente, besando a Amadís y al joven—. ¿No tenéis hambre? Esperáis que lo haga todo yo. Vamos, holgazanes, a la cocina —y gesticuló e hizo muecas y frunció los labios, tiránica y mimosa, y barbilleó a Amadís.

—Los caballeros deben trabajar para las princesas.

—Sólo las princesas encantadas por magos crueles sufren

la condena de la cocina —dijo Amadís sentenciosamente—. Vayamos a la cocina.

—A la cocina, a la cocina —impulsó la joven a los dos hombres.

Se oyó la voz de Amadís en entusiasmado tono:

—Alegría, Sociedad Limitada. ¡Qué triunfo!

En la gruta psicodélica

La ornamentación del techo estaba compuesta por múltiples ubres de telas de colores de las que pendían largos pezones o estalactitas sobre las cabezas de los habituales. Se suponía empolvada toda aquella ropavejería y, tal vez, recorrida en permanente exploración por insectos parasitarios. El mostrador estaba bien abastecido de caleidoscopios y la cristalera, tras los anaqueles de las botellas, fulgía cruórica, clorofílica, cítrica. Una luz cambiante y rotadora llevaba y traía las sombras por los rincones. Los rostros de la clientela se enmascaraban diabólicos, cadavéricos, místicos. El joven vikingo que servía en el mostrador componía las bebidas mesándose, distante y huraño, las largas barbas rubias.

Los cuatro jinetes de la barra del mostrador conversaban lánguidamente más atentos a la música que a sus propias palabras. La mujer preguntaba:

—¿Y Genoveva?

—Aburriéndose, hermana.

—¿Y por qué no deja al viejo?

—Algo tendrá el viejo.

Las chirimías y las guitarras electrónicas zumbaban en la melopea. La voz del cantante, nasal y ambigua, recorría los versos monótonos y repetidos. Uno de los jinetes se llevó el cercano caleidoscopio al ojo derecho y lentamente, como un niño, fue componiendo simétricas vidrieras de inmediata destrucción, hasta que se cansó.

—¿Y Genoveva y tú? —preguntó la mujer.

—¡Genoveva y yo! —dijo el preguntado exclamativamente—. Lo único que hago es aguantar frases de Montesquieu y versos de poetas. De vez en cuando, Amadís me da por añadidura un consejo.

—Debe ser divertido —dijo irónica la mujer con la cara enrojecida por la luz.

—Muy divertido —respondió desde la penumbra la voz apagada del dialogante.

Calmosos bebían zumos de frutas y vodka. Uno de ellos batía el mostrador con la palma de la mano. La mujer agitó la melena roja, al instante verde, de inmediato amarilla y pareció asperjar anilinas por la gruta.

—Quítasela —dijo suavemente.

—El viejo tiene entre manos un negocio. Es mejor esperar.

—¿A qué?

—No lo sé. Tengo que pensarlo.

—Cobarde —dijo alegre y sarcástica la mujer—. Gran cobardón.

—Somos amigos.

—Qué razón tan tonta —rió la mujer.

—Sí, pero es una razón.

—El no pondría esa disculpa.

—Tal vez sí, tal vez no. Yo qué sé.

—Diría algo mejor.

—Por supuesto. No sé citar poetas ni decir otras frases que las mías.

La mujer cascabeleó sus largos collares superpuestos y recogió un poco su falda de adivina para bajarse de la banqueta.

—Buenas noches y hasta luego. ¿Vosotros venís? —preguntó a los jóvenes silenciosos—. ¿Tony, Juan?

—Desde luego, Rita —respondió uno de ellos.

—Piénsatelo bien, chico. No vayas a seguir —se volvió la mujer desde el umbral— de escudero todo el invierno.

—Descuida —contestó fugazmente el joven amigo de Amadís.

El barman vikingo, cuando salieron, se mesó las barbas furioso.

—¿Por qué tiene que meterse en tus asuntos?

—No sé.

—Cógela o déjala. Haz lo que te parezca, pero por ti mismo.

—Tienes mucha razón.

Guardaron silencio. La música y las luces, las botellas y la ornamentación del techo, las pinturas curvilíneas de las paredes y los caleidoscopios del mostrador, hacían de la gruta psicodélica algo que recordaba a las farmacias del siglo XIX con sus carrilloncillos de las puertas y frascos de los anaqueles, a las viejas barracas de feria pintadas de crudos y con techos almohadillados por retales de colores, a las tiendas pobres de antigüedades con su surtido de telescopios y catalejos.

El joven amigo de Amadís y el joven vikingo comenzaron a sonar los dados sobre el mostrador.

Un día brumoso

Amaneció un día brumoso, con las nubes formando una cúpula que cerraba la perspectiva marina, cubría las colinas y encapsulaba la casa y el paisaje en torno a la casa. Las olas golpeaban sosegadamente en las rocas y había calma en el mar. Las sabinas eran borrones de un verde apagado y los cipreses se alargaban negros en el vial.

Canturreaba el caballero, después de sus ejercicios gimnásticos, envuelto el cuerpo en un suave albornoz anaranjado. Genoveva, el cabello suelto, casi licor, la piel fresca, casi agua, se movía silenciosa, ágil y alegre.

—Un gran negocio —dijo el caballero—. Nunca pensé que el dinero se pudiera doblar tan fácilmente. Y acaso triplicar.

—Eres muy listo, Amadís.

—La suerte de la mina de oro. Tantos años buscándola y por fin me la encuentro en esta isla. Porque esto es como una mina o lo va a ser por algún tiempo. Hay que explotar inteligentemente el negocio.

—¿Y el yate? —preguntó con candor Genoveva.

—Y el yate y más cosas. Podemos ser muy felices.

El podenco se desperezaba en la terraza y corrió a husmear el verdor perenne de las plantas cactosas del pequeño talud. Algo se había movido allí: drago o lagartija. Regresó con los ojos, de desvanecido azul, semicerrados y la cola larga y fina, interrogante entre las patas.

El ruido de un motor de automóvil sonaba sordo por el camino de los algarrobos y los almendros.

—Tienes que darte prisa —dijo Genoveva.

—Saben esperar —respondió con picardía el caballero.

El caballero desapareció y Genoveva salió a la terraza para contemplar la llegada del automóvil.

—Buenos días —dijo el hombre del pelo planchado,

apeándose—. Pero no es un buen día, Genoveva. Hoy lloverá.

—Suban y pasen —requirió Genoveva.

El hombre del pelo planchado y su compañero, el hombre de las manos aleteantes, subieron la breve escalinata. El podenco se acercó a ellos.

—Otra adquisición —dijo el hombre del pelo planchado, observando el perro—. Antes había hordas y eran en su mayoría vagabundos. Ahora estos podencos fenicios valen mucho dinero. Casi todos han desaparecido. Se los han llevado. Son una de las pocas razas puras que quedan. Se ve que ustedes son personas entendidas.

—¿Amadís? —preguntó el hombre de las manos aleteantes.

—Bajará en seguida.

Genoveva dio conversación a los dos hombres. Les habló de cosas lejanas que si existían eran solamente para ellos como un humo o un rumor. Habló de los barrios de su ciudad...

—En días brumosos, como el de hoy, las nubes se van acercando como dos manos —hacía el ademán— y se aprietan hasta que todo queda aplastado en una masa gris, en la que brillan manchas luminosas...

—¿Y el sol? ¿Le gusta el sol, Genoveva? —preguntó uno de los hombres.

—Claro que sí. Es lo que más me gusta —dijo infantilmente—, pero lo otro tiene un extraño encanto —añadió meditabunda.

Amadís entró en el saloncito retocando su fular.

—Cuando quieran —dijo.

—Listos —se pronunció el hombre del pelo planchado, y recomendó a continuación—: Lleve impermeable o paraguas. Antes de mediodía lloverá.

—No tiene tan mal aspecto. No creo que llueva —pronosticó Amadís.

—Sí, lloverá.

—Correré el pequeño riesgo de equivocarme —replicó con un ligero tono impertinente.

Los dos hombres subieron en su automóvil y Amadís en su descapotable.

Partieron hacia la cala del norte, donde se recortaban los sueños de fortuna de Amadís. Genoveva acarició al perro y miró al mar. Jirones de bruma avanzaban rápidamente hacia la costa. Llamó el perro.

—¡«Roldán»!

Genoveva, desde la cristalera del saloncito, la mirada perdida, no contemplaba todavía el lejano bullir del mar sobre el que comenzaba a llover.

Aventura en la mar

—... el torrente de agua y la maldita capota del coche —dijo gangueando el caballero, mientras se enjugaba, desvalido y femenino, la nariz.

—Descansa y no hables —las manos de Genoveva corrieron el embozo—. Te ha bajado la fiebre y no tienes por qué preocuparte.

—En dos días estarás bien —dijo el joven amigo de Amadís— y yo revisaré la capota y la arreglaré.

—Gracias, muchacho —suspiró el caballero.

—Y ahora a sudar y a dormir un poquitito —añadió Genoveva con mimo.

El caballero se propuso una rigidez de cadáver y pareció amortajado por la sobrecama, las alas de la almohada y el embozo que casi le cubría la boca. Volvió los ojos hacia la pareja.

—Cuidado con el mar —dijo con sordina.

—Ir y volver hasta la caleta. Nada más —aclaró el joven amigo de Amadís—. La mar está como una balsa y el motor va muy bien. No tienes que pensar en desastres.

—Chao —quiso decir el caballero, pero tosió y asintió su aliento húmedo y cálido en la sábana.

—Chao, chao —repitieron los jóvenes, y salieron huidos, ágiles y fulgentes. Bajaron las escaleras con rapidez y de pronto fueron fantasmas, cuando se acercaron a las rocas, reflejados en el techo del dormitorio. Luego el ruido del motor, monocorde y alegre, resultó ser un insecto gigante dando vueltas por la habitación hasta que partió por la ventana. El caballero volvió un poco la cabeza para ver el mar y la canoa, pero la baranda estaba iluminada, sus espacios ciegos y nada se veía.

El joven amigo de Amadís se quitó el jersey y la camisa. Genoveva se sujetaba el cabello con las manos. La canoa corría sin dirección y los jóvenes se sentaron en las bordas.

Ambos eran demasiado perfectos, como un anuncio de una bebida de verano, para ser verdaderos. El aire penetrando les amordazaba las bocas y estaban ensordecidos por el ruido. Pero hablaban y reían. Y creían entenderse. Pusieron rumbo a la caleta.

La caleta estaba formada por dos promontorios de rocas rojas, rosadas, blanquecinas y negras, y una playa de arena ensuciada de petróleo, con basura de cañas, plásticos y maderos náufragos. Desde la mar la playita parecía un retal de arena, menos virgen y salvaje de lo que hubieran deseado. El cantil del fondo tenía una cenefa de sabinas pequeñas y desflecadas, derramantes, cácteas.

Vararon la embarcación y saltaron a la arena, con los pantalones atornillando las piernas bajo las rodillas. Se abrazaron y se desabrazaron, lo volvieron a hacer y lo repitieron muchas veces, besándose hasta que, cansados del juego, cogidos de la mano, comenzaron a pasear por el borde de la playa, donde el agua espumeante efervescía como soda y trazaba delicados arcos muy abiertos. Lejana volaba una gaviota, dibujada en la transparencia de la mañana por dos cejillas párvulas.

Acordaron regresar y la caleta fue una cueva resonante donde el ruido del motor desencantaba la silenciosa soledad de la pareja. Se hicieron a la mar. Tras de ellos quedaba la arena húmeda con las huellas de su andar confundidas, desapareciendo en la marea. En la arena seca y mancillada negreaban los grumos de petróleo, y los maderos y cañas —casi blancos—, los botes —azulinos, malvas, alimonados— de los líquidos bronceadores y los envases de aceite de oliva —rojos y lechosos— daban al rincón un envilecimiento de vertedero.

Amadís alzó la cabeza cuando oyó el ruido del motor. Estaba sudando y sintió frescor en la nuca. Luego esperó oír las voces del atraque, pero sólo escuchó risas. Genoveva y el joven amigo de Amadís subieron muy de prisa las escaleras. Lo encontraron intentando incorporarse.

—No, querido. No hagas eso —dijo Genoveva—. Descansa, descansa. Ya hemos llegado. Ya ha llegado tu enfermera. Eres muy desobediente —afirmó, haciendo un delicado mohín de enojo.

Amadís se deslizó por su propio sudor hasta quedar sucio, fatigado y preso en la celdilla. Genoveva le rozó la frente con los labios.

—No es necesario este martirio, estas caldas —dijo desvaídamente Amadís, quejándose con los ojos cerrados.

—Sí es necesario para que te quites ese horroroso —silabeó la palabra— resfriado —respondió Genoveva.

—¿Cómo habéis tardado tanto? —preguntó Amadís.

—Una aventura —Genoveva rió plena de inocencia—. El motor ha hecho «fachs» y se ha parado. La corriente ha empezado a arrastrarnos. Tal vez hacia Francia, tal vez hacia Africa. No sé.

—El tubo del agua sucio —dijo el joven amigo de Amadís, quitando importancia a la accidencia—. Un soplido y todo listo, pero nos ha llevado un rato dar con ello.

—En el invierno es muy peligroso salir a la mar. Nadie os ha visto partir —dijo Amadís bajando la voz—. Tal vez para cuando yo avisase hubiera sido tarde.

—No me asustes. No seas cruel —dijo Genoveva, falsificando un gesto de temor.

El caballero desciende a los infiernos

Bajaron las escaleras disputando el equilibrio con hombros, codos y manos a los derviches danzantes (derviches había estimado el caballero despectivamente cuando Genoveva le propuso el club). En invierno no funcionaba el aire acondicionado, aunque era necesario, y un tufo acre, espeso, tibio, de establo humano azotó el delicado olfato del caballero (guarida suburbial había replicado el caballero a la invitación de Genoveva para revisitar el antro). Las luces de colores corrían como serpientes por la sala enmascarándolo todo, obsesionándolo todo (procedimientos torturantes de la Gestapo, musitó el caballero recordando inquisiciones).

En el salón los derviches formaban un solo y total monstruo, uniformemente acelerado, multitudinariamente copulativo (observación debida al caballero), ciegamente rítmico como una estampida.

—Bien, sentémonos en este amparado lugar —propuso el caballero.

—¿Por qué tan lejos? —preguntó Genoveva.

—Temo que nos ataquen —respondió con humor el caballero.

El hombre del pelo planchado como un cantador de tangos se sentó a la derecha de Genoveva y el caballero lo hizo muy ceremonioso a su izquierda. Fuera, en la bahía, las luces del pueblo rielaban en las aguas y existía una especial serenidad nacida de la noche estrellada —un firmamento alto— y de la desolación del invierno —acaso perceptiblemente conventual en un lugar de veraneo. El caballero añoró el privilegio.

—Esta isla es un oasis excepto los domingos, amigo mío —dijo dirigiéndose al hombre del pelo planchado—. Los domingos en los bunkers de los pueblos y en el de la capital se inauguran los infiernos.

—Ya no somos jóvenes —titubeó el hombre del pelo planchado, inoportuno.

La mirada del caballero destelló iracunda a medida que las luces de los focos le asaltaban. Se calmó y filosofó:

—El caos no es juvenil. Es viejo.

El joven amigo de Amadís se acercó desde la barra, preservando con las dos manos su bebida.

—¡Hola! —dijo.

—¿Tú por aquí? —preguntó el caballero.

—Sí, por aquí —dijo con vaguedad—. ¿Bailamos? —propuso Genoveva.

Genoveva sonrió al caballero. Los jóvenes partieron al combate con la sonrisa en los labios y se taracearon primero en la masa y después se confundieron en ella.

—¿Cómo va la sociedad? —interrogó el hombre del pelo planchado.

—Un verdadero éxito. Ampliación de capital y nuevas inversiones.

—Me alegro de que sus asuntos vayan bien.

—Viento en popa, a toda vela.

Luego el caballero, con satisfacción insolente, recalcó:

—Así es. Mejor que nunca, mejor que nunca.

Genoveva y su derviche bailaban en trance, apenas separados por los escasos centímetros que les permitía el engranaje de la multitud.

—¿Todo va bien? —preguntó el joven amigo de Amadís, aprovechando una contorsión y pegando los labios a la oreja descubierta por el oleaje de la melena.

Genoveva afirmó con la cabeza y, aprovechando a su vez en una finta, dijo:

—Y te quiero como no te puedes imaginar.

El susurro llegó a los oídos del joven amigo de Amadís, que cerró los ojos y abrió las manos en ademán pontifical, volviéndolas un poco.

—Todo va perfectamente bien —habló moviendo apenas los labios, como en una bendición.

Las bebidas del club no gustaban al caballero.

—Es repulsivo, mi buen amigo. Sólo con cocacola, otro bebedizo, se puede pasar esta pócima.

—Cómo se divierten —el hombre del pelo planchado escrutaba entre los danzantes hasta que descubrió a Genoveva y a su compañero.

—¿Se divierten? Quién puede divertirse en el infierno. Puro masoquismo.

La orquesta varió el ritmo y las parejas se abrazaron, comenzando a moverse con suavidad en vaivén.

—¿No ha aprendido usted a bailar esto? —preguntó el hombre del pelo planchado.

—No —respondió, áspero, el caballero—. ¿Para qué?

—¿Para qué? No sé. Hoy es necesario, aunque no sé para qué es necesario, realmente necesario...

Regresaron Genoveva y el joven amigo de Amadís.

—Ya es hora de irse —dijo el caballero.

—Un poquitito más —pidió Genoveva.

El caballero le miró con los ojos húmedos y heridos de las luces y el humo, paternales al capricho.

—Sólo un poco más.

Genoveva y su compañero volvieron a la confusión. El caballero reinició su charla, entrecortada por las guitarras eléctricas, y apuró su bebida con evidencias de asco.

—Es inútil tratar de comprender esta extraña diversión, por otra parte tan ingenua.

—¿Usted cree? —preguntó el hombre del pelo planchado, suspicaz.

Los almendros han florecido

El caballero y la muerte

El caballero recordó un melancólico episodio de su vida. El golpear del trotón en la tierra del camino sosegaba, como el borboteo de una fuente, su discurrir por el tiempo pasado. Aún invernizo, el tibio mediodía aventuraba ya las temperaturas de la primavera de la isla. Tras de los olivos y los algarrobos, los almendros extendían sus neblinas bajas. Más allá terminadas las tierras de labor y los prados con flores, las sabinas ascendían por las laderas de las montañas perfilándose en los altos. Los cubos de las casas payesas, salpicados por el valle y las colinas, carecían de la enérgica presencia de los pueblos y mostraban su soledad y desvalimiento. Una luz melífica, que no hacía sospechar las crudezas cenitales del estío, apagaba los colores. El caballero, en su carretela, transitaba por un paisaje dulce, acuarelado y epiceno.

El caballero se dirigía al pueblo en busca de su correo. El pueblo estaba al fondo de la bahía (cerrado al oeste por un escenográfico telón de islas y roques, abierto al noroeste al horizonte), con calles claustrales y enjambres de apartamentos y edificaciones hoteleras y una piña de casitas de pescadores. El camino que recorría el caballero afluía a la carretera en la mitad de una curva tan tensionada como una media circunferencia. Iba el caballero entregado a sus añoranzas, cuando el caballo dudó, antes de entrar en el asfalto, y con un mecánico golpe de riendas lo impulsó a seguir.

Cruzaba el caballo con su andadura, insolentemente académica, y proseguía el caballero absorto en sus recuerdos. Venido de lo lejano se hizo presencia un ruido, repentino como un vendaval, agudizado en la quejumbre. El caballero sintió una poderosa embestida y todo su cuerpo fue dolor. Después rumores inciertos, aspereza en los dedos, aroma de lilas o de gasolina y amargura y ceguedad. En el sembrado de cebada, como un pelele de otomana, yacía desmadejado el caballero. De la cabeza fracturada, algo blando y rosáceo se mezclaba con la sangre de una herida.

El trotón del caballero, desenganchado por el golpe de los atalajes, jadeaba con las cuatro patas dobladas. La carretela era un juguete antiguo y roto, abandonado en la cuneta de la carretera. El descapotable del caballero apenas mostraba señales del choque.

El joven amigo de Amadís sostenía la pobre cabeza e intentaba incorporar el descoyuntado cuerpo.

—Está muerto —dijo susurrando—. La cabeza deshecha contra el árbol.

Un payés frenó su moto. Genoveva se cubría la cara con las manos. El payés ayudó al joven amigo de Amadís y el caballero fue depositado en el asiento trasero del automóvil.

—Ahora conduzco yo —dijo el joven amigo de Amadís—. Sostenlo como puedas.

En el cebadal quedaba como la huella de un cuerpo en la nieve en una hornacina de pisadas, que pronto se borraría.

El caballero no murió hasta cinco días después. No se sabe que sufriese. Los socios de Alegría, Sociedad Limitada, fueron avisados.

Las gaviotas

En el cementerio del pueblo, recogido como un patio, enterraron al caballero. El cura dijo con monotonía unas oraciones por el muerto y el cortejo fúnebre abandonó el lugar. En la rinconada del osario se pudría el muñón de una chumbera, crecían los geranios silvestres entre las tumbas, las malas yerbas y los cardillos invadían la tierra y los cipreses apenas elevaban sus puntas de grafito por encima de las tapias.

En la casa del caballero se reunieron sus amigos y socios. El hombre de las manos aleteantes parpadeaba tras de sus gafas negras. Cinco mujeres consultaban papeles de Alegría, Sociedad Limitada. Habían llegado al aviso de Genoveva. En el cementerio mostraron una educada y general compunción y ahora discutían. Hablaban en francés y en inglés.

—¿Qué discuten? —preguntó el hombre del pelo planchado.

—El botín —dijo sonriente el joven amigo de Amadís.

Luego él y Genoveva salieron a la terraza cogidos de la mano. El hombre del pelo planchado les contempló. Después miró más allá. El mar cabrilleaba a lo lejos y las gaviotas daban sus gritos de guerra en el remolino de sus vuelos de pesca.

Indice

Clave de las obras que figuran en este índice:

Víspera del silencio (1955)	VS
Espera de tercera clase (1955)	ETC
El corazón y otros frutos amargos (1959).	ECOFA
Pájaros y espantapájaros (1963)	PyE
Arqueología (1961)	A
Caballo de pica (1961)	cdeP
Los pájaros de Baden-Baden (1965) ...	PBB
La tierra de nadie (1970)	TdeN